Dylunio a Thechno

Llyfr Adnoddau i Athrawon

Cyfnod Allweddol 2

Kate Bennington

Addasiad Cymraeg gan Eirlys Roberts

CYDNABYDDIAETHAU

Diolchir i John Lloyd, Ywain Myfyr, Siân Owen am eu sylwadau a'u cefnogaeth.

Cysodwyd y fersiwn Cymraeg gan Richard Huw Pritchard
Argraffwyd gan Wasg Y Lolfa

CYNNWYS

* yn addas ar gyfer CA 2 is
▼yn addas ar gyfer CA 2 uwch

RHAGAIR

Fy nod wrth ysgrifennu'r llyfrau hyn yw cynnig i athrawon Cyfnod Allweddol 2 mewn Dylunio a Thechnoleg (arbenigwyr a'r sawl nad ydynt yn arbenigwyr) ystod eang o weithgareddau a thechnegau fydd yn cwrdd â Gofynion y Cwricwlwm Cenedlaethol yn y maes hwn.

Llyfr Adnoddau i Athrawon, Cyfnod Allweddol 2

Cynigir cyfleoedd i'r disgyblion ddatblygu sgiliau drwy ddefnyddio ystod o ddefnyddiau ac elfennau a gynhwysir yng Ngofynion y Cwricwlwm Cenedlaethol. Dosrennir prif uned y llyfr i Unedau o waith, pob un yn cynnig syniadau am waith project yn ymwneud ag agwedd arbennig e.e. Uned 8: Olwynion/Echelau. Cynlluniwyd y gwaith project yn ofalus i gynnwys nifer o sgiliau a gofynnir i'r disgyblion ymchwilio, archwilio, arbrofi, dylunio, gwneud a gwerthuso. Ar gyfer pob project o fewn Uned ceir rhestr fwy manwl o'r sgiliau a ddefnyddir – y nodau dysgu. Yna, ceir geirfa allweddol. Wedyn ceir dilyniant rhesymegol o dasgau – tasgau ymchwiliol a thasgau ymarferol penodol – a fwriedir er mwyn i'r disgyblion ymarfer y sgiliau sydd eu hangen arnynt, a chynigir gwybodaeth i'w galluogi i gwblhau'r Dyluniad a gwneud y dasg derfynol o fewn pob Uned. Mae pob un o'r aseiniadau hyn yn golygu bod y disgyblion yn dylunio a gwneud rhywbeth, gan ddilyn canllawiau penodol. Yna cânt gyfle i werthuso eu gwaith. Gallai'r disgyblion weithio ar bob project fel dosbarth cyfan neu mewn grwpiau llai, yn dibynnu ar yr adnoddau sydd wrth law. Golygir i bob project fod yn waith tymor. Fodd bynnag, gellid defnyddio'r syniadau a'u haddasu ar gyfer gwaith Dylunio arall neu waith o fewn pynciau eraill.

Dylai disgyblion fod wedi cael rhywfaint o brofiad eisoes cyn ymroi i wneud y projectau a awgrymir yma. I helpu athrawon i ddewis gwaith addas i'w grwpiau ceir symbolau i ddynodi pa Unedau sydd fwyaf addas ar gyfer oedran is o fewn Cyfnod Allweddol 2 a pha rai sy'n addas ar gyfer plant hŷn. Mae'r Unedau a fwriedir ar gyfer y plant iau yn dibynnu mwy ar fewnbwn athrawon. Yna, gellir symud ymlaen at weithgareddau lle na fydd ar y disgyblion angen cymaint o gyfarwyddyd. (Sylwer ar y symbolau ar restr Cynnwys Llyfr yr Athrawon.)

Technegau, offer a storio

Mae'r adran hon yn ymdrin â dylunio sylfaenol a'r technegau gwneud a gynhwysir yn y gwaith project. (Dylai'r rhain fod yn hynod ddefnyddiol i'r athrawon nad ydynt yn arbenigwyr yn y maes.) Hefyd, ceir cynghorion ar sut i ddefnyddio offer mewn modd diogel yn yr ystafell ddosbarth, yn ogystal â syniadau ar sut i storio adnoddau.

Rhestr adnoddau

Rhestrir yma yr adnoddau, ar gyfer Cyfnod Allweddol 2 mewn Dylunio a Thechnoleg, a fyddai'n ddefnyddiol mewn ystafell ddosbarth, gan gynnwys defnyddiau treuliadwy.

Meistrgopïau Cyfnod Allweddol 2 Dylunio a Thechnoleg

Mae'r llyfr hwn yn cynnig ystod eang o daflenni y gellir eu llungopïo i'w defnyddio gyda'r gweithgareddau a geir yn y Llyfr Adnoddau i'r Athrawon. Enghreifftiau o'r math o waith y gellir ei wneud yw nifer o'r taflenni a gellir eu haddasu neu gellir ychwanegu syniadau newydd yn ôl y galw ac i ymateb i anghenion arbennig.

UNED 1:

DEFNYDDIO LLENDDEFNYDDIAU

CARDIAU 'NEIDIO-I-FYNY'

Nodau dysgu

Sgiliau dylunio
Dylai disgyblion gael cyfle i:

- ymchwilio i gardiau a llyfrau 'neidio-i-fyny', er mwyn casglu gwybodaeth am eu mecanwaith a'u dyluniad
- wneud lluniad o fecanwaith wedi ei ddarnio i'w gydrannau
- fodelu syniadau dylunio gan ddefnyddio papur
- ddylunio cerdyn ac amlen ar gyfer achlysur arbennig ac ar gyfer person penodol

Sgiliau gwneud
Dylid annog disgyblion i:

- ymarfer marcio a thorri papur a cherdyn
- arddangos eu bod yn gallu plygu yn gywir a rhychu papur a cherdyn
- greu mecanwaith syml gyda cholfach yn plygu
- lwyddo i sicrhau fod y cynnyrch gorffenedig o ansawdd da.

Gwybodaeth a dealltwriaeth
Dylai'r disgyblion gael cyfle i:

- astudio ystod o gardiau a mynegi a ydynt yn eu hoffi neu beidio
- ymchwilio i nifer o fecanweithiau 'neidio-i-fyny'
- ystyried a yw'r cardiau yn addas ar gyfer y sawl fydd yn eu derbyn ac ar gyfer yr achlysur

Geirfa: plygu, rhychu, torri, mesur, mecanwaith, tabiau.

TASGAU YMCHWILIOL

Defnyddiau/offer sydd eu hangen: casgliad o gardiau cyfarch (heb fecanweithiau 'neidio-i-fyny'); cardiau 'neidio-i-fyny' a llyfrau; offer lluniadu; amlenni.

Tasg 1
Cyflwyno'r project trwy drafod y gwahanol adegau pan ellid anfon cerdyn. Yn gyntaf, siaradwch am ddathliadau cyffredin e.e. pen-blwyddi ac adegau cyffredinol e.e. llwyddo mewn arholiad neu brawf gyrru. Yna, eglurwch y gwyliau crefyddol niferus a nodir trwy anfon cardiau e.e. Diwali a'r Pasg.

Tasg 2
Rhannwch y dosbarth yn grwpiau a rhoi o leiaf bedwar cerdyn gwahanol i bob grŵp. Dylai pob set o gardiau gynnwys amrywiaeth o gardiau a fwriedir ar gyfer gwahanol achlysuron. (Nid oes angen i'r rhain fod yn gardiau 'neidio-i-fyny'.) Gofynnwch i bob grŵp benderfynu ar gyfer pwy y mae'r cardiau wedi eu dylunio ac ar ba achlysur y byddant yn cael eu hanfon. Mae'n siŵr na fydd hi'n anodd i'r disgyblion benderfynu diben y cardiau sydd ag ysgrifen y tu mewn iddynt neu ar y tu blaen. Ond, dylai cardiau mwy cyffredinol, e.e. y rhai sydd â llun ond dim geiriau, fod yn fwy o her.

Pan fydd pob grŵp wedi gorffen y dasg gofynnwch am un gwirfoddolwr o bob grŵp i adrodd yn ôl. Dylai ef/hi ddewis dau o gardiau'r grŵp a dweud pam ac i bwy y tybia'r grŵp y câi'r cardiau eu hanfon. Yna, dylai egluro sut y bu iddynt benderfynu hynny. Ceisiwch gael y disgyblion i drafod nodweddion y sawl fyddai'n derbyn y cerdyn fel paratoad ar gyfer gwaith pellach.

Tasg 3
Dylai'r disgyblion aros yn eu grwpiau ar gyfer y dasg hon. Rhowch lyfr 'neidio-i-fyny' i bob grŵp i'w astudio a gofyn iddynt benderfynu ar gyfer pwy y cafodd y llyfr ei ddylunio. (Mae'r mwyafrif o'r llyfrau hyn wedi eu bwriadu ar gyfer plant ifanc iawn.) Yna, anogwch y disgyblion i edrych yn ofalus ar y mecanwaith 'neidio-i-fyny' tra'n agor a chau'r llyfr. Dylent sylwi nad yw'r lluniau yn y golwg pan fydd y llyfr ar gau. Yn olaf, dylai pob grŵp nodi a yw'r holl luniau 'neidio-i-fyny' sydd yn eu llyfr yn defnyddio yr un math o fecanwaith.

Tasg 4
Rhowch gerdyn 'neidio-i-fyny' i bob grŵp. Gofynnwch iddynt ddadosod y cerdyn yn ofalus a gwneud diagram o'r gwahanol rannau i ddangos sut roedd y cerdyn wedi ei lunio. Gallant wneud lluniad taenedig (i ddangos y cydrannau). Os nad yw'r disgyblion eisoes wedi dysgu'r dechneg hon, dyma gyfle gwych i'w haddysgu.

Tasg 5
Dylai pob grŵp nawr geisio agor amlen allan (unrhyw fath ar amlen). Dylid eu hannog i nodi sawl darn sydd yma a sut y caiff yr amlen ei phlygu a'i gludio. Yna, dylai pob plentyn luniadu rhwyd o amlen y grŵp. Efallai y bydd angen helpu rhai plant gyda'r dasg hon.

TASGAU YMARFEROL PENODOL

Defnyddiau/offer sydd eu hangen: Meistrgopïau 1, 2 a 110, papur, cerdyn tenau, prennau mesur, prennau mesur diogel, siswrn, tyllydd, torrwr cylchdro tonnog, torrwr cylchdro, torrwr cwmpawd, siswrn pincio, glud PVA, taenwyr glud, coesyn glud, pinnau hollt, cwmpawdau, sgwarynnau.

Tasg gyntaf
Adolygu dulliau o dorri a'r offer a ddefnyddir i dorri gan ddefnyddio Meistrgopi 110. Adolygu dulliau marcio, torri a rhychu cerdyn drwy wneud y tasgau dilynol gyda'r disgyblion. Edrychwch yn ofalus ar waith pob plentyn gan asesu gallu pob un i fesur a thorri yn fanwl-gywir.

Atebion i Meistrgopi 110
Dril llaw – olwyn (jelutong); siswrn – papur; haclif – jelutong; stripiwr – gwifren; pwns – coes lolipop (correx, papur); datodwr pwythi – correx; snipydd – tiwbyn (correx)

Marcio a thorri cerdyn
Cymerwch ddarn tenau o gerdyn. Dangoswch sut i luniadu petryal arno – gan ddefnyddio pren mesur a sgwaryn i farcio'r siâp yn fanwl-gywir. (Dyma gyfle da i adolygu sut i fesur yn fanwl gywir o'r dim.) Yna rhowch ddarnau o gerdyn tenau i'r disgyblion. Gall pob disgybl luniadu ei betryal ei hun ar y cerdyn. Gofynnwch iddynt dorri'r siapiau allan gan defnyddio siswrn cyffredin. Cyn iddynt ddechrau, cofiwch eu hatgoffa sut i ddefnyddio offer miniog, fel siswrn, yn ddiogel.
Gan ddefnyddio darnau sbâr o gerdyn, dangoswch ddulliau eraill o dorri cerdyn. Dangoswch pa effaith a geir drwy ddefnyddio siswrn pincio, torrwr cylchdro tonnog, torrwr cylchdro a thorrwr cwmpawd.

Rhychu cerdyn
Adolygwch sut i ddal pren mesur diogel. Pwysleisiwch y dylai'r plant bob amser gadw'r bysedd y tu mewn i'r rhigol ganol. Yna, dangoswch iddynt y dull cywir i rychu llinell syth ar ddarn o gerdyn (Llun 1 dros y dudalen), gan ddangos sut mae'r cerdyn yn plygu. Eglurwch mai dyna pam y dylent bob amser rychu i lawr y tu allan i blyg. (Yma, efallai y byddai'n werth chweil pwysleisio na ddylid defnyddio pren mesur cyffredin neu riwl plastig ar gyfer tasg fel hon oherwydd y byddai'r ymylon yn cael eu difetha.)

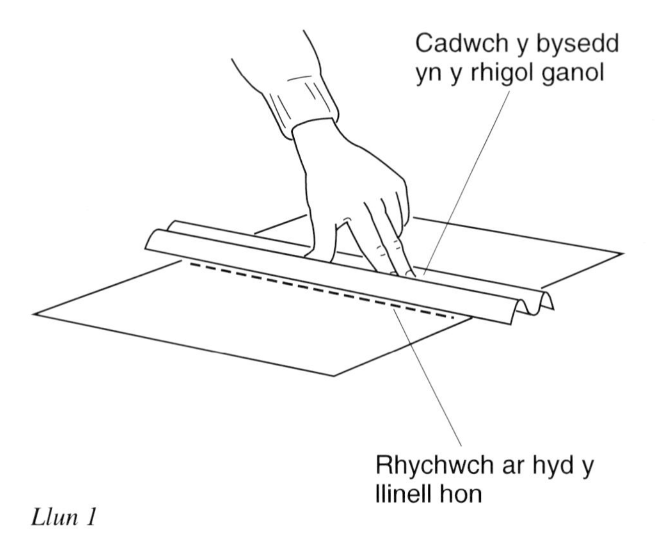

Llun 1

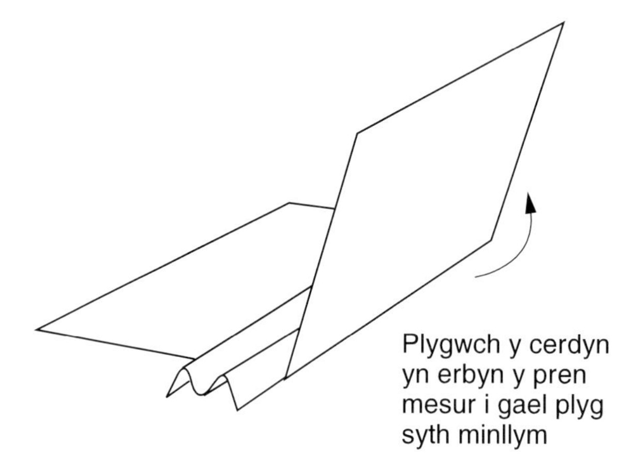

Llun 2

Anogwch y disgyblion i feistroli'r sgil hwn. Gofynnwch iddynt gymryd y cardiau petryal, y rhai roedden nhw wedi eu gwneud fel eu tasg gyntaf, a mesur a marcio hanner y ffordd ar hyd pob ochr hir. Yna, dylent rychu llinell i uno'r ddau farc, gan ddefnyddio siswrn a phren mesur diogel. Gofynnwch iddynt blygu'r cerdyn yn erbyn y pren mesur er mwyn gwneud plyg syth ar hyd y rhych (Llun 2). Yna, dangoswch y gellid defnyddio tyllydd hefyd i rychu ac y byddai hwn yn torri'r arwyneb ar gerdyn trwchus gan ei wneud yn haws ei blygu.

Cyflwynwch y syniad y gellid rhychu cerdyn er mwyn gwneud tabiau. Dangoswch sut i wneud tab drwy rychu llinell tua 1cm o ymyl cerdyn petryal. Yna, gadewch iddynt ymarfer gwneud tabiau eu hunain gan ddefnyddio darnau sbâr o gerdyn.

Tasg annibynnol

Mecanweithiau 'neidio-i-fyny'
(I baratoi ar gyfer y dasg hon, gwnewch rai o'r mecanweithiau a ddangosir yn y lluniadau ar dudalen 5 – llun 3. Mae lluniadau tebyg hefyd ar Meistrgopi 1.)

Rhowch lungopïau o Meistrgopi 1 i'r disgyblion. Yna, dangoswch iddynt y mecanweithiau rydych chi eisoes wedi eu gwneud ac eglurwch sut y bu i chi eu gwneud. Gofynnwch iddynt wneud dau o'r mecanweithiau hyn gan ddefnyddio darnau o gardiau a phapur. Dylent ddefnyddio siswrn a phren mesur diogel i rychu, a dylai coesyn glud fod yn iawn i ludio cerdyn tenau a phapur. Os defnyddir cerdyn mwy trwchus byddai glud PVA yn fwy addas.

Gwneud amlenni
Nawr, anogwch y disgyblion i wneud amlen ar gyfer un o'u cardiau, drwy ddilyn y cyfarwyddiadau sydd ar Meistrgopi 2. Awgrymir yno i'r plant wneud un dyluniad yn unig. Fodd bynnag, fe allech chi wneud y ddau ddyluniad er mwyn iddynt hwy gael eu gweld cyn dechrau ar y dasg (Gw. Llun 4). Dim ond papur a glud sydd eu hangen ar gyfer y dasg hon.

ASEINIAD DYLUNIO A GWNEUD

Amcan: Dylunio a gwneud cerdyn Nadolig 'neidio-i-fyny'. (Neu, fe allai'r plant ddylunio a gwneud cerdyn ar gyfer gŵyl grefyddol arall neu ryw achlysur mwy cyffredinol.)

Defnyddiau/offer sydd eu hangen: Meistrgopïau 1 2, 3, 88 ac 89, cerdyn tenau, glud PVA, taenwyr glud, papur, coesynnau glud, sisyrnau, prennau mesur, sgwarynnau, cwmpawdau, prennau mesur diogel, siswrn pincio, torrwr cylchdro tonnog, tyllydd, pinnau hollt, peniau ffelt, pensiliau lliw, secwinau, glitter.

Cyflwyno
Dylid defnyddio'r Tasgau Ymarferol Penodol (tudalennau 3-4). Yna, gofynnwch i'r plant wneud cerdyn Nadolig 'neidio-i-fyny'. Fodd bynnag, cyn iddynt ddylunio eu cardiau trafodwch natur y dasg yn gyffredinol. Dylid eu hatgoffa am y gwahanol fathau o fecanweithiau 'neidio-i-fyny' y gellid eu defnyddio. Hefyd, eglurwch y bydd yn rhaid i'w cynnyrch fod o ansawdd da ac y caiff ei werthuso ar ddiwedd y project.

Dylunio
Gofynnwch i'r plant luniadu dau neu dri cerdyn Nadolig. (Gellid defnyddio Meistrgopi 3 i gael syniadau.) Yna, dylent ddewis un i'w ddatblygu. Anogwch y disgyblion i ddewis y cynllun hawsaf i'w wneud (ac o'r herwydd mae'n debyg, y mwyaf effeithiol), yn hytrach nag un fydd yn rhy anodd (gan y byddai'n debyg y byddai'r canlyniad yn wael). Dylent luniadu fersiwn mawr gyda manylion am liw ac addurn arno. Hefyd dylid ei labelu i ddangos sut y bydd y mecanwaith yn gweithio, fel yr enghraifft ar Meistrgopi 1.

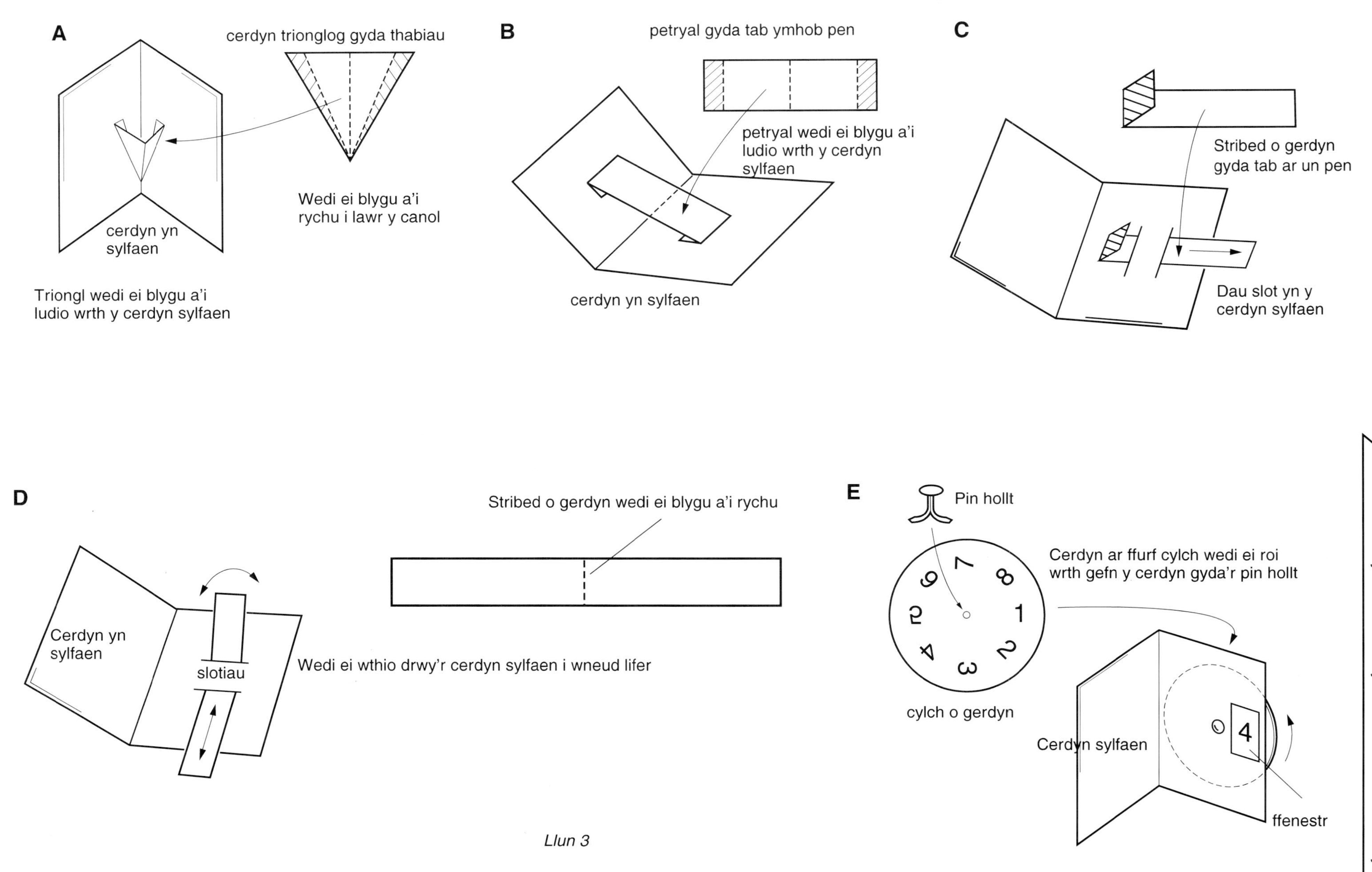
A
cerdyn trionglog gyda thabiau
Wedi ei blygu a'i rychu i lawr y canol
cerdyn yn sylfaen
Triongl wedi ei blygu a'i ludio wrth y cerdyn sylfaen
B
petryal gyda tab ymhob pen
petryal wedi ei blygu a'i ludio wrth y cerdyn sylfaen
cerdyn yn sylfaen
C
Stribed o gerdyn gyda tab ar un pen
Dau slot yn y cerdyn sylfaen
D
Cerdyn yn sylfaen
slotiau
Wedi ei wthio drwy'r cerdyn sylfaen i wneud lifer
Stribed o gerdyn wedi ei blygu a'i rychu
E
Pin hollt
Cerdyn ar ffurf cylch wedi ei roi wrth gefn y cerdyn gyda'r pin hollt
cylch o gerdyn
Cerdyn sylfaen
ffenestr

Llun 3

Cynllun 1

1 Lluniadwch betryal 1 cm yn fwy na'r cerdyn
2. Mesurwch a llunio'r llinellau canol (x ac y)
3. Ychwanegwch driongl ar bob ochr, fel yn y llun.
4. Torrwch y siâp allan.
5. Plygwch ar hyd y llinellau bylchog sydd yn y llun.
6. Gludiwch bob fflap ond A

Cynllun 2

1. Lluniadwch betryal 1 cm yn fwy na'r cerdyn.
2. Mesurwch uchter eich petryal (x).
3. Ychwanegwch betryalau eraill ar bob ochr, fel yn y llun.
4. Torrwch allan y siâp
5. Plygwch ar hyd y llinellau bylchog fel sydd yn y llun.
6. Gludiwch bob fflap ond A.

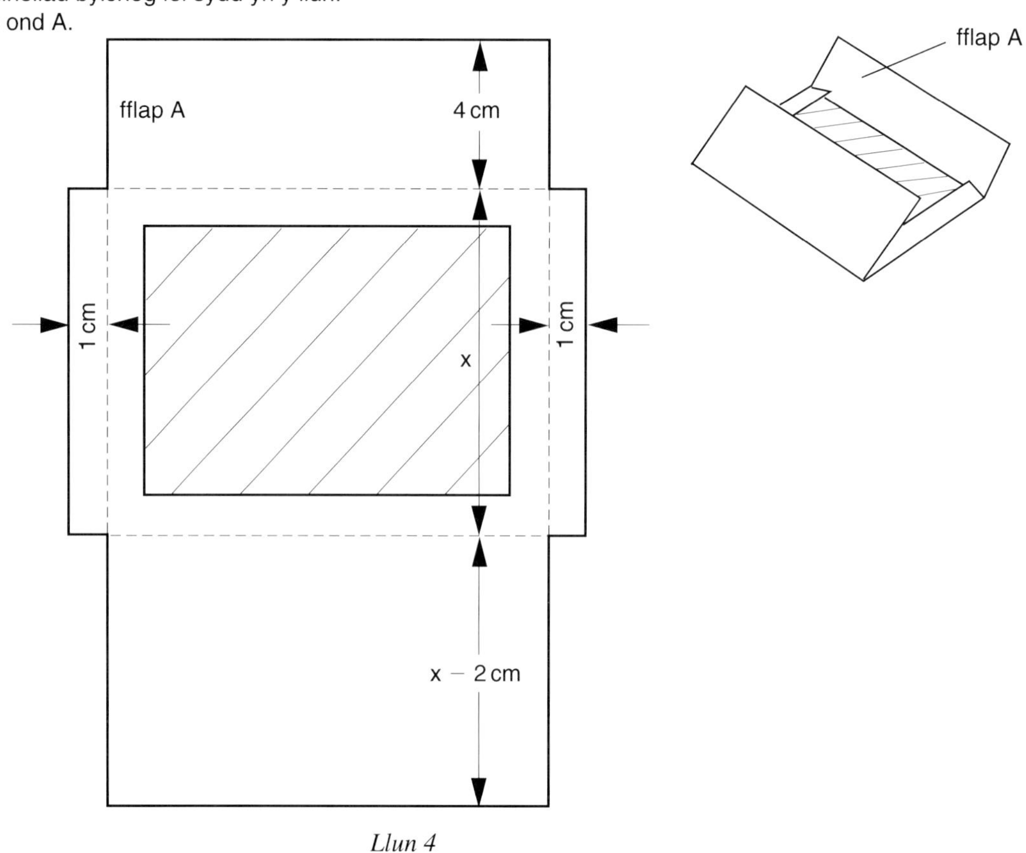

Llun 4

Y cam nesaf yw i'r disgyblion fodelu eu syniadau gan ddefnyddio papur. Dylent wneud hyn i sicrhau bod eu mecanwaith yn gweithio ac nad oes unrhyw lun yn y golwg pan fydd y cerdyn wedi ei gau. Os oes angen gellir gwneud unrhyw newidiadau a'u nodi ar y dyluniad terfynol. Yna, dylent ysgrifennu sut i wneud eu cardiau gam-wrth-gam, a phenderfynu sut y byddant yn trosglwyddo eu dyluniad i'r cerdyn. Yn olaf, bydd angen iddynt nodi unrhyw rannau o'r mecanwaith fydd angen eu lliwio, eu haddurno, eu rhychu neu eu gludio cyn gosod y cerdyn ynghyd.

Gwneud

Y plant yn bennaf fydd yn trefnu sut i wneud y cerdyn gan gymhwyso'r wybodaeth a gafwyd drwy wneud y tasgau ymarferol. Fodd bynnag, mae'r camau yn y broses o wneud wedi eu nodi isod fel y gallwch eu cyfarwyddo os oes angen. Cyn iddynt ddechrau ar y gwaith, dylech eu hatgoffa sut i ddefnyddio offer miniog yn ddiogel. Hefyd, anogwch y disgyblion i fod yn ddarbodus wrth ddefnyddio'r defnyddiau a phwysleisio bod angen cynnyrch o ansawdd da.

Dylai'r plant drosi eu dyluniad i'r cerdyn drwy luniadu neu ddefnyddio papur dargopïo. Yna, gellir lliwio'r cydrannau gyda pheniau ffelt, torri allan, rhychu a gludio popeth yn eu lle. Gellir ychwanegu labeli gludiog, secwinau ac ati nawr. Yna, gellir rhoi neges y tu mewn i'r cerdyn.

Dylid annog y plant i ysgrifennu copi drafft o'r neges yn gyntaf. Dylid teipio'r fersiwn derfynol ar y cyfrifiadur, neu ei brintio drwy ddefnyddio llythrennau wedi eu rhwbio i lawr. Os yw'r disgyblion yn ysgrifennu â llaw gallent ddewis atgynhyrchu'r math o lythrennu a ddangosir ar Meistrgopïau 88 neu 89. (I sicrhau eu bod yn fanwl-gywir gellir defnyddio canllawiau.) Yn olaf, dylent wneud amlen gyda phapur (gwyn neu liw) gan ddefnyddio un o'r dyluniadau a ddangosir ar Meistrgopi 2.

Gwerthuso

Dylai'r plant gael cyfle i werthuso eu gwaith eu hunain a gwaith eraill. Trafodwch ar gyfer pwy y gellid bod wedi cynllunio pob cerdyn ac a yw'r ansawdd yn dda. Yna edrychwch a yw'r cerdyn yn ffitio i mewn i'r amlen. Yna, dylid arddangos y cardiau mewn lle amlwg yn yr ystafell ddosbarth.

CLOCIAU FOREX

Nodau dysgu

Sgiliau dylunio
Dylai disgyblion gael cyfle i:

- luniadu nifer o syniadau, yn arwain at ddyluniad terfynol
- ystyried addurn, siâp a lliw
- ddylunio gyda diben arbennig mewn golwg

Sgiliau gwneud
Dylai disgyblion ymarfer:

- gwneud patrymlun o gerdyn
- torri'n fanwl-gywir â siswrn
- defnyddio llif siapio yn gywir
- llwyddo i gael ymylon taclus drwy ddefnyddio papur llyfnu
- defnyddio glud a thapiau gludiog yn gywir
- gosod mecanwaith cloc ynghyd

Gwybodaeth a dealltwriaeth
Dylai'r disgyblion ddysgu:

- mai llenddefnydd, sy'n ddiddos a'r lliw yn anniflan, a gaiff ei weithgynhyrchu yw forex
- y gellir torri forex yn rhwydd a'i siapio i gael cynnyrch gorffenedig proffesiynol
- fod angen bod yn ofalus i beidio â sgriffino'r arwyneb (oni bai eu bod eisiau gwneud hynny er mwyn ei addurno)
- sut i ddefnyddio llif siapio mewn modd diogel

Geirfa: forex, llif siapio, patrymlun, symudiad, portffolio

TASGAU YMCHWILIOL

Defnyddiau/offer sydd eu hangen: Meistrgopi 4; casgliad o glociau cyfoes; lluniau o glociau a dyfeisiadau eraill ar gyfer mesur amser o wahanol gyfnodau mewn hanes; hen gloc.

Tasg 1
Arddangos lluniau o glociau a dyfeisiadau eraill ar gyfer mesur amser (e.e. cloc haul neu gannwyll) o wahanol gyfnodau mewn hanes. Anogwch y plant i ymchwilio i ddatblygiad clociau. Yna, gallent wneud llinell amser gyda'r pennawd, 'Clociau drwy gyfnodau hanes'.

Tasg 2
Rhowch gasgliad o glociau cyfoes i'r plant eu hastudio. Gofynnwch iddynt luniadu a disgrifio pob un. Dylent geisio penderfynu i beth mae pob un yn cael ei ddefnyddio, pwy fyddai yn ei ddefnyddio a ble y byddai'r cloc yn cael ei roi e.e. amserydd digidol yn y gegin a chloc teithio yn yr ystafell fyw.

Tasg 3
Gellid defnyddio'r gweithgaredd hwn i roi prawf ar wybodaeth dechnegol y disgyblion ac i adolygu geirfa sylfaenol. Dadosodwch hen gloc a thrafod sut y mae'n gweithio. Yna, cysylltwch y gwaith hwn ag unrhyw destunau perthnasol a astudiwyd mewn Mathemateg a Gwyddoniaeth.

Tasg 4
Dylai'r disgyblion gwblhau'r dasg 'darllen a deall' sydd ar Meistrgopi 4 ac sy'n disgrifio datblygiad clociau drwy gyfnodau hanes.

TASGAU YMARFEROL PENODOL

Defnyddiau/offer sydd eu hangen: forex, llifiau siapio, pinnau cau, tâp masgio, torrwr llen blastig, pren mesur diogel, cyllell gelf, peniau marcio neu beniau uwchdaflunydd, sbectol lwch, tâp gludiog (ar y naill ochr a'r llall), padiau glynu, torrwr lino, pâr o gwmpawdau, papur llyfnu, ffeil, labeli gludiog.

Tasg gyntaf
Dangoswch len o forex i'r disgyblion. Eglurwch mai plastig ydyw, ei fod yn ddiddos a'r lliw yn anniflan ac y gellir ei gael mewn ystod o liwiau. Dangoswch ei fod yn weddol hyblyg.

Cyn iddynt ddechrau ar y gwaith, dylech eu hatgoffa sut i ddefnyddio offer miniog yn ddiogel.

Torri forex
Dangoswch y dull hwn o dorri forex i'r plant:
Rhychwch y forex gan ddefnyddio torrwr llen blastig a phren mesur diogel. Yna, torrwch y llen ar hyd y llinell (dylai hyn fod yn rhwydd).
Mae'r uned hon yn canolbwyntio ar addysgu'r plant sut i ddefnyddio llif siapio i dorri forex. Yn gyntaf, dangoswch iddynt sut i farcio siâp ar len o forex, drwy luniadu ar dâp masgio neu ddefnyddio peniau marcio neu beniau uwchdaflunydd. Yna torrwch y siâp allan gan ddefnyddio llif siapio. Eglurwch na ddylid gwthio'r llafn drwy'r forex gan y byddai yn plygu ac yn torri. Yn hytrach, dylent arwain y forex ymlaen yn ofalus. (Cofiwch wisgo sbectol lwch ar gyfer y dasg hon.)

Uno/Asio forex
Dangoswch sut i uno/asio darnau o forex drwy ddefnyddio tâp gludiog ar y naill ochr a'r llall neu badiau glynu. Nid yw glud poeth yn addas ar gyfer llen blastig sy'n llyfn.

Sgriffinio forex
Dangoswch i'r plant mor hawdd yw sgriffinio forex. Gellid gwneud hyn er mwyn ei addurno. Gellir llunio patrwm ar yr arwyneb drwy ddefnyddio erfyn miniog fel torrwr lino neu bâr o gwmpawdau. Fodd bynnag, pwysleisiwch y dylai'r plant gymryd gofal rhag sgriffinio'r llen yn anfwriadol.

Cynnyrch o ansawdd da
Anogwch y plant i ddefnyddio papur llyfnu i sicrhau bod yr ymylon sydd wedi eu torri yn llyfn. Dangoswch iddynt sut i ddefnyddio ffeil i roi peth siâp i'r forex.

Tasgau annibynnol
Gan weithio mewn grwpiau o 4-5 dylai'r plant ddylunio nifer o fathodynnau. Gallent fod ar gyfer clwb, ar gyfer yr ysgol (e.e. bathodynnau tîm) neu yn gysylltiedig â thema arbennig. Pwysleisiwch y dylai'r dyluniadau fod yn syml o ran siâp ac y gellir eu haddurno.

Ar ôl cyflwyno'r dasg, gofynnwch i'r grŵp luniadu nifer o ddyluniadau. Dylai pob plentyn ddewis un o'r dyluniadau hyn i'w ddatblygu a gwneud lluniad mwy ohono. Yna, gellir trosi'r dyluniad i ddarn bach o forex a'i dorri allan. (Dylid llyfnu'r ymylon gyda phapur llyfnu neu ffeil.) Y cam nesaf yw i'r disgyblion addurno'r siapiau gyda phatrymau wedi eu sgriffinio neu labeli gludiog neu ddefnyddio peniau wnaiff sicrhau ysgrifen barhaol. Yn olaf, dylid defnyddio tâp masgio i roi pin cau ar gefn pob siâp neu gellid ei sicrhau gyda glud resin epocsi (Llun 1).

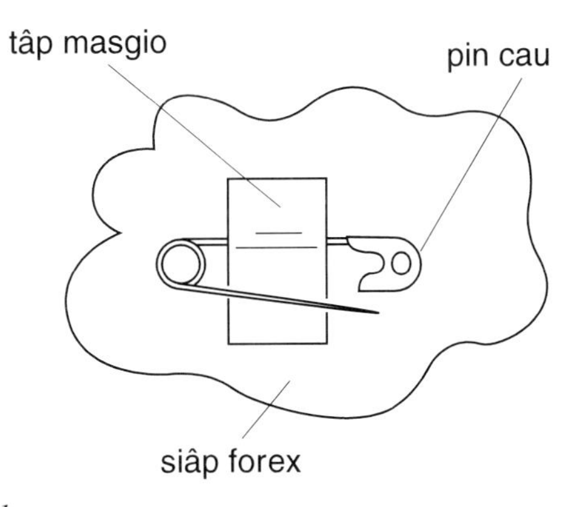

Llun 1

ASEINIAD DYLUNIO A GWNEUD

Amcan: Dylunio a gwneud cloc forex ar gyfer ystafell yn eich cartref.

Defnyddiau/offer sydd eu hangen: Meistrgopïau 5 a 6, forex (yn ddelfrydol wedi ei dorri yn sgwariau 22cm x 22cm), prennau mesur diogel, cerdyn tenau, siswrn, tâp masgio, glud PVA, tâp gludiog ar y ddwy ochr, padiau glynu, mecanweithiau cloc, llifiau siapio, llafnau sbâr, papur llyfnu/ffeil, labeli gludiog, secwinau, dril llaw gydag ebill 1cm, pâr o gwmpawdau, papur sgwariau, papur, peniau uwchdaflunydd neu beniau marcio.

Cyflwyno

Mae'r adran ar dasgau ymchwiliol (tudalen 9) yn cyflwyno'r project hwn. Fodd bynnag, bydd angen trafod y dasg ddylunio (uchod) fel bod y plant yn gwybod yn union beth a ddisgwylir ganddynt. Dylid defnyddio Meistrgopi 5 i hybu'r drafodaeth ac er mwyn i'r plant ddatblygu eu syniadau ynglŷn â'r meini prawf ar gyfer y project.

Dylunio

Rhowch fecanwaith cloc i'r disgyblion (fel yr un y byddant yn ei ddefnyddio i'w cloc) i'w astudio, er mwyn iddynt ddeall sut mae'r darnau'n ffitio at ei gilydd. Atgyfnerthwch yr wybodaeth hon drwy ofyn iddynt gwblhau'r lluniad taenedig o'r cydrannau ar Meistrgopi 6. Dylent fesur hyd y bys mawr a phenderfynu dros faint o'r arwynebedd y bydd yn symud.

Ar ôl yr ymchwil gychwynnol, gofynnwch i bob plentyn luniadu dyluniadau o gloc ar gyfer ystafell benodol neu ddyluniadau ar gyfer sawl ystafell wahanol. Gallant ysgrfennu unrhyw nodiadau perthnasol wrth ochr y dyluniadau hyn. Yna, dylent ddewis un dyluniad i'w ddatblygu a gwneud lluniad mwy ohono. Anogwch y disgyblion i ddewis eu lluniad symlaf gan mai hwn fydd hawsaf ei wneud yn ôl pob tebyg a'r mwyaf llwyddiannus. Dylent fod yn ymwybodol mai dim ond un darn o forex (yn mesur 22cm x 22cm) fydd ganddynt i wneud y cloc ac y dylid osgoi unrhyw wastraff.

Yna, dylai'r plant ystyried sut y maent yn mynd i addurno wynebau'r clociau. Rhowch enghreifftiau iddynt o'r math o ddefnyddiau y gellid eu defnyddio er mwyn addurno e.e. darnau bach o forex wedi eu siapio allan o'r rhannau sbâr, labeli gludiog, secwinau ac ati. Cofiwch eu rhybuddio y bydd yn rhaid gofalu nad yw unrhyw addurn yn amharu ar symudiad y bysedd. Dylent lunio cylch ar eu dyluniad i ddangos yr arwynebedd y bydd y bysedd yn symud drosto a pheidio rhoi fawr ddim addurn y tu mewn i'r cylch hwnnw (Llun 2).

Y cam nesaf yw i'r disgyblion luniadu eu dyluniad ar ddarn o bapur sgwariau i'r union faint. Dylent ddangos, ar eu papur, arwynebedd y cylch y bydd y bysedd yn symud drosto a'r man canol, lle byddant yn drilio twll ar gyfer y gwerthyd. (Byddai'n syniad da iddynt fesur y gwerthyd pres er mwyn sicrhau fod y twll wedi ei luniadu yn gywir.)

Dylent hefyd ysgrifennu sylwadau ar ymyl y ddalen yn

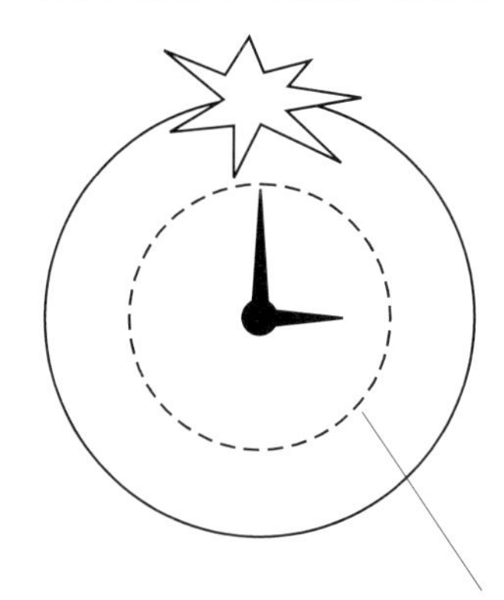

Llun 2

nodi lliw, addurn ac ati.

Yn olaf, dylai pob unigolyn ysgrifennu disgrifiad o'i gynllun gam wrth gam neu wneud llif-luniad i ddangos sut y mae'n bwriadu gwneud ei gloc. Bydd yr ymarfer hwn yn eu helpu i feddwl yn fanwl am eu cynllun ac i drefnu eu gwaith. (Dylid cadw'r lluniadau i gyd mewn portffolio dylunio.)

Gwneud

Yn gyntaf, bydd angen i'r plant ddargopïo siâp eu dyluniad terfynol ar gerdyn i wneud patrymlun. Dylid ei dorri allan yn ofalus a thorri twll i'r gwerthyd ynddo. Yna gellir trosi'r siâp i'r sgwaryn o forex. Gan nad yw marciau pensil a phen yn dangos yn glir ar forex, gellir rhoi tâp masgio ar y sgwaryn a lluniadu'r amlinell ar hwn (Llun 3). Neu, gellir marcio'r siâp drwy ddefnyddio peniau uwchdaflunydd neu beniau marcio.

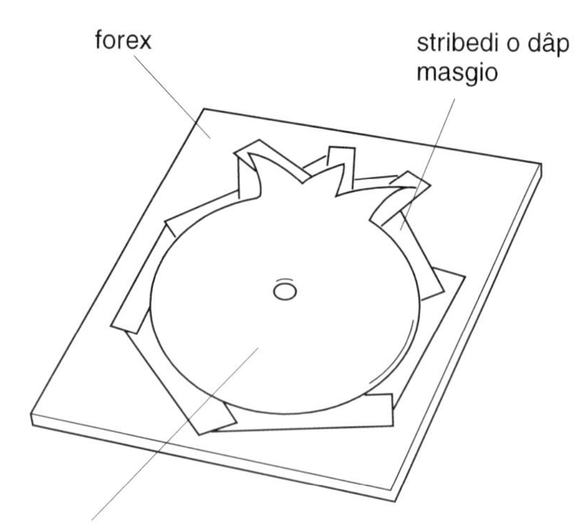

Llun 3

Yna, dylid torri pob siâp allan yn ofalus gan ddefnyddio llif siapio. Cyn i'r plant ddechrau, trafodwch sut i ddefnyddio llif siapio yn ddiogel, gan bwysleisio bod angen gwisgo sbectol lwch. Hefyd, dylid eu hatgoffa i beidio â gwthio'r llafn drwy'r forex. Wedyn, gallant ddefnyddio papur llyfnu neu ffeil i lyfnu'r ymylon.

Y cam nesaf yw torri twll i'r gwerthyd. (Gellir gwneud hyn drwy ddefnyddio dril llaw gydag ebill 1 cm.) Mae'n rhaid i'r twll fod yn ddigon mawr i'r gwerthyd pres ei lenwi'n gyfforddus. Os bydd angen, gellir gwneud y twll yn fwy drwy ddefnyddio ffeil gron. Yna, dylid gosod y mecanwaith yn ei le a gwneud unrhyw newidiadau cyn addurno wyneb y cloc. (Fodd bynnag, ar ôl rhoi prawf arnynt, dylid tynnu bysedd y cloc i ffwrdd gan y gellid eu plygu neu eu torri yn rhwydd.)

Yma, dylid pwysleisio y dylai'r plant lynu wrth eu cynlluniau gwreiddiol oherwydd bydd y wedd hon ar y gwaith yn cael ei gwerthuso. Yna, dylent orffen eu clociau. Dylech eu hatgoffa mai tâp wedi ei ludio ar y ddwy ochr neu badiau gludiog a ddefnyddir i ludio darnau o forex ar wyneb y cloc. Mae hyn yn golygu os byddant yn gwneud camgymeriad, fe ellir tynnu'r tâp i ffwrdd heb ddifetha wyneb y cloc. Os hoffent sgriffinio addurn ar y forex dylid lluniadu'r dyluniad ar dâp masgio yn gyntaf. Pan fydd yr addurn wedi ei orffen gellir tynnu'r tâp i ffwrdd.

Y cam olaf yw rhoi'r bysedd yn ôl yn eu lle a rhoi batri ar y cefn.

Gwerthuso

Gofynnwch i bob plentyn asesu pa mor debyg yw'r cloc gorffenedig i'r dyluniad. Yna, rhowch brawf ar bob cloc. Wedyn, gellir arddangos y clociau ar wal yr ystafell ochr yn ochr â'r portffolio o ddyluniadau. Gall y plant fynd â'u clociau adref pan fyddwch yn chwalu'r arddangosfa. Dylent fod yn falch o gael dangos eu gwaith, yn enwedig os yw o ansawdd da.

UNED 2: FFRAMWEITHIAU

LLOCHES AR YNYS UNIG

Nodau dysgu

Sgiliau dylunio
Dylai disgyblion gael cyfle i:

- ddylunio gan ddefnyddio pecynnau adeiladu
- brofi cryfder gwahanol siapiau
- brofi cryfder gwahanol adeileddau

Sgiliau gwneud
Dylai disgyblion ddysgu:

- defnyddio pecynnau adeiladu i wneud adeileddau syml
- gwneud fframwaith cadarn
- dewis defnyddiau addas i ddiben arbennig
- defnyddio triongl fel sail i adeiledd.

Gwybodaeth a dealltwriaeth
Dylai'r disgyblion ddysgu bod:

- trionglau yn gryf
- ychwanegu croeslin at siâp e.e. sgwâr yn ei gryfhau
- gwahanol ddefnyddiau yn addas ar gyfer gwahanol ddibenion
- pobl yn adeiladu cartrefi sy'n gweddu i'w hanghenion
- gall fod gan adeileddau gragen allanol neu fframwaith fewnol

Geirfa: triongl, croeslin, cadarn, cryf, cragen, fframwaith, defnydd, ffabrig, tiwb.

TASGAU YMCHWILIOL

Defnyddiau/offer sydd eu hangen: Meistrgopïau 7, 8 a 10; cyfeirlyfrau gyda lluniau o dai o wahanol gyfnodau mewn hanes ac o wahanol rannau o'r byd; defnyddiau adeiladu gan gynnwys defnyddiau toi.

Tasg 1
Hybwch drafodaeth am gartrefi. Gofynnwch i'r plant pam y mae pobl yn adeiladu cartrefi iddynt eu hunain. Eglurwch fod yn rhaid i gartrefi fod yn gynnes ac yn sych, yn gryf ac yn ddiogel. Yna, gofynnwch iddynt feddwl am wahanol fathau o gartrefi e.e. cestyll, cytiau, tŷ cwch. Mae'n siŵr y byddant yn sôn am eu cartrefi nhw eu hunain. Yma, cyfeiriwch at Meistrgopi 7 i'w helpu i adnabod gwahanol fathau o gartrefi. Yna, gofynnwch iddynt ddod â ffotograffau o'u cartrefi i'w harddangos.

Tasg 2
Siaradwch am ddefnyddiau adeiladu cartrefi. Os yn bosibl, gwnewch gasgliad o wahanol ddefnyddiau adeiladu i'w dangos i'r plant. (Efallai y byddai masnachwr DIY neu adeiladwr lleol yn fodlon rhoi'r rhain i chi am ddim.) Yna, dangoswch luniau cartrefi o'r gorffennol neu o wledydd eraill i ddangos sut y caiff y defnyddiau hyn eu defnyddio e.e. tai Tuduraidd a'u fframwaith o goed neu dai cyfoes yn Sweden a wnaed o goed.

Tasg 3
Soniwch am y gwahanol ddefnyddiau a geir i doi. Yna, defnyddiwch Meistrgopi 10 i ddysgu geirfa. Wedyn, gofynnwch i'r plant holi beth yw defnydd eu toeau gartref.

Tasg 4
Eglurwch fod rhai pobl yn symud o le i le gan fynd â'u cartrefi gyda nhw, yn hytrach na byw yn yr un man. Dangoswch luniau o bebyll y Bedowin, fforwyr yr arctig, teithwyr, badau'r camlesi ac ati a'u trafod. Pwysleisiwch fod yn rhaid i ddefnyddiau adeiladu, yn gyffredinol, fod yn ddiddos ac yn gryf.

Tasg 5
Cyflwynwch y cysyniad o adeiledd drwy egluro bod adeiledd i bob gwrthrych sy'n ei alluogi i fod y siâp gorau ar gyfer ei swyddogaeth. Yna, datblygwch y syniad hwn drwy ofyn i'r plant sylwi ar wrthrychau yn yr ystafell ddosbarth sy'n eu cynnal eu hunain , h.y. yn sefyll i fyny ohonynt eu hunain. Lluniwch restr o'r pethau hyn a nodi diben pob un. Dylai pob plentyn luniadu un o'r gwthrychau hyn a'i labelu – ei swyddogaeth ac o ba ddefnydd y mae wedi ei wneud.

Tasg 6
Eglurwch fod i bob gwrthrych naill ai adeiledd allanol – cragen – neu y tu mewn – fframwaith. Mae'r rhai sydd â chragen gan amlaf yn dal rhywbeth y tu mewn iddynt. Mae ffrâm yn cynnal y gwrthrych o'r tu mewn. (Gellir defnyddio Meistrgopi 8 i atgyfnerthu'r gwaith hwn.)Yna, casglwch luniau sy'n dangos adeiledd a labelu pob un i ddweud pa fath o adeiledd ydyw. Neu, gallai'r plant labelu'r lluniad a wnaed yn Tasg 5 a defnyddio pensil lliw i luniadu'r adeiledd.

Atebion i Meistrgopi 8
sgerbwd – *fframwaith;* pabell – *fframwaith;* potyn jam – *cragen;* malwoden – *cragen;* can cola – *cragen;* pont – *fframwaith;* pylon – *fframwaith;* gwe corryn – *fframwaith;* bwlb golau – *cragen;* ysgol - *fframwaith;* paced grawnfwyd – *cragen;* dil mêl/crwybr – *fframwaith.*

TASGAU YMARFEROL PENODOL

Defnyddiau/offer sydd eu hangen: Meistrgopïau 9, 108 a 109, pecynnau adeiladu, geostribedi plastig, pinnau hollt, pensiliau, papur A4, tâp masgio, llyfrau clawr caled, cynwysyddion plastig, peli Ping-Pong® neu rai tebyg, bocsys wyau, darnau o hoelbren, papurau newydd gyda dalennau llydain.

Tasg gyntaf
Profi cryfder siapiau
Rhowch geostripiau plastig a phinnau hollt i'r plant a gofyn iddynt wneud nifer o siapiau gan gynnwys sgwâr a thriongl. (Dyma gyfle da i adolygu enwau'r siapiau.) Dangoswch iddynt fod sgwâr yn newid yn rhombws pan gaiff un o'r ochrau ei gwthio (Llun 1). Felly, nid yw hwn yn siâp cryf iawn. Yna dangoswch nad yw triongl yn newid ei siâp wrth ei drin yn yr un modd â'r sgwâr. Felly mae triongl yn siâp cryf.

Rhowch her i'r plant – allan nhw feddwl sut y gellid cryfhau'r sgwâr? Yna, dangoswch sut y gellid defnyddio croeslin i'r diben hwn, gan ddangos sut mae'n rhannu'r sgwâr yn drionglau. Atgyfnerthwch drwy ddangos adeiledd drionglaidd nifer o bethau-bob-dydd.

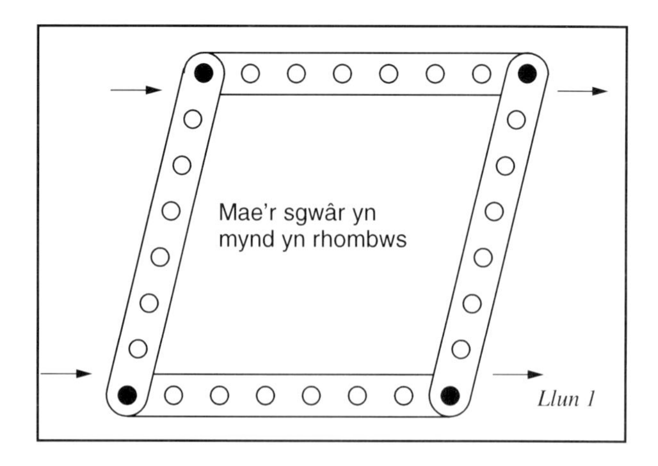

Llun 1

Nawr, gadewch i'r plant ddefnyddio pecynnau adeiladu fel Polydron, naill ai yn barau neu mewn grwpiau bychan i wneud siapiau cadarn. Dangoswch iddynt fod siâp fel tetrahedron yn gadarn iawn oherwydd ei fod wedi ei adeiladu yn gyfangwbl drwy ddefnyddio trionglau (Llun 3).

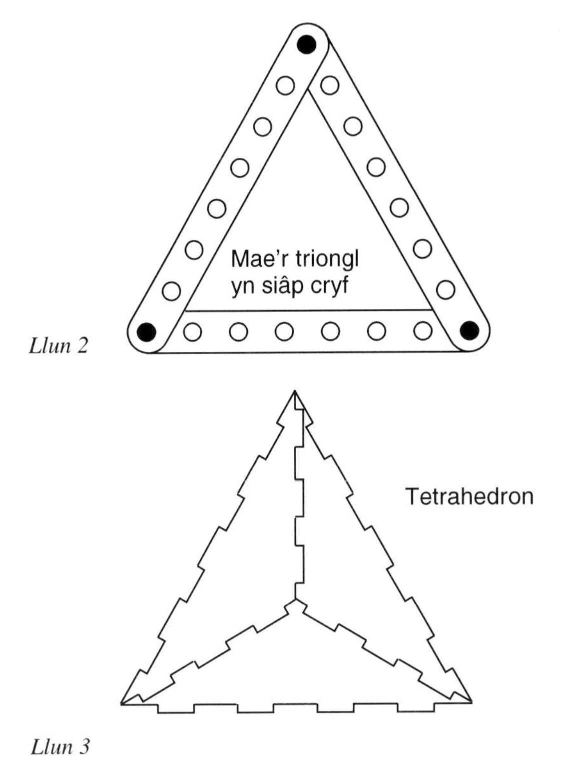

Llun 2

Llun 3

Sut i uno/asio siapiau

Rhannwch y dosbarth yn grwpiau bychan a rhoi darn o bapur A4 i bob grŵp, rholyn o dâp masgio a phensil. Gofynnwch iddynt rowlio hanner y darn o bapur o amgylch y pensil i wneud tiwb. Yna dylent ddefnyddio tâp masgio i'w ddal at ei gilydd. Dylid plygu'r darn arall o bapur yn ei hanner.

Gofynnwch i bob grŵp sefyll y tiwb a'r darn o bapur sydd wedi ei blygu ar y llawr a rhoi llyfr clawr caled ar ben y naill a'r llall yn ei dro (Llun 5). Os bydd y papur yn dal pwysau'r llyfr, dylid rhoi cynhwysydd plastig ar ei ben. Yna, gellir ychwanegu pwysynnau yn raddol nes bydd y papur yn methu â chynnal dim mwy. Dylai'r arbrawf hwn ddangos bod darn o bapur wedi ei rolio yn llawer cryfach nag un trwch. Dangoswch wahanol ffyrdd o asio siapiau tiwb e.e. uno/asio gwellt yfed gyda glanhawyr pib ac uno darnau o hoelbren drwy

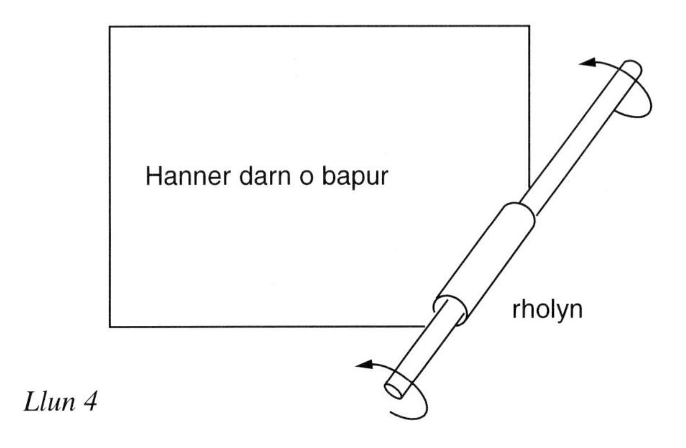

Llun 4

ddefnyddio tiwb plastig. (Defnyddiwch Meistrgopïau 108 a 109 i ategu.)

Atebion i'r Meistrgopi 108

a) nodwydd ac edau; b) styffylwr (PVA neu lud poeth); c) coesyn glud; ch) plocyn terfynell (cysylltydd cylched); d) pinnau bawd; dd) glud PVA; e) Blu-tack®.

Tasg annibynnol

Rhannwch y disgyblion i grwpiau o bedwar neu bump a rhoi papur newydd gyda dalennau llydain i bob grŵp, darn o hoelbren, pêl Ping-Pong, rholyn o dâp masgio a darn o focs wyau. Dangoswch sut i rolio papur newydd o amgylch hoelbren yn groeslinol/ yn groes-gongl - a'i ddal yn rholyn drwy ddefnyddio tâp masgio (Llun 4). Yna dylid atgoffa'r plant fod tiwbiau a thrionglau yn siapiau cryf.

Yn nesaf, y dasg i bob grŵp yw adeiladu tŵr, mor uchel ag sydd modd a gosod pêl Ping-Pong® ar ei ben. Eglurwch fod yn rhaid i'w hadeiledd sefyll i fyny ar ei ben ei hun a dal y bêl Ping-Pong® am o leiaf 30 eiliad. (Gellir defnyddio Meistrgopi 9 i'r plant fod yn ymwybodol o rai meini prawf ar gyfer y dyluniad.) Dylid trefnu'r gweithgaredd hwn mewn ystafell fawr, neuadd yr ysgol efallai, a'i gwblhau o fewn amser penodedig. (Gyda'r plant iau byddai angen tuag awr o amser.) Pan fydd yr amser wedi dod i ben trafodwch bob adeiledd gan sylwi ar ei uchder, ei gryfder, ei gadernid, ei ymddangosiad, pa mor ddarbodus fu'r disgyblion, faint o gydweithredu a fu yn y grŵp ac ati. Hefyd tynnwch sylw at unrhyw siapiau trionglog sydd yn yr adeiledd.

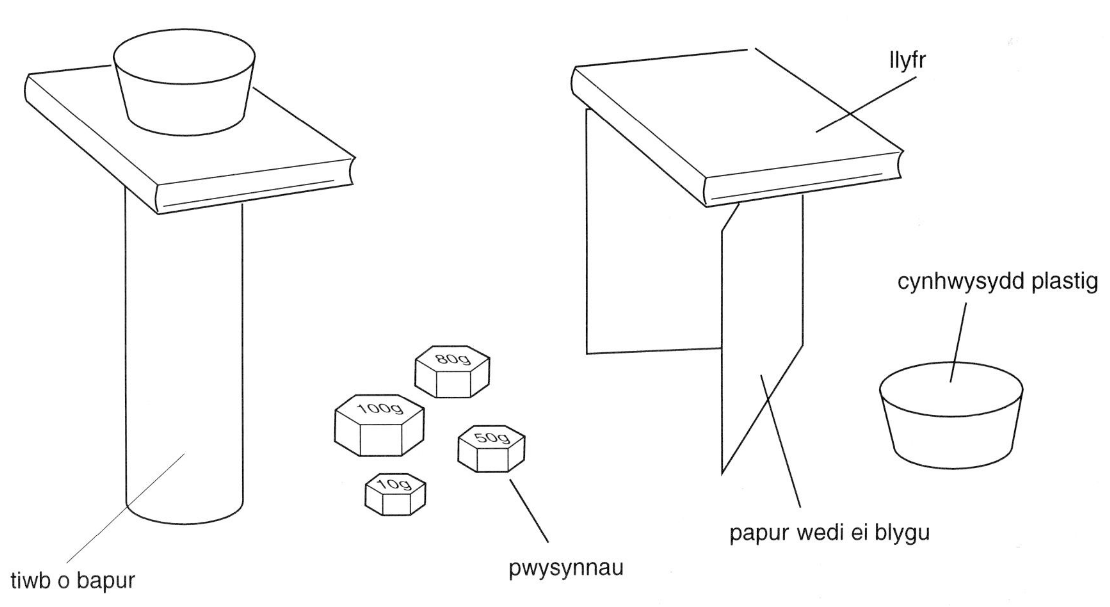

Llun 5

ASEINIAD DYLUNIO A GWNEUD

Amcan: Dylunio a gwneud lloches ar ynys unig.

Defnyddiau/offer sydd eu hangen: Meistrgopïau 11 12, ac 13; dol fechan (e.e. Playmobil), pecynnau adeiladu; glanhawyr pib; gwellt yfed; darnau o ffabrig; ffoil alwminiwm; haenen lynu; llinyn; siswrn; gwlân; ffwr ffug; glud PVA.

Cyflwyno

Darllenwch, yn uchel, y darn sydd ar Meistrgopi 11 – Sam y Morwr. Trafodwch beth fyddai'r plant yn ei wneud er mwyn goroesi ar ynys unig. Yn bendant, byddai arnynt angen chwilio am fwyd a dŵr ac eisiau gwneud lloches ac anfon neges i ddweud eu helbul. Rhannwch gopïau o'r Meistrgopïau 12 ac 13 iddynt leoli mannau posibl i ddod o hyd i fwyd ac ati ac i ategu gwaith ar gyfesurynnau. Yna, gofynnwch iddynt gwblhau Meistrgopi 11 ac egluro eu bod yn mynd i wneud lloches i ddol fechan.

Y cam nesaf yw dangos y ddol iddynt, fel y gallant benderfynu ar faint y lloches. Yna, soniwch eto beth sydd yn rhaid ei ystyried wrth wneud lloches – rhaid iddi fod yn gryf, yn gynnes, yn ddiddos. Y rhain fydd y meini prawf a ystyrir wrth werthuso eu llochesau. Mae hyn yn ategu pwysigrwydd y dylunio. Soniwch hefyd am y defnyddiau y gellid eu defnyddio i adeiladu ac i orchuddio lloches gan gyfeirio at goncrid dur, pren, brics a chrwyn anifeiliaid.

Dylunio

Gofynnwch i'r plant ddylunio eu lloches gan ddefnyddio pecyn adeiladu. (Efallai y bydd peth prinder adnoddau, os felly gallai gwahanol grwpiau o fewn y dosbarth, rhyw bump neu chwech ar y tro, weithio ar y dyluniad.) Gallai'r fframwaith fod ar ffurf ciwb, ciwboid, prism trionglog neu unrhyw siâp 3D addas. Dylech atgoffa'r grŵp fod angen defnyddio trionglau i greu adeiledd cryf.

Pan fydd y plant wedi adeiladu eu lloches, gallant ei lluniadu a rhoi gorchudd arni.

Llun 6

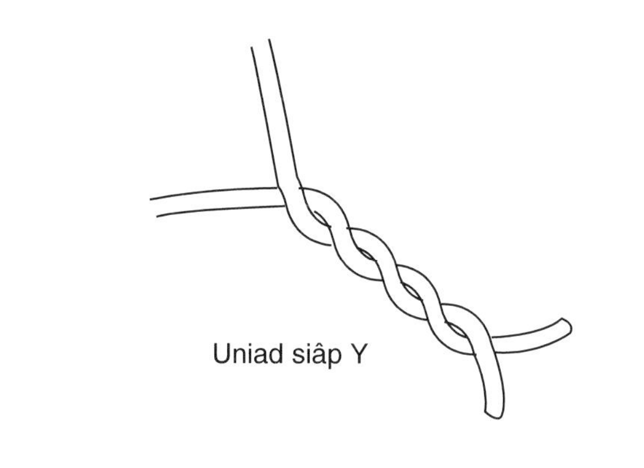

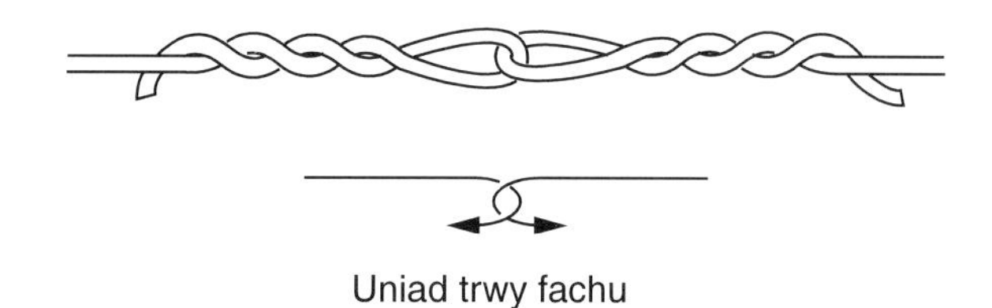

Llun 7

Gwneud

Nawr, dylid modelu eu dyluniadau gan ddefnyddio defnyddiau amgen, e.e. glanhawyr pib a gwellt. Cyn i'r plant ddechrau ar y dasg hon, dangoswch iddynt sut i uno nifer o wellt ynghyd ar bwynt arbennig (Llun 6). Hefyd dangoswch iddynt sut i uno glanhawyr pib drwy e.e. eu ffurfio'n siâp 'Y' neu fachu'r naill yn y llall (Llun 7).

Pan fydd y fframwaith sylfaenol yn barod bydd angen i'r plant ei orchuddio. Dylent gael dewis eang o ddefnyddiau i'r diben hwn - ffoil alwminiwm, haenen lynu, gwlân, ffwr ffug. Gan ddefnyddio'u gwybodaeth am ddefnyddiau a'r hyn a ddysgwyd eisoes am gartrefi, dylent ddewis defnyddiau addas i wneud gorchudd a fyddai yn gynnes ac yn ddiddos. Dylid annog y plant i fesur ochrau eu fframwaith ac i dorri darnau o'r defnydd y maent wedi ei ddewis sydd ychydig yn fwy na'r ffrâm. Gellir rhoi'r gorchudd ar y ffrâm mewn sawl ffordd e.e. gwnïo, defnyddio careiau, gludio ac ati. Dylid gadael i'r plant ddewis eu dull os yw hynny'n ymarferol. Fodd bynnag, cyn iddynt ddechrau ar y dasg hon, dangoswch iddynt sut i blygu ymylon y defnydd o amgylch y ffrâm er mwyn cael cynnyrch gorffenedig destlus. Wrth osod y gorchudd efallai y bydd rhai plant yn cofio bod angen gadael man agored i gael drws. Bydd eraill efallai yn canolbwyntio ar angori'r lloches yn ddiogel i'r ddaear.

Gwerthuso

Gan mai ar gyfer dol fechan y lluniwyd y lloches, rhaid profi'n gyntaf fod y ddol yn gallu mynd i mewn i'r lloches. Yna, dylid profi a yw'r llochesau yn ddiddos. Gellir gwneud hyn drwy chwistrellu dŵr o botel chwistrellu planhigion. Gellir canmol y rhai sy'n ddiddos. Yna, roedd y dasg yn gofyn am ofalu bod y lloches yn gynnes. Ni ellir profi hyn yn rhwydd, ond gellir canmol y rhai sydd â waliau a llawr trwchus neu os bu defnydd o wlân neu ffwr ffug neu os bu gofal i beidio â gadael bylchau yn yr adeiledd.

PONTYDD/OFFER CAE CHWARAE

Nodau dysgu

Sgiliau dylunio
Dylai disgyblion gael cyfle i:

- astudio lluniau o bontydd o wahanol gyfnodau hanesyddol
- ddefnyddio pecynnau adeiladu i fodelu gwahanol fathau o bontydd
- ddefnyddio papur i fodelu a phrofi dyluniad
- gynnwys 'siapiau cryf' mewn dyluniadau
- luniadu sawl syniad, gan ddewis un i'w ddatblygu
- labelu lluniadau i ddangos diben y dyluniadau
- ddefnyddio papur isomedrig a phapur sgwariau i ddylunio

Sgiliau gwneud
Dylai disgyblion ymarfer:

- techneg rholio papur
- gweithio fel tîm i gyflawni dyluniad sy'n cwrdd â gofynion penodol
- defnyddio pecynnau adeiladu
- atgyfnerthu adeileddau drwy ddefnyddio rholiau papur, hoelbrennau a chroeslinau
- defnyddio defnyddiau a ailgylchwyd
- defnyddio glud yn gywir
- gofalu fod y cynnyrch gorffenedig o ansawdd da.

Gwybodaeth a dealltwriaeth
Dylai'r disgyblion ddysgu:

- bod pum math o bont
- bod y bwa a'r triongl yn ffurfiau cryf dros ben
- bod croesliniau yn ddefnyddiol i atgyfnerthu
- bod yn rhaid i adeileddau fod yn gryf
- bod cynnyrch yn gwella os caiff ei orffen yn ofalus.

Geirfa: adeiledd, bwa, triongl, croeslin, llwyth, grym, gofynion, 'cyflwr gorffenedig'

TASGAU YMCHWILIOL

Defnyddiau/offer sydd eu hangen: Meistrgopïau 14 ac 15; cerdyn, pwysynnau, llyfrau clawr caled, cyfeirlyfrau am bontydd.

Tasg 1
Gwnewch linell amser am bontydd drwy gyfnodau hanes gan gynnwys: bonyn coeden ar draws afon, pont raff, pont gerrig clo (fel sydd yn Dartmoor), pont fwaog Eifftaidd, traphont ddŵr Rufeinig, pont fwa ac adeiladau arni (e.e. Ponte Vecchio, Florence), pont godi (e.e. Pont y Tŵr, Llundain), pont godi wrth fynedfa castell, pont droi ar gamlas, pont haearn (e.e. pont Brunel yn Ironbridge), pont grog (e.e. Pont Menai Telford a phont y Tiwb, y Britannia yn Fairburn), pont ar gantilifrau (e.e. Pont y Firth of Forth), a phont goncrid (e.e. Y Salginatobel yn y Swistir a Phont Waterloo yn Llundain). Dylid arddangos y llinell amser. Yna, gofynnwch i'r plant gwblhau Meistrgopi 14 gan gyfeirio at y llinell amser i'w helpu. (Yr atebion yw: 1 pont gerrig clo; 2 pont raff; 3 traphont ddŵr; 4 pont ar gantilifrau; 5 pont grog; 6 bwa dur.

Tasg 2
Gwnewch yr arbrawf hwn i benderfynu a yw pontydd bwa yn gryfach na phontydd trawst. Yn gyntaf, defnyddiwch ddarn o bapur a llyfrau i wneud pont drawst (Llun 1). Dechreuwch roi pwysynnau ar y bont. Daliwch ati i roi mwy o bwysynnau nes y bydd y bont yn cwympo. Ychwanegwch ddau lyfr, un ymhob pen i ddal y cerdyn i lawr (Llun 2) ac ychwanegwch bwysynnau yn yr un modd ag o'r blaen. Dylech ganfod fod y bont hon yn gryfach. Yna, gwnewch bont fwa (Llun 3). (Mae'r stribed o gerdyn crwm yn gorwedd ar y llyfrau gwaelod.) Penderfynwch pa mor gryf yw hon. Newidiwch gynllun y bont drwy angori'r stribed o gerdyn ym mhob pen gyda llyfr (Llun 4) a rhowch brawf ar gryfder y bont. Yna, trafodwch eich canlyniadau.

Tasg 3
Copïwch y lluniadau o'r pum prif fath ar bont: trawst, bwa, crog, cantilifrog a chebl (Lluniau 5-9). Mae'r saethau yn dangos i ba gyfeiriadau y mae grymoedd yn effeithio ar y pontydd hyn.) Yna, dangoswch y rhain i'r plant a disgrifio nodweddion pob pont gan gyfeirio at y testun isod. Yna, gall unigolion gwblhau Meistrgopi 15 i ategu'r wybodaeth hon.

Pont drawst
Adeiledd hon yw trawst anhyblyg wedi ei gynnal ar gyfres o bileri ac wedi ei angori i'r ddaear neu i'r pier ym mhob pen. Bydd unrhyw bwysau yng nghanol y trawst yn peri iddo blygu ar i lawr, sy'n golygu nad yw'r bont hon yn addas i bontio dros bellter.)

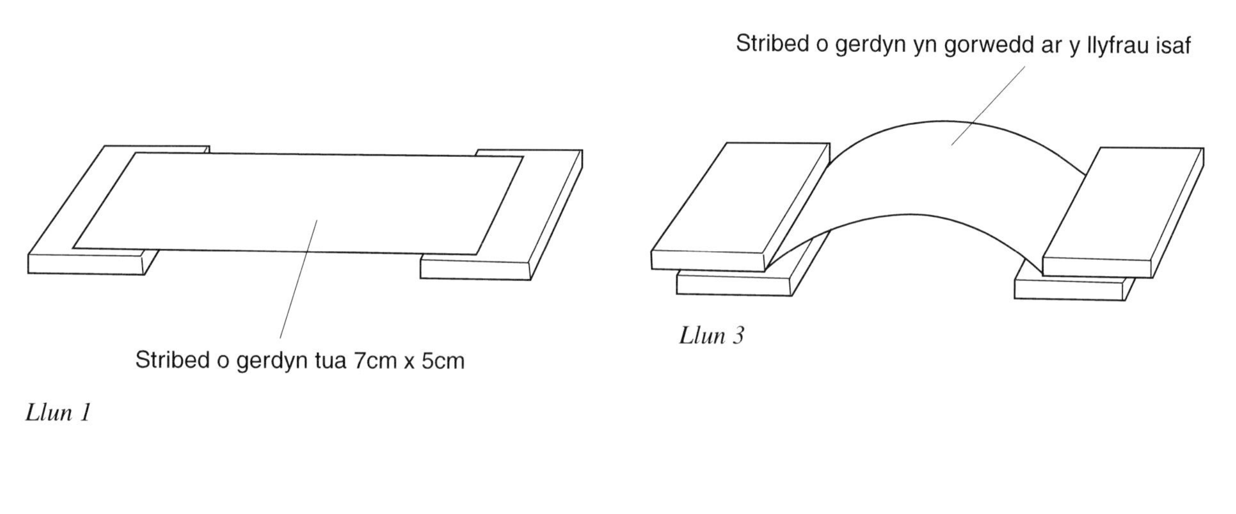

Llun 1

Llun 3

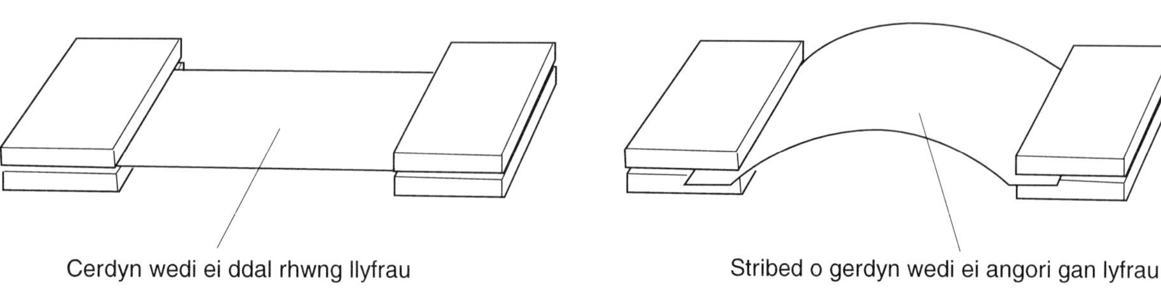

Fig. 2

Llun 4

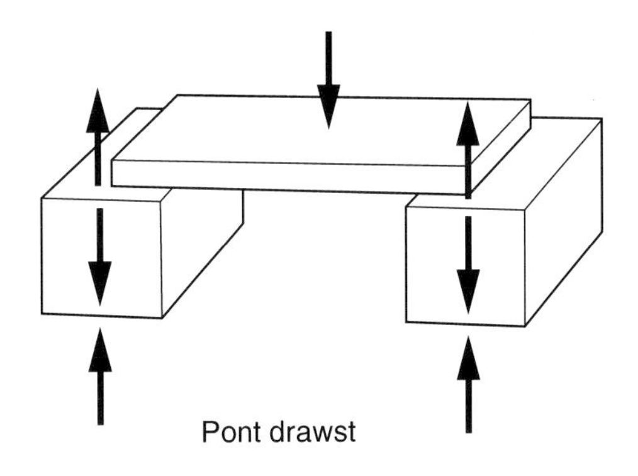

Llun 5

Pont ar gantilifrau
Mae pennau'r bont dan ddigon o bwysau i fedru cynnal trawst canol rhyngddynt. Adeiledir y trawstiau ym mhob pen yn ymwthio allan o'r glannau sydd yn cael eu pontio ac y mae trawst tebyg yn uno'r ddau ben ynghyd.

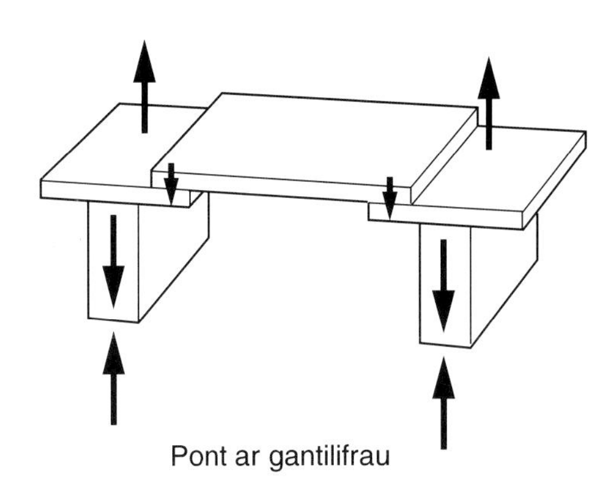

Llun 8

Pont fwa
Caiff y pwysau ei gario at allan ar hyd llwybrau tro. Mae'r ddaear yn gwrthweithio'r grym hwn at allan gan gadw'r bont ar ei thraed. Gall ffordd ddirwyn dros bont fwa neu odditani.

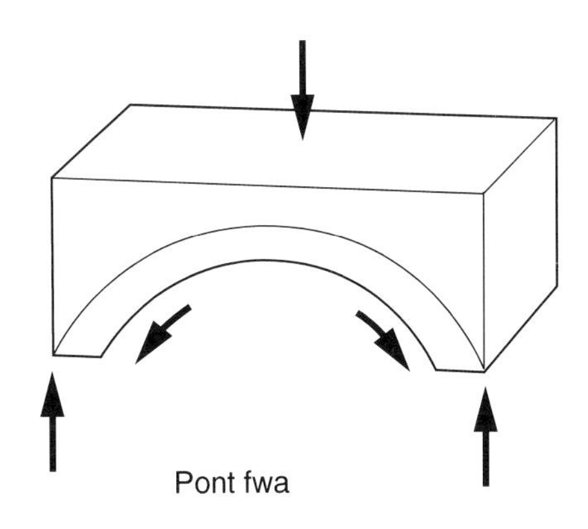

Llun 6

Pont â cheblau'n ei hangori
Dyma ddatblygiad newydd yn y dechnoleg o adeiladu pontydd. Efallai y bydd un neu ddau dŵr wedi eu codi yng nghanol y dec a chaiff y ffordd ei chynnal gan geblau sydd wedi eu huno'n uniongyrchol â'r tŵr neu dyrau. Gan nad oes angen llawer o bileri ar gyfer y math hwn o bont, mae mwy a mwy o ddefnydd ohoni ar gyfer pontio afonydd ac aberoedd llydain.

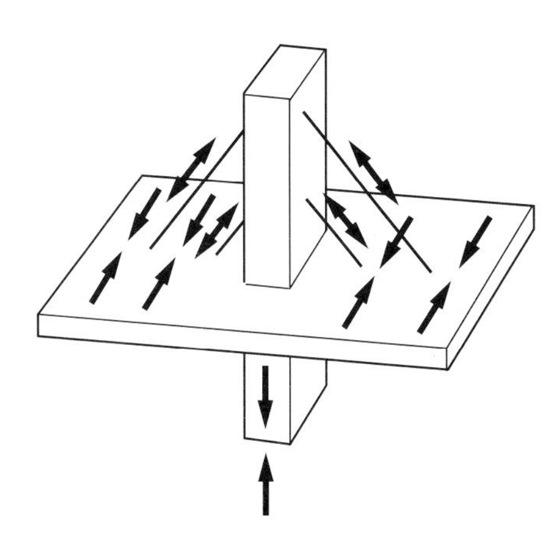

Llun 9

Pont grog
Caiff y ffordd ei chynnal gan geblau sydd wedi eu hangori ar bob pen i'r bont. Mae'r ceblau yn mynd â'r pwysau i ben y tyrau sy'n trosi'r grym i lawr i'r ddaear. Caiff ceblau modern eu gwneud o reffynnau o ddur. Nid yw'r rhain yn ymestyn onibai fod y pwysau yn aruthrol. Mae hyn yn golygu fod pontydd crog yn addas ar gyfer pontio dros bellter.

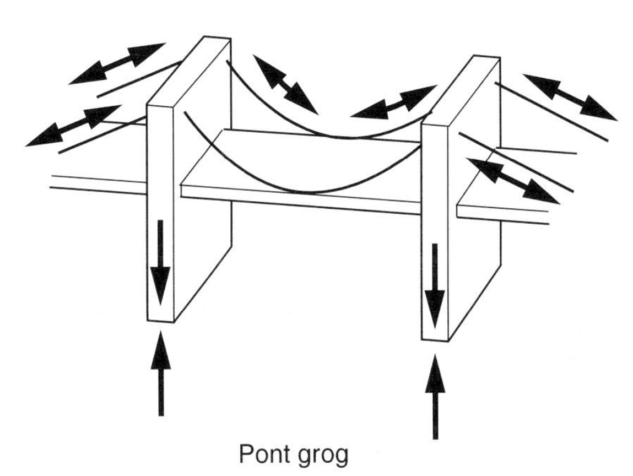

Llun 7

Tasg 4
Gan ddefnyddio pecyn adeiladu addas, dylid annog y plant i fodelu un o'r pontydd a ddisgrifiwyd uchod.

TASGAU YMARFEROL PENODOL

Defnyddiau/offer sydd eu hangen: papur newydd, darnau o hoelbren, tâp masgio, geostribedi, pinnau hollt, cerdyn tenau, papur sgwariau/isomedrig, llyfrau trwm, pren mesur metr o hyd, tryciau bach.

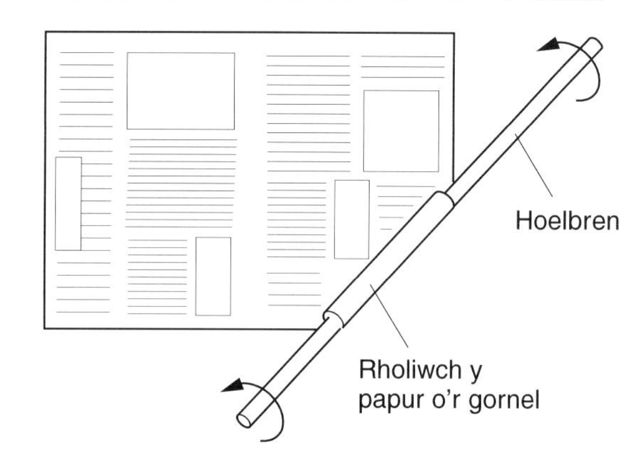

Llun 11

Tasg gyntaf

Profi cryfder siapiau

Gellir adolygu gwaith blaenorol yn ymwneud â siapiau a'u cryfder cymharol wrth wneud y dasg hon. Defnyddiwch geostripiau a phinnau hollt i wneud triongl a sgwâr. Dangoswch nad yw sgwâr yn siâp cryf ac y bydd yn newid yn rhombws pan gaiff un o'r ochrau ei gwthio. Yna, dangoswch nad yw triongl yn newid ei siâp wrth ei drin yn yr un modd ac ei fod felly yn siâp cryf. Gofynnwch iddynt awgrymu sut i wneud y sgwâr yn gryfach, h.y. trwy ychwanegu croeslin (Llun 10)

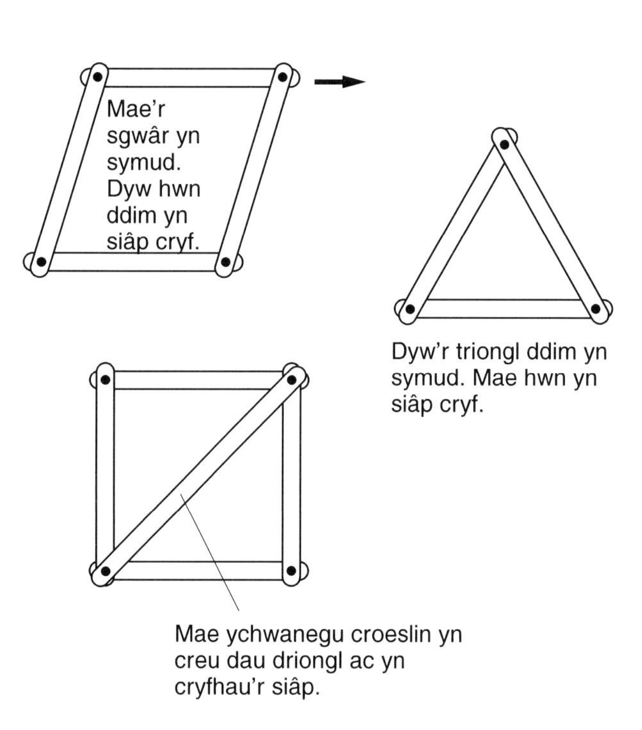

Llun 10

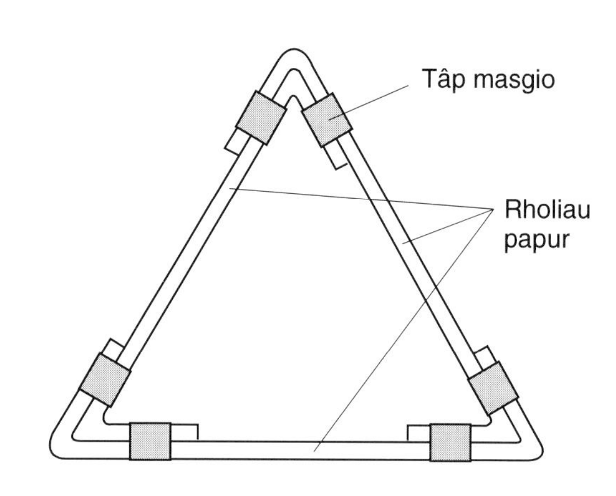

Llun 12

Gwneud adeileddau o roliau o bapur

Dangoswch y dechneg o rolio papur. Cymerwch bapur newydd a rhoi darn o hoelbren ar hyd ei gornel. Rholiwch y papur newydd o amgylch yr hoelbren a'i ddal ynghyd drwy ddefnyddio tâp masgio (Llun 11). Yna gwthiwch yr hoelbren o'r canol a phlygu dau ben y rholyn tua 5cm o'r pen.

Gwnewch nifer o roliau papur fel hyn a dangos i'r plant sut i'w huno drwy ddefnyddio tâp i ffurfio adeileddau eithaf cryf fel triongl (Llun 12), rhombws a tetrahedron, neu tapiwch resi o drionglau ynghyd i wneud grid (Llun 13). Gellir defnyddio dalennau o gerdyn i lenwi'r tyllau yn y fframwaith. Yna, gofynnwch i bob plentyn wneud rholyn papur yn barod i'r dasg nesaf.

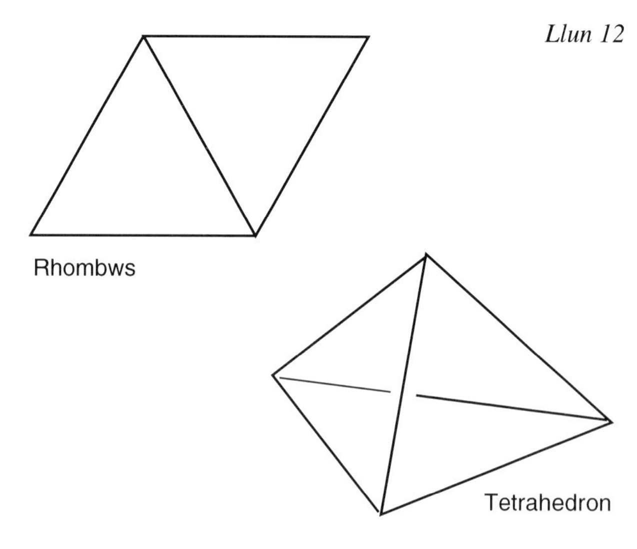

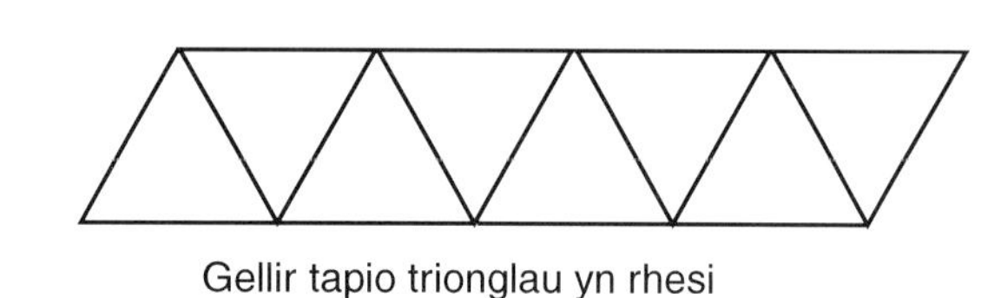

Llun 13

Tasgau annibynnol
Dylid gwneud y dasg hon mewn ystafell fawr e.e. neuadd yr ysgol, a dylid rhoi tuag awr o amser i'w chwblhau. Yn gyntaf, rhannwch y dosbarth yn grwpiau o bedwar i chwech. Gosodwch her i bob grŵp i ddylunio a gwneud pont fydd yn pontio bwlch o 1m rhwng dau fwrdd ac yn gallu dal tryc bychan. Yna, rhowch papur sgwariau neu isomedrig i'r plant i luniadu eu dyluniad o bont. Eglurwch y bydd ganddynt y defnyddiau a ganlyn: dalennau o bapur newydd, cerdyn tenau, tâp masgio ac ychydig ddarnau o hoelbren. Pwysleisiwch y bydd yn rhaid iddynt wneud eu pontydd gan ddefnyddio'r technegau a amlinellwyd uchod, ac y gellir gosod pwysau ar bob pen gan ddefnyddio un llyfr trwm yn unig.

Anogwch y grwpiau i ddefnyddio siapiau cryf ac i atgyfnerthu'r rhain drwy ddefnyddio croesliniau lle bo angen (Llun 14). Mae'n debyg y bydd gan wahanol grwpiau ddulliau gwahanol o weithredu. Efallai y bydd rhai yn ffurfio llinell gynhyrchu. Dylid tynnu sylw gweddill y dosbarth at ddulliau pob grŵp o ymgymryd â'r dasg a thrafod y manteision a'r anfanteision o weithio yn y dull hwnnw.

Pan fydd yr amser wedi dod i ben, dylid rhoi prawf ar y pontydd gan ddefnyddio dau fwrdd i'w cynnal a phren mesur metr o hyd i fesur y pellter. Mae'r bont yn llwyddiant os y gall ddal pwysau un tryc heb gwympo. Dylid nodi unrhyw arwyddion fod y bont yn plygu! Gellir profi'r pontydd llwyddiannus ymhellach drwy ychwanegu mwy o dryciau neu bwysynnau.

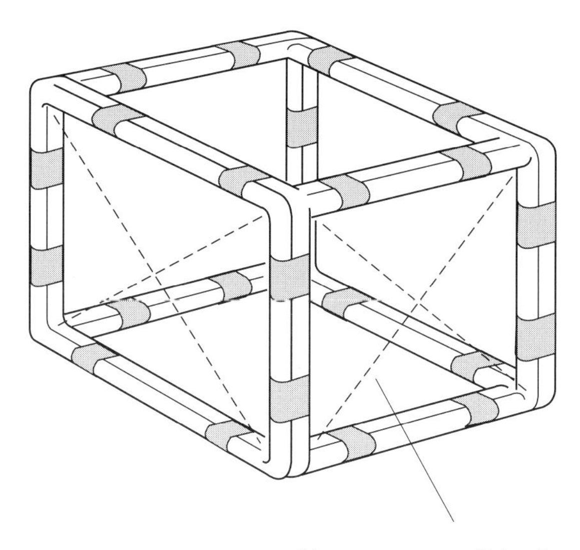

Llun 14

ASEINIAD DYLUNIO A GWNEUD

Amcan: Dylunio a gwneud offer ar gyfer cae chwarae

Defnyddiau/offer sydd eu hangen: Meistrgopïau 16 ac 17; papurau newydd, tâp masgio, cerdyn trwchus neu bren yn sail, llinyn trwchus, coesau lolipop, glanhawyr pib, defnyddiau wedi eu hadennill, paent poster, siswrn, darnau o hoelbren 3.5mm, papur sgwariau/isomedrig, glud PVA, tiwb plastig, padiau glynu, emulsion, paent modelu, papur llyfnu/ gwlân dur.

Cyflwyno
Rhowch gopi o Meistrgopi 16 i'r disgyblion. – toriad ffug o papur newydd sy'n sôn am gyfarfod cyhoeddus a gynhaliwyd i benderfynu beth i'w wneud â darn o dir segur yn yr ardal. O ganlyniad i'r cyfarfod hwn, eglurwch fod y cyngor lleol wedi penderfynu defnyddio'r darn o dir ar gyfer cae chwarae. Maent wedi trefnu arolwg i weld beth yw anghenion y plant lleol cyn gofyn am offer. Dywedwch wrth y disgyblion eu bod yn mynd i helpu gyda'r project hwn drwy ddylunio a gwneud darn o offer ar gyfer y cae chwarae.

Efallai yr hoffech feddwl am thema ar gyfer yr offer, neu gallai'r disgyblion ddewis drostynt eu hunain. Yna, trafodwch beth fyddai diben yr offer a beth fyddai oed y plant fyddai yn ei ddefnyddio. Dylech eu hatgoffa o'r math o offer a geir fel rheol mewn cae chwarae e.e. ffrâm ddringo, siglen, si-so. Trafodwch pa sgiliau mae plant yn eu dysgu wrth ddefnyddio'r offer yma e.e. dringo, cropian ac ati. Gallai'r disgyblion addasu dyluniadau er mwyn sicrhau eu bod yn annog plant i feistroli sgiliau.

Wedi'r drafodaeth gychwynnol, eglurwch bod ar y cyngor angen lluniadau o syniadau'r disgyblion ar gyfer gwahanol ddarnau o offer. Bydd angen i bob disgybl fodelu o leiaf un o'i ddyluniadau. Pwysleisiwch fod yn rhaid i'r model fod yn gryf ac yn gadarn, wedi ei selio ar thema ac iddo liw penodol.

Dylunio
Dyma gyfle da i'r disgyblion awgrymu nifer fawr o syniadau ac yna ddewis un i'w ddatblygu. Gofynnwch iddynt luniadu rhyw bump neu chwech o wahanol fath o offer cyn dewis beth i'w fodelu. Gallant ddefnyddio papur sgwariau neu isomedrig i ddylunio. Dylent allu cyfeirio at lyfrau o'r llyfrgell i'w helpu i gael gwybodaeth am siapiau posibl a themâu e.e.anifeiliaid, y gofod. Hefyd, gellid trefnu i ymweld â'r cae chwarae lleol. Dylid labelu'r lluniadau i ddangos ar gyfer pa weithgaredd y'u bwriadwyd e.e. rholio a dringo. Dylid nodi oed y plant a ystyrir, y thema a'r lliw a ddewiswyd. Yna, dylech atgoffa'r disgyblion sut i rolio papur ac atgyfnerthu eu gwybodaeth am siapiau cryf ac ati. Dylent hefyd fod yn ymwybodol o'r gwahanol fathau ar ddefnydd sydd ar gael ar gyfer y project hwn. Y cam nesaf yw i unigolion ddewis y dyluniad maen nhw'n mynd i'w ddatblygu. Gofynnwch iddynt wneud lluniad mawr ohono gan fanylu ar y defnyddiau y bwriadant eu defnyddio a sut y byddant yn ei adeiladu. Dylid defnyddio Meistrgopi 17 i'w helpu gyda'r gwaith hwn.

Gwneud

Rhowch nifer o dudalennau o bapur i'r disgyblion a hoelbren 3.5mm o hyd a thâp masgio. Anogwch y disgyblion i ddilyn eu lluniadau wrth adeiladu ffrâm sylfaenol i'w hoffer. Dylent ddechrau drwy wneud nifer o roliau papur a'u torri yn ddarnau bach – pob un tua 1 rhan o 3 o'r hyd cyflawn. Wrth fodelu'r offer gallent atgyfnerthu'r fframiau gydag ychwaneg o roliau o bapur a chroesliniau o bapur. Os bydd angen, gellid dangos iddynt sut i gryfhau'r fframiau hyn drwy adael darnau byr o hoelbren y tu mewn i'r rholiau papur (Llun 15).

Pan fydd y fframiau wedi eu gorffen, gall y disgyblion ychwanegu pethau atodol gan ddefnyddio defnyddiau sydd wedi eu hadennill e.e. pren lolipop, glanhwyr pib, gleiniau, hoelbrennau ac ati. Awgrymwch eu bod yn uno hoelbren gan ddefnyddio tiwb plastig i orffen y gwaith yn daclus. Gellir defnyddio tiwb plastig hefyd i rwystro glanhawyr pib rhag llithro i ffwrdd (Llun 16). Gellir rhoi'r rhain yn eu lle gyda thâp masgio neu, yn well fyth, drwy ddefnyddio glud PVA. Yna, dylid gosod y fframweithiau ar sylfaen cryf gyda padiau glynu neu dâp a'u paentio gyda phaent poster. Os defnyddiwyd cydrannau plastig e.e. potiau iogwrt, dylid crafu arwyneb y rhain gyda phapur llyfnu neu wlân dur a'u paentio gyda phaent emulsion gwyn (fyddai'n cuddio'r llythrennau). Yna, gellir eu paentio gyda phaent poster. Er mwyn cael wyneb sgleiniog gellir defnyddio farnis clir.

Gwerthuso

Y dull gorau i werthuso pob darn o waith yw arddangos y lluniad gwreiddiol a'r lluniad manwl ochr yn ochr â'r model ac asesu'r tebygrwydd rhyngddynt.

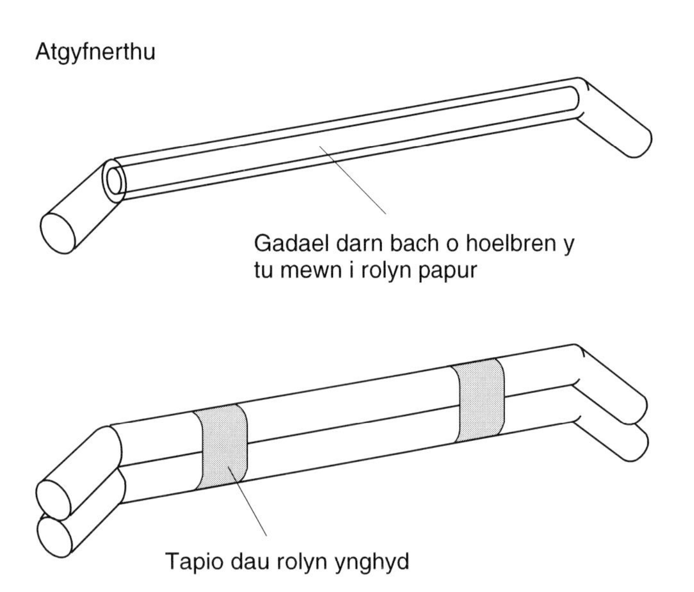

Llun 15

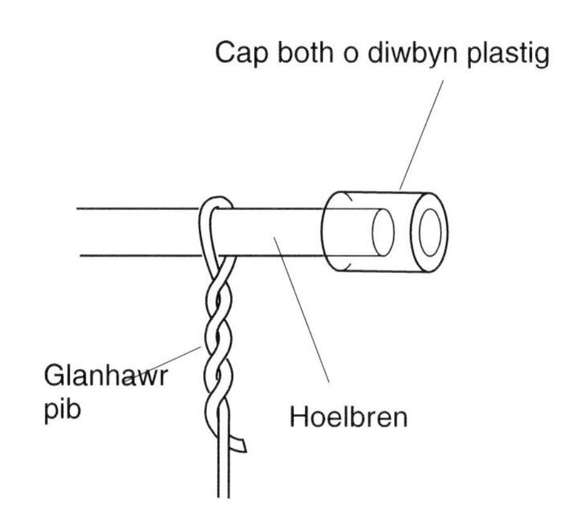

Llun 16

UNED 3: DEFNYDDIAU Y GELLIR EU MOLDIO

ADDURNIADAU NADOLIG

Nodau dysgu

Sgiliau dylunio
Dylai disgyblion gael cyfle i:

- ddylunio siâp y gellir ei foldio
- greu dyluniad y gellir ei ailgynhyrchu sawl gwaith
- gynnwys defnydd gweadog mewn defnydd sydd wedi ei foldio

Sgiliau gwneud
Dylai disgyblion ymarfer:

- moldio defnyddiau i wahanol siapiau gan ddefnyddio gwahanol dechnegau
- defnyddio offer yn ddiogel
- defnyddio offer i greu patrymau a gweadwaith.

Gwybodaeth a dealltwriaeth
Dylai'r disgyblion ddysgu bod:

- modd moldio rhai defnyddiau
- y gellir newid y defnydd y maent yn ei foldio – y gall defnydd hydrin ddod yn ddefnydd anhydrin a chaled.

Geirfa: clai, slab, tylino, mowld, siâp, hydrin, anhydrin, potyn torch, potyn slab, potyn wedi ei wasgu/binsio

TASGAU YMCHWILIOL

Defnyddiau/offer sydd eu hangen: Meistrgopi 18; darnau o glai meddal a chlai wedi ei danio; casgliad a lluniau o bethau wedi eu moldio a mowldiau.

DS: Os gwelwch yn dda, sylwer – mae'r clai a gymeradwyir ar gyfer y gweithgareddau hyn angen ei danio mewn odyn, ond gellir defnyddio clai sy'n caledu ohono'i hun yn ei le, neu Fimo neu does hallt. Mae clai sy'n caledu ohono'i hun yn ddewis drud. Gellir ei danio yn y ffwrn/popty i galedu mwy arno a dylid ei baentio yn ôl cyfarwyddiadau'r gwneuthurwr. Mae Fimo hefyd yn eithaf drud ond ceir lliwiau amrywiol ac y mae'n hawdd ei ddefnyddio. Gellir ei danio yn ôl cyfarwyddiadau'r gwneuthurwr a rhoi farnis arno. Bydd y cynnyrch yn y diwedd o ansawdd da. Y dewis rhataf o ddigon yw toes hallt. Gellir ei wneud drwy ddefnyddio blawd a halen, gan fesur yr un faint o'r ddau a'u cymysgu ag ychydig ddŵr. Mae'n hawdd gweithio gyda'r toes ond nid oes modd gwneud argraffluniau parhaol arno. Dylid ei grasu yn araf ar dymheredd isel. Yna, gellir ei baentio gyda phaent poster cyn rhoi sawl cot o farnis model arno.

Os ydych yn defnyddio odyn i danio clai, dilynwch gyfarwyddiadau'r gwneuthurwr yn ofalus.

Tasg 1
Trafodwch wahanol ffyrdd o siapio defnyddiau e.e. torri, plygu, drilio, cerfio, rholio, moldio ac ati. Yna, gofynnwch am awgrymiadau – pa ddefnyddiau y gellid eu siapio neu eu moldio. Eglurwch y gwahaniaeth rhwng siapio defnydd â llaw a'i drin mewn mowld.

Tasg 2
Casglwch nifer o bethau a lluniau o nifer o bethau a gafodd eu moldio mewn rhyw ffordd neu'i gilydd. Dylai'r casgliad gynnwys pethau o glai, pethau plastig a gafodd eu moldio drwy chwistrellu, cynnyrch a wnaed o haearn bwrw, casiau crwst a bar siocled. Ceisiwch, hefyd, ddod â sawl gwahanol fath o fowldiau y byddai'r plant yn gyfarwydd â hwy e.e. mowld jeli, tuniau i grasu teisennau, casiau papur ar gyfer crasu teisennau, mowldiau lolipop. Dylai'r plant sylweddoli fod moldio'n broses cyffredin.

Tasg 3
Siaradwch am y newidiadau sy'n digwydd mewn defnyddiau pan fyddant yn cael eu sychu a'u tanio. Yna rhowch ddarnau o glai heb ei danio a chlai wedi ei danio i'r plant a gofyn iddynt eu cymharu. Dylent sylwi fod y clai meddal hydrin yn mynd yn galed, yn anhydrin ac yn fregus wedi iddo gael ei danio. Mae'r newid hwn yn barhaol.

Tasg 4
Dangoswch fod defnyddiau eraill yn toddi pan gânt eu poethi e.e. mae siocled yn troi'n feddal a thalpiau o rew yn troi'n ddŵr. Ydy'r plant yn meddwl fod y newidiadau hyn yn barhaol ai peidio?

Tasg 5
Rhowch rywbeth sydd wedi ei wneud o glai i bob plentyn. Y dasg yw ysgrifennu disgrifiad ohono gan ddefnyddio Meistrgopi 18.

TASGAU YMARFEROL PENODOL

Defnyddiau/offer sydd eu hangen: clai, clai slip, h.y. darnau o glai wedi eu cymysgu â dŵr i wneud pâst (dylai fod fel hufen dwbl), offer crochenydd, darnau o hesian, potiau iogwrt, cefnau broetshis (i'w cael o siopau crefftwaith), torrwr bisgedi, glud epocsi, tanwydredd, staen, ocsidiau, farnis clir, magnetau crwn.

Tasgau cyntaf
Pwrpas y tasgau hyn yw dangos i'r plant sut i baratoi a sut i ddefnyddio clai. Ond, gellir eu haddasu os bwriedir defnyddio defnydd arall y gellir ei foldio.

Cael gwared â swigod aer
Rhowch ddarn o glai i bob plentyn a sgwâr o ffabrig sugno e.e. hesian, i weithio arno. Dangoswch iddynt sut i baratoi neu wasgu'r clai fel pe baent yn tylino toes i wneud bara (Llun 1). Yna, dylid rholio'r clai yn belen a'i thorri yn ei hanner i weld a oes swigod aer ynddi (Llun2). (Mae'n bwysig golafu eu bod wedi cael gwared â'r swigod aer i gyd cyn tanio'r clai neu gallai ffrwydro.) Yna, dylid cyfuno'r ddau hanner a thylino'r clai eto, nes y bydd y swigod aer i gyd wedi diflannu.

Gwneud llestr clai drwy wasgu neu binsio
Dangoswch i'r plant sut i rolio clai yn belen ac yna, gan ddefnyddio eu bodiau, wneud llestr (Llun 4). Gwasgwch ochrau'r llestr o'r gwaelod at allan gan ei droi ar gledr eich llaw.

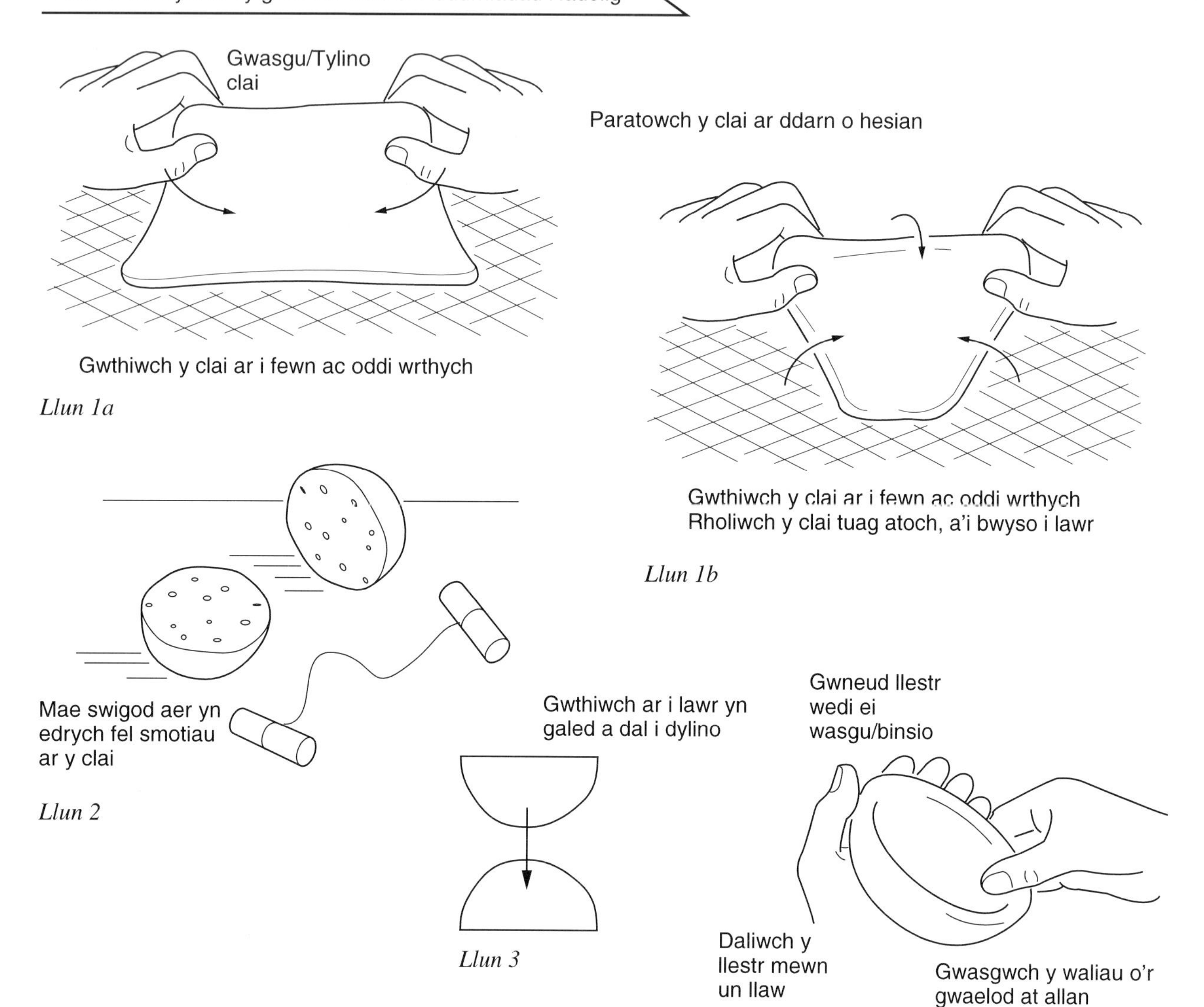

Llun 1a

Llun 1b

Llun 2

Llun 3

Llun 4

Rholio clai a'i dorri

Er mwyn eu paratoi ar gyfer y dasg hon, rhowch ddarn arall o glai i bob plentyn neu ofyn iddynt ddinistrio'r llestr y maent wedi ei wasgu ac ail-dylino'r clai. Yn gyntaf, dangoswch sut i wastatáu darn o glai gyda'ch dwylo. (Defnyddiwch ddarn o hesian i sicrhau na fydd y clai yn glynu wrth y bwrdd.) Yna, dangoswch i'r plant sut i rolio'r darn gan ddefnyddio rholbren (Llun 5). Ar ôl rholio'r clai i un cyfeiriad dylid ei godi a'i droi. Cofiwch ddweud bod y rholbrennau a ddefnyddir yn wahanol i'r rhai a ddefnyddir ar gyfer technoleg bwyd!

Yna, rhowch botyn iogwrt a chyllell i bob plentyn. Gofynnwch iddynt roi'r potyn ar y clai a thorri o'i amgylch i wneud gwaelod i'r llestr (Llun 6).

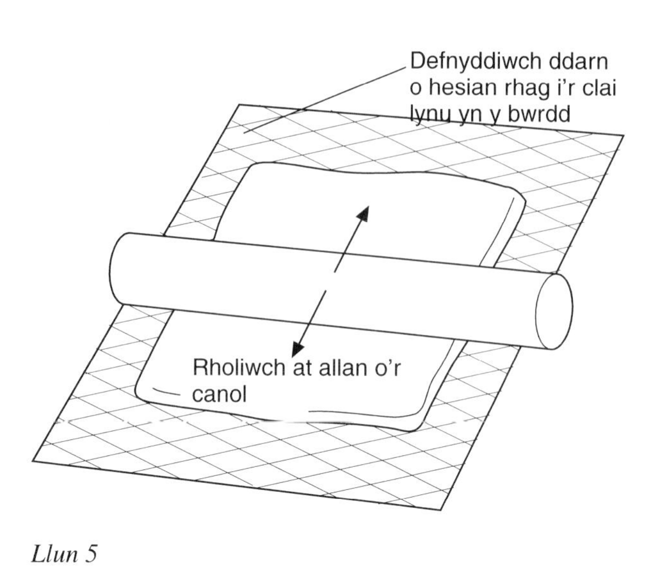

Llun 5

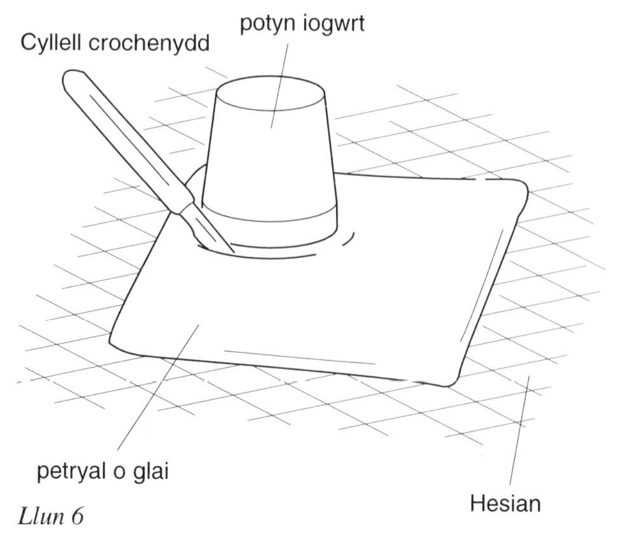

Llun 6

Gwneud llestr coil
Dangoswch sut i rolio coil o glai, o'r canol at allan. Dylid rhoi hwn yn sownd wrth ddarn gwaelod (wedi ei wneud eisoes) gyda chlai slip a'i bwyso i lawr (Llun 7). Gellir ychwanegu mwy o ddarnau coil gan ddefnyddio slipiau eto a gwneud yn siŵr bod pennau'r coiliau yn cwrdd mewn man gwahanol bob tro. Dylid uno pob coil gyda'r un o'i flaen drwy ddefnyddio blaenau'r bysedd. I orffen y llestr, dylid llyfnhau'r arwyneb gyda blaenau'r bysedd gan ddileu pob arwydd fod yno goiliau (Llun 8)

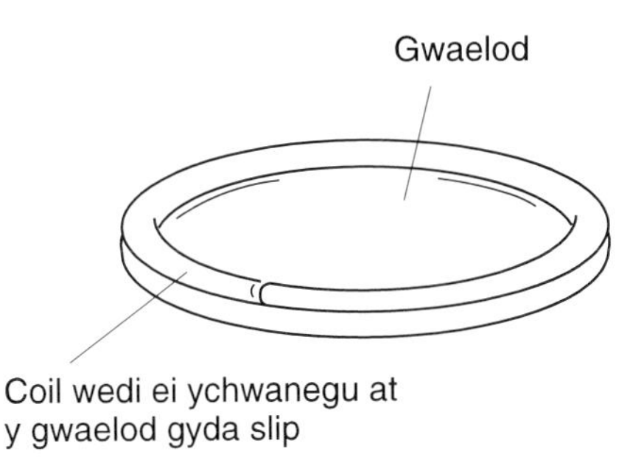

Llun 7

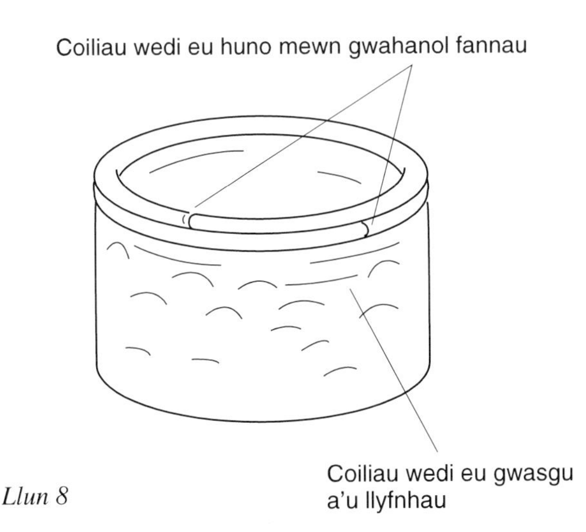

Llun 8

Gwneud llestri slab
Gofynnwch i'r plant rolio clai i siâp petryal. Dylid gadael hwn am ddiwrnod i galedu nes y bydd fel lledr. Bydd yn haws gweithio arno wedyn. Yna, dylid torri darnau petryal o'r slab gan ddefnyddio cyllell (Llun 9). Gellir rhoi'r rhain ynghyd drwy ddefnyddio slipiau, wedi eu rhoi hyd yr ymylon, i wneud bocs (Llun 10).

Dylid rhoi slip hefyd ar hyd bob asiad ac ychwanegu sosej o glai i'w gryfhau. Yna yn olaf, gellir llyfnu'r asiadau gydag erfyn pren, gan lenwi unrhyw fylchau gyda mwy o glai (Llun 11).

Tasgau annibynnol
Eglurwch fod y plant yn mynd i wneud broetsh neu fagnet oergell. Gofynnwch iddynt rolio slab o glai tua 3mm o drwch. Yna, dylent dorri siâp yn y clai gan ddefnyddio cyllell, neu, i gael siâp mwy cywrain, gallent ddefnyddio torrwr bisgedi (Llun 12). Gellid llyfnu'r ymylon gyda sbwng gwlyb ac yna gellid ei addurno drwy ddefnyddio tanwydredd (gellir prynu tiwb neu ben) neu staen neu ocsidiau. Gellir defnyddio tanwydreddau hefyd ar glai sydd wedi ei danio. (Er mwyn cael gwybod yn fanwl sut i'w danio, edrychwch ar lyfryn y gwneuthurwr ar gyfer eich odyn arbennig chi.) Yna, dylid rhoi cot o wydredd clir ar y siâp. Yn olaf, dylid rhoi cefn broetsh neu fagnet crwn ar y cefn gan ddefnyddio glud resin epocsi. Efallai y bydd yn rhaid i oedolyn wneud y cam olaf hwn, yn absenoldeb y plant, gan y gallai nwyon greu problemau.

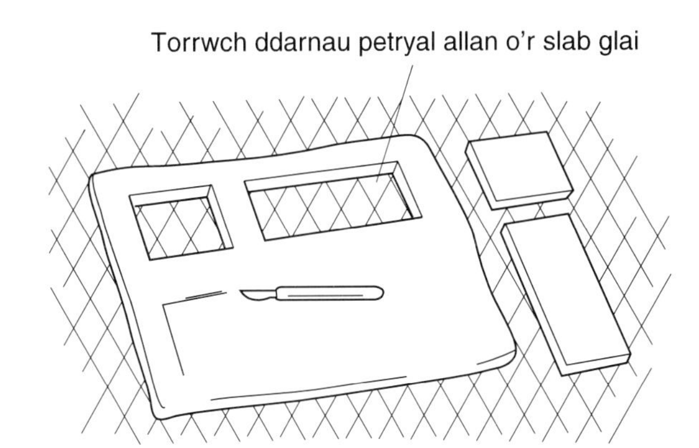

Llun 9

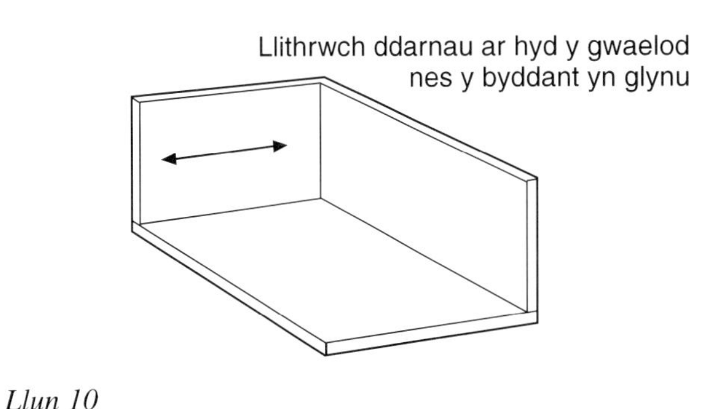

Llun 10

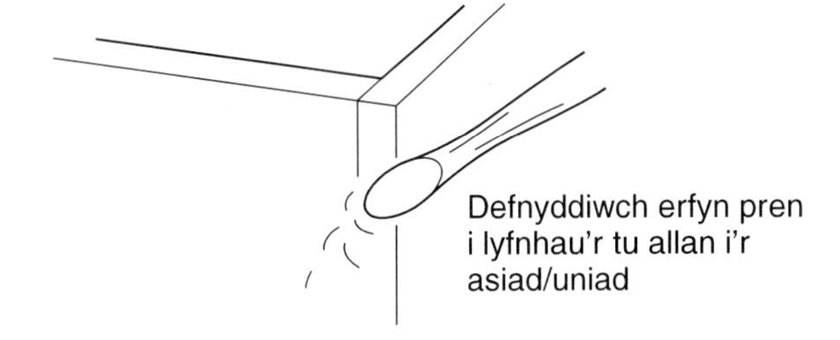

Llun 11

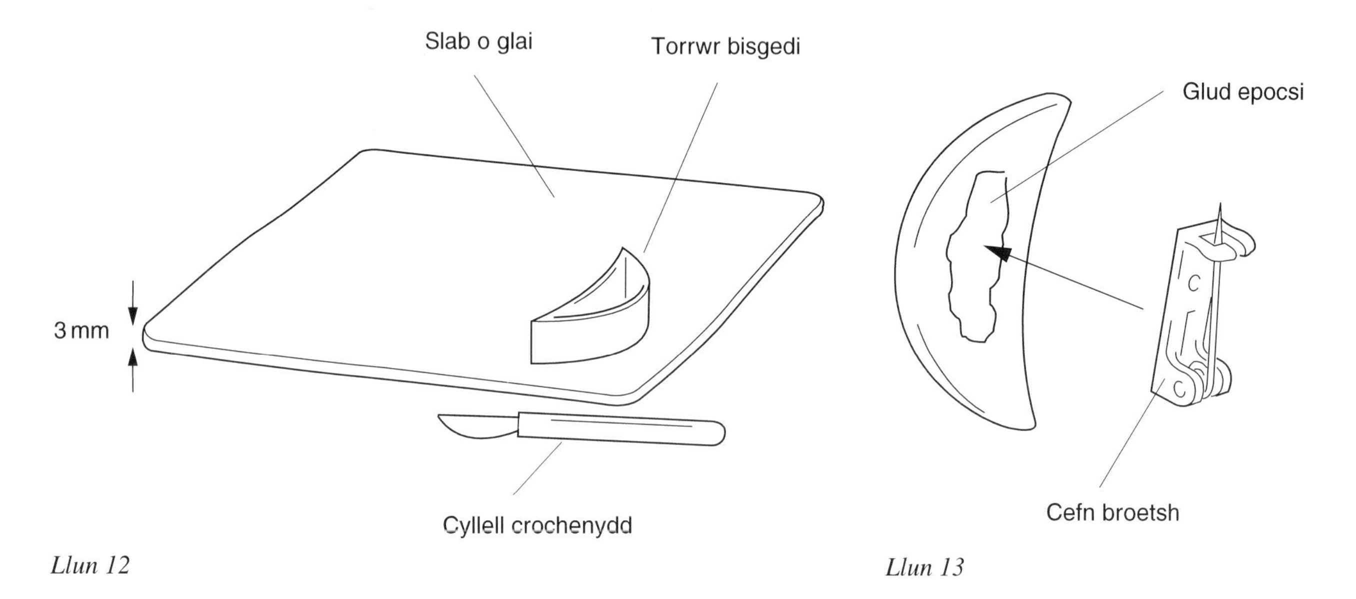

Llun 12

Llun 13

ASEINIAD DYLUNIO A GWNEUD

Amcan: Dylunio a gwneud set o dri addurn Nadolig i'w hongian ar goeden Nadolig.

Defnyddiau/offer sydd eu hangen: Meistrgopïau 19, 106 a 107, clai, offer crochenydd, gwydreddau, torwyr bisgedi, cerdyn, peniau ffelt, rhubanau/edau sgleiniog, gweill gwau/tyllwyr, tanwydreddau, staen, farnis modelau.

Cyflwyno
Trafodwch y gwaith a wnaed eisoes gan dddefnyddio defnyddiau y gellir eu moldio a'r technegau a ddysgwyd. Yna eglurwch beth yw'r dasg a beth fydd yn angenrheidiol yn y cynnyrch gorffenedig. e.e. bydd yn rhaid i'r addurniadau hongian o'r goeden, rhaid eu gwneud a'u gorffen yn ofalus a rhaid iddynt fod yn ddeniadol. Pwysleisiwch fod yn rhaid i'r dyluniadau fod yn hawdd eu gwneud gan fod yn rhaid gwneud tri addurn tebyg. Gellid trafod manteision defnyddio mowldiau y gellir eu pwyso i lawr, fel torwyr bisgedi, i dorri'r siapiau. Yna, adolygwch y broses a ddefnyddir i wneud bathodyn neu fagnet oergell. Hefyd, soniwch y bydd yn rhaid i bob addurn fod â thwll yn y top (wedi ei wneud gyda gwäell wau) fel y gellir ei hongian o'r goeden ar ruban neu ddarn o edau.

Dylunio
Gofynnwch i'r plant ddod ag addurniadau o gartref. Dylent astudio'r rhain i weld beth yw defnydd pob un, sut y mae wedi ei addurno a sut y mae'n hongian. Yna, defnyddiwch Meistrgopi 19 i sôn am y meini prawf wrth ddylunio. Yna, gofynnwch i'r plant luniadu eu syniadau cyntaf. Dylent ddewis un i'w ddatblygu. Yn ddelfrydol dylai hwn fod yn un sydd yn wastad o ran siâp fel y gellir ei atgynhyrchu yn hawdd. (Mae mantais arall i siâp fflat, maent yn haws eu tanio gan nad oes angen llawer o le arnynt yn yr odyn.)

Y cam nesaf yw i'r plant fodelu eu dyluniad mewn papur neu gerdyn, gan ddefnyddio'r torrwr bisgedi priodol os yw hynny'n bosibl. Os nad oes gennych dorwyr bisgedi, gallent wneud patrymlun a thorri o'i amgylch. Dylid lliwio ac addurno'r model. Efallai y dylid atgoffa'r plant mai addurn syml ddylent ei gynllunio i'w ddefnyddio ar glai.

Yn olaf, dylai'r plant ddylunio llif-luniad i ddangos y gwahanol gamau yn y broses o wneud, gan ddefnyddio Meistrgopi 106. Os oes angen, dylid eu hatgoffa i wneud twll i ychwanegu llinyn ar y top.

Gwneud
Dylai'r plant rolio darn o glai 3-5mm o drwch. Yna, dylent dorri tri siâp yn union yr un fath â'i gilydd gan ddefnyddio'r torrwr bisgedi neu'r patrymlun. Gellir gwneud twll ym mhob un gan ddefnyddio gwäell wau neu dyllwr a gellir sgriffinio a marcio patrymau gydag offer crochenydd (Nid oes yn rhaid i'r rhain fod yn union yr un fath ar y siapiau i gyd).Yna, gellir paentio'r siapiau, gan ddefnyddio tanwydreddau neu staen, cyn eu tanio. (Fel o'r blaen, nid oes yn rhaid i'r addurn fod yn union yr un fath.) Dylid rhoi cot o wydredd clir ar y darnau clai sydd wedi eu tanio cyn eu tanio eilwaith, ac yn olaf gellir rhoi darn o ruban neu edau drwy bob twll ar gyfer eu hongian.

DS: Os ydych yn defnyddio toes hallt mae'r broses bron yr un fath ond yn hytrach na gwydro'r darnau gellir eu crasu ac yna eu paentio. Dylid rhoi farnis modelau ar y darnau gorffenedig cyn rhoi'r rhuban neu'r edau yn ei le.

Gwerthuso
Dylai'r plant fedru gwerthuso eu gwaith eu hunain gan ddefnyddio Meistrgopi 107. Hefyd dylent edrych ar eu llif-luniadau i weld a oes angen gwneud unrhyw newidiadau. Yn olaf, dylid hongian yr addurniadau ar goeden Nadolig – naill ai yn yr ysgol neu yn y cartrefi.

UNED 4: TECSTILIAU

CROGLUNIAU

Nodau dysgu

Sgiliau dylunio
Dylai disgyblion gael cyfle i:

- fodelu syniadau gan ddefnyddio papur
- ddylunio patrymau papur
- ystyried ymddangosiad eu cynnyrch

Sgiliau gwneud
Dylai disgyblion ymarfer:

- gwneud patrwm papur syml
- torri drwy sawl trwch o ffabrig
- defnyddio pinnau i roi patrwm papur ar ffabrig a ffabrig ar ffabrig
- uno ffabrig gan ddefnyddio gwahanol bwythi
- uno ffabrig gyda'r ochrau fydd tu deau yn wynebu ei gilydd gan ddefnyddio offer tecstiliau

Gwybodaeth a dealltwriaeth
Dylai'r disgyblion ddysgu:

- bod rhai ffabrigau yn fwy addas nag eraill ar gyfer pwrpas penodol
- y gellir defnyddio patrymau mewn sawl ffordd
- bod gosod patrwm yn ofalus yn lleihau gwastraff
- bod gosod patrwm ar blyg yn rhoi dau ddarn fydd yn union yr un fath, fel adlewyrchiad mewn drych.

Geirfa: ffabrig, lliw, gwead, trwch, patrwm, naturiol, synthetig/ o waith dyn, binca, pwythi, pwyth rhedeg, pwyth milwr, pwyth croes, pwyth ôl, amylu, nodwydd, edau, pin, leinin, patrymlun, darnau patrwm, hesian, hem, ochr dde/tu deau/tu fas, tu chwith/tu mewn.

TASGAU YMCHWILIOL

Defnyddiau/offer sydd eu hangen: Meistrgopïau 20, 21 a 22; darnau o ffabrig, chwyddwydrau, cynwysyddion plastig, pwysynnau, papur llyfnu/hoelen, brws gwallt/crib, pibed.

Tasgau cyntaf
Gellid cysylltu'r rhain â gwaith pwnc ar ddefnyddiau.

Tasg 1
Rhannwch y dosbarth yn grwpiau a rhoi casgliad o ddefnyddiau sbâr i bob grŵp – gydag o leiaf ddeg gwahanol fath ar ffabrig ym mhob casgliad. Gofynnwch iddynt ddosbarthu'r defnyddiau i setiau. Yna, gofynnwch i bob grŵp egluro beth oedd eu meini prawf wrth ddosbarthu. Mae'n debyg y byddant wedi defnyddio'r meini prawf hyn: lliw, gwead, trwch.

Tasg 2
Rhowch ddarn o ffabrig i bob plentyn. Dylid eu hannog i ddisgrifio'r lliw, y trwch a'r gwead a nodi'r wybodaeth ar Meistrgopi 20. Gallent, hefyd, ddefnyddio chwyddwydr i astudio'r ffabrig yn fwy manwl a phenderfynu a yw wedi ei wehyddu neu wedi ei wau (Llun 1).

Gan ddefnyddio Meistrgopi 21 gofynnwch i'r plant ddweud a yw rhai defnyddiau wedi dod o anifeiliaid, planhigion neu fwynau.

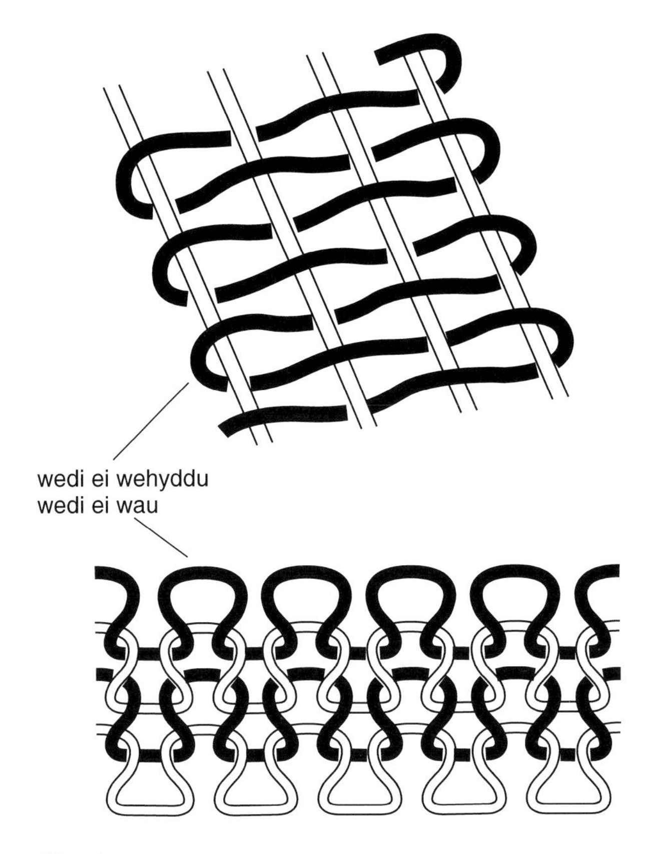

Llun 1

Atebion i Meistrgopi 21

O ble y daw tecstiliau?			
Cotwm	Planhigyn	tyfir mewn mannau cynnes, llaith	defnyddir i wneud pob math o ddillad
Lycra	Mwyn	gwneir o danwydd ffosil	defnyddir i wneud dillad sy'n ymestyn
Gwlân	Anifail	ceir o'r defaid, geifr, camelod, llama ledled y byd	defnyddir i wneud carpedi, dillad, ffelt a chlustogwaith
Kapok	Planhigyn	tyfir yn Java, Indonesia a rhannau deheuol o Asia	defnyddir y tu mewn i glustogau
Ffwr	Anifail	o grwyn anifeiliaid ledled y byd, yn enwedig minc, morlo, carw, carlwm	defnyddir yn bennaf i wneud dillad
Neilon	Mwyn	gwneir o danwydd ffosil fel olew	defnyddir yn bennaf i wneud carpedi a dillad
Rhwber	Planhigyn	gwneir o sudd y goeden rwber a dyfir yn India a de Asia	defnyddir i wneud esgidiau yn bennaf
Acrylig	Mwyn	gwneir o danwydd ffosil	defnyddir i wneud dillad
Swêd	Anifail	gwneir o groen gwartheg a geifr yn bennaf	defnyddir yn bennaf i wneud esgidiau, dillad a chyfwisgoedd
Hesian	Planhigyn	gwneir o'r planhigyn Jute a dyfir yn y trofannau e.e. India a Pacistan	defnyddir i wneud sachliain
Ffelt	Anifail	gwneir o ffibrau gwlân gwlyb wedi eu gwasgu a'u crebachu	defnyddir mewn crefftwaith, peli tenis a rhai dillad
Polyester	Mwyn	gwneir o danwydd ffosil	defnyddir i wneud dillad
Lledr	Anifail	gwneir o grwyn gwartheg a geifr yn bennaf	defnyddir i wneud dillad, esgidiau a chyfwisgoedd
Sidan	Anifail	Gwneir o sidangod y pryf sidan yn Japan, China, Mecsico a Thwrci	defnyddir i wneud sana', ffrogiau, blowsus a dillad isa'

Tasg 3

Dylai'r plant roi prawf ar gryfder eu darn o ffabrig drwy fachu cynhwysydd, e.e. twbyn margarîn, i ben stribed o'r ffabrig ac ychwanegu pwysynnau. Gallent brofi'r ffabrig am ôl treulio/sgriffiadau, drwy rwbio pob darn 50-100 o weithiau gyda darn o bapur gwydrog neu hoelen. Gallent hefyd brofi a yw'n raflo trwy dynnu ar yr ymylon gan ddefnyddio brws gwallt neu grib. Yn olaf, gallent brofi a yw'r ffabrig yn ddiddos/ yn amsugno drwy roi pum dafn o ddŵr ar y ffabrig, gan ddefnyddio pibed, a mesur maint y cylch gwlyb.

Tasg 4
Anogwch y plant i awgrymu i beth y gellid defnyddio eu ffabrig, ac ym mhle y byddai rhywun yn ei ddefnyddio e.e. gellid gwneud ffabrig sgleiniog yn ffrog i'w gwisgo mewn parti a gelllid gwneud ffabrig tywel yn wisg i'r ystafell ymolchi. Neu, gellid trefnu cwis gyda grwpiau yn dyfalu diben nifer o wahanol ddefnyddiau. Gellid defnyddio Meistrgopi 22 ar gyfer y dasg hon.

Tasg 5
Eglurwch fod rhai defnyddiau yn cael eu cynhyrchu yn naturiol ac eraill yn cael eu gweithgynhyrchu o fwynau e.e. gwneir polyester o olew. Yna nodwch unrhyw ddillad ysgol a wneir o nifer o wahanol ddefnyddiau. Gellir defnyddio Meistrgopi 21 i ategu'r gwaith hwn.

TASGAU YMARFEROL PENODOL

Defnyddiau/offer sydd eu hangen: Meistrgopïau 23 a 24, binca (pum twll i bob modfedd), edau brodwaith, offer tecstiliau, darnau o ffabrig cotwm, Velcro/clecwyr.

Tasgau annibynnol
Mae'r gweithgaredd hwn yn dysgu'r plant sut i addurno cas pensiliau gan ddefnyddio sawl gwahanol bwyth. Disgrifir y technegau hyn yn fanwl ar Meistrgopïau 23 a 24.

Rhowch betryal o binca 34cm x 27cm (67 x 54 o dyllau) i bob plentyn. Gofynnwch iddynt gyfrif pedwar twll i mewn o bob ymyl a marcio'r border hwn drwy dynnu llinell mewn pensil. Yna, os oes angen, dysgwch iddynt sut i roi edau mewn nodwydd, a rhoi pen yr edau yn sownd drwy wneud nifer o bwythi bychan ar gefn y binca (Llun 2). Ceisiwch eu darbwyllo i beidio â gwneud cwlwm.

Ar yr ochr arall i'r binca (y llinell bensil ar y tu chwith), dylai'r plant wneud border o bwythi rhedeg, chwe rhes i mewn o bob ymyl (Llun 3). Yna, dylent ddefnyddio edau o liw gwahanol i wneud ail forder, un rhes i mewn o'r gyntaf. Dylai'r ail res o bwythi fod bob yn ail â'r gyntaf (Llun 4).

Yna, dangoswch sut i wau pwyth igam-ogam drwy'r ddwy res o bwythi rhedeg, gan wneud patrwm llygad-y-dydd ym mhob cornel (Llun 5). Yna, dylai'r plant wneud yr un peth eto gan ddefnyddio trydydd lliw. Wedyn, dangoswch iddynt sut i wneud border arall gan ddefnyddio pwyth milwr, un rhes oddi wrth y border diwethaf. Dylai'r plant gopïo hwn gyda phedwerydd lliw (Llun 6). Mae'r rhes olaf wei ei llunio drwy ddefnyddio pwyth croes dwbl sy'n ffurfio sêr. Fel o'r blaen, dylid pwytho un rhes i mewn o'r border diwethaf gan ddefnyddio edau o liw gwahanol (Llun 7). Dylai hyn olygu bod petryal, yn mesur 24 x 36 twll, heb bwythi arno yng nghanol y binca.

Y cam nesaf yw dangos i'r plant sut i blygu ochrau byr y binca gan ddefnyddio'r llinell mewn pensil i'w helpu. Dylid rhoi pinnau i ddal y rhain yn eu lle. Rhaid plygu'r binca yn dair rhan, fel amlen (Llun 8). Gofynnwch i'r plant droi'r amlen drosodd a defnyddio pensil i ysgrifennu llythrennau cyntaf eu henwau ar y cefn. Mae angen iddynt wneud yn siŵr bod yr amlen ar i fyny a'r

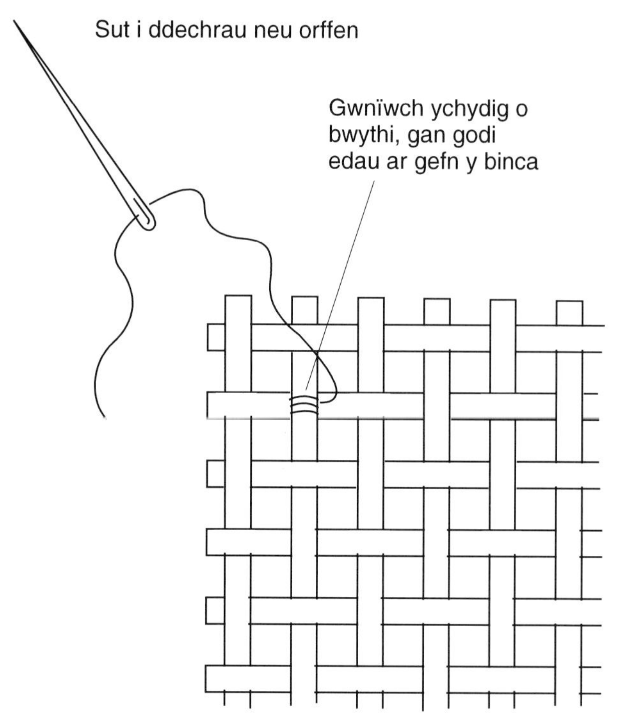

Llun 2

llythrennu yn dilyn llinell y tyllau, os yn bosibl. Yna, dylid pwytho'r llythrennau gan ddefnyddio pwyth ôl.

Nawr, dylai'r plant roi leinin yn y cas pensiliau. Gellir gwneud y leinin mewn cotwm, gan dorri darn o'r un maint â'r binca. Rhaid rhoi'r ddwy ochr dde at ei gilydd a rhoi pinnau yn y darnau. Yna, dylid gwnïo tair ymyl gan ddefnyddio pwyth ôl a dilyn y llinell bensil. Rhaid gadael y gwaelod ar agor (Llun 10). Pan fydd y cas pensiliau wedi ei droi y tu deau at allan, gellir rhoi pinnau ar hyd yr ymyl hon a'i gwnïo drwy amylu.

Yn nesaf, gofynnwch i'r plant ail blygu'r cas pensiliau i'w siâp amlen, gan sicrhau bod eu henwau ar i fyny a'r ymyl sydd wedi ei hamylu ar y tu chwith. Yna, dylid rhoi pinnau i osod yr amlen at ei gilydd ac amylu'r ochrau (Llun 11).

Yn olaf, gelli rhoi Velcro neu glecwyr i gau'r cas.

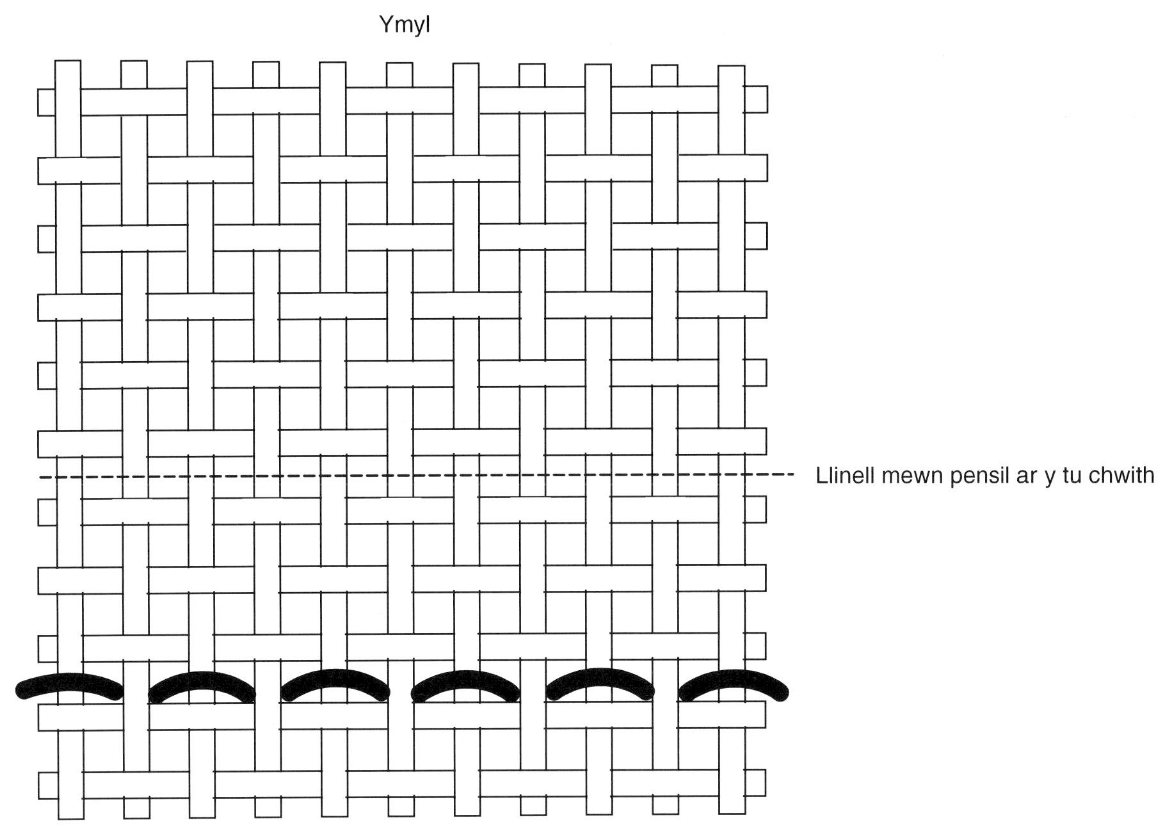
Ymyl
Llinell mewn pensil ar y tu chwith

Llun 3

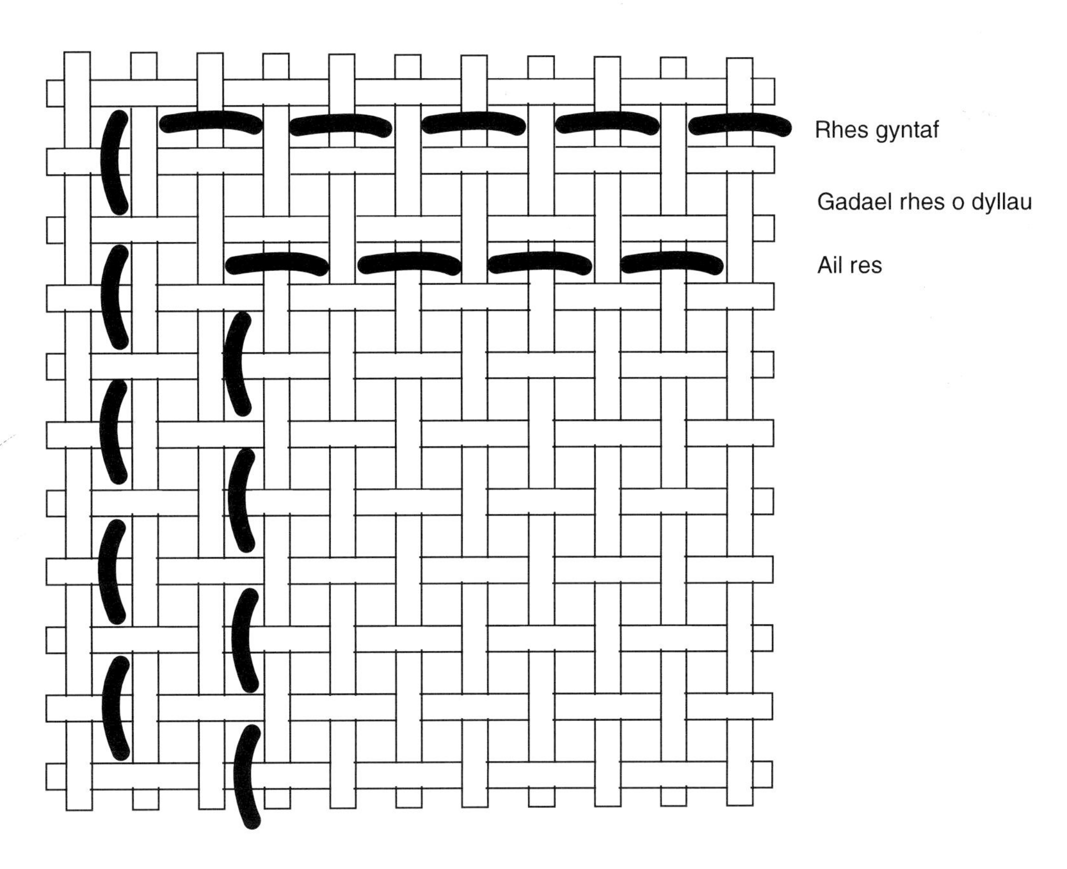
Rhes gyntaf
Gadael rhes o dyllau
Ail res

Llun 4

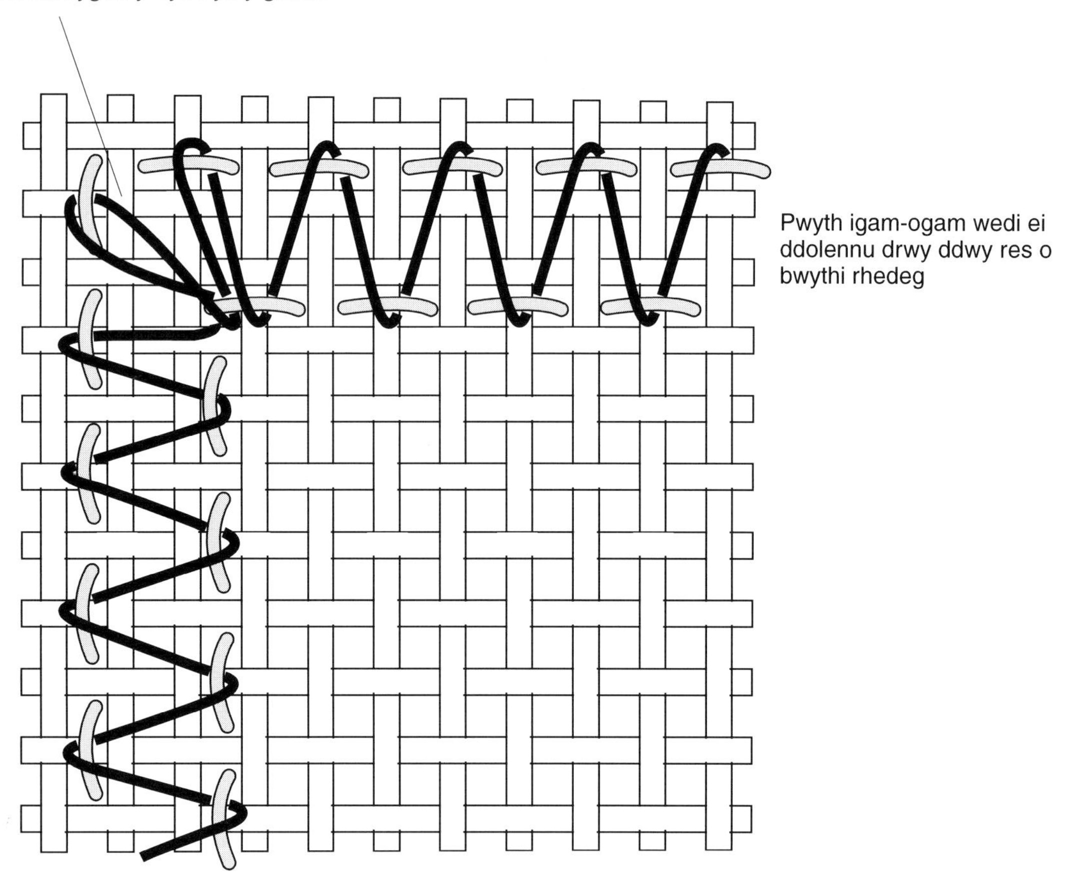
Patrwm llygad-y-dydd yn y gornel
Pwyth igam-ogam wedi ei ddolennu drwy ddwy res o bwythi rhedeg

Llun 5

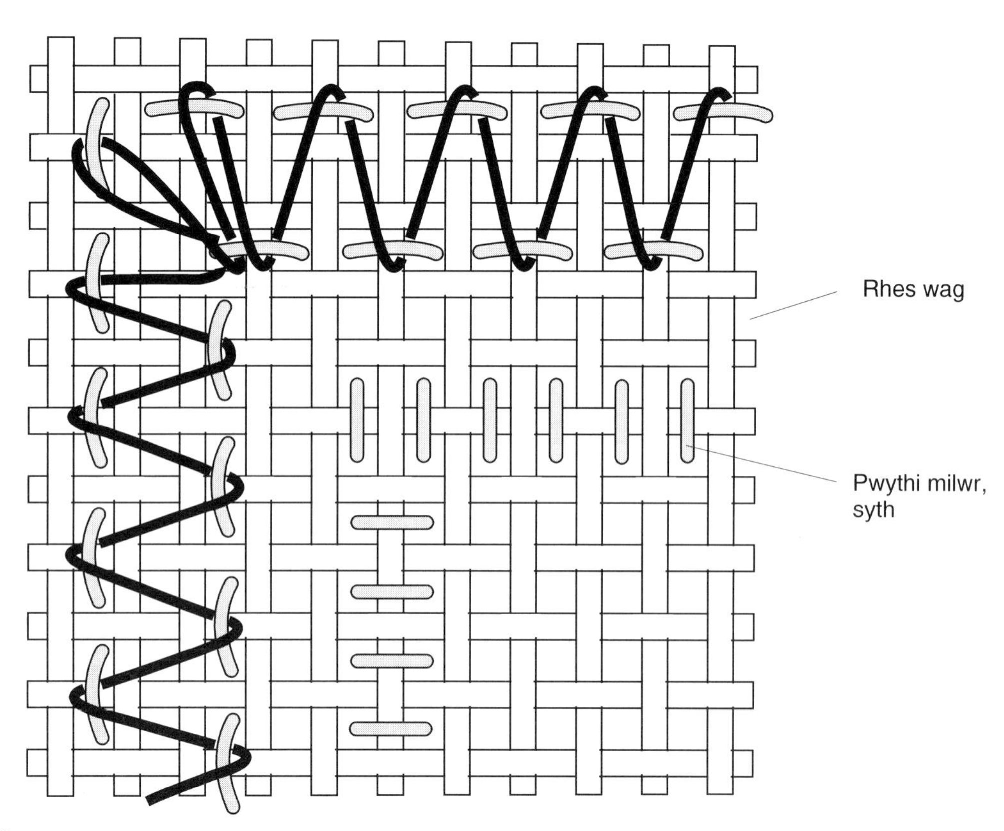
Rhes wag
Pwythi milwr, syth

Llun 6

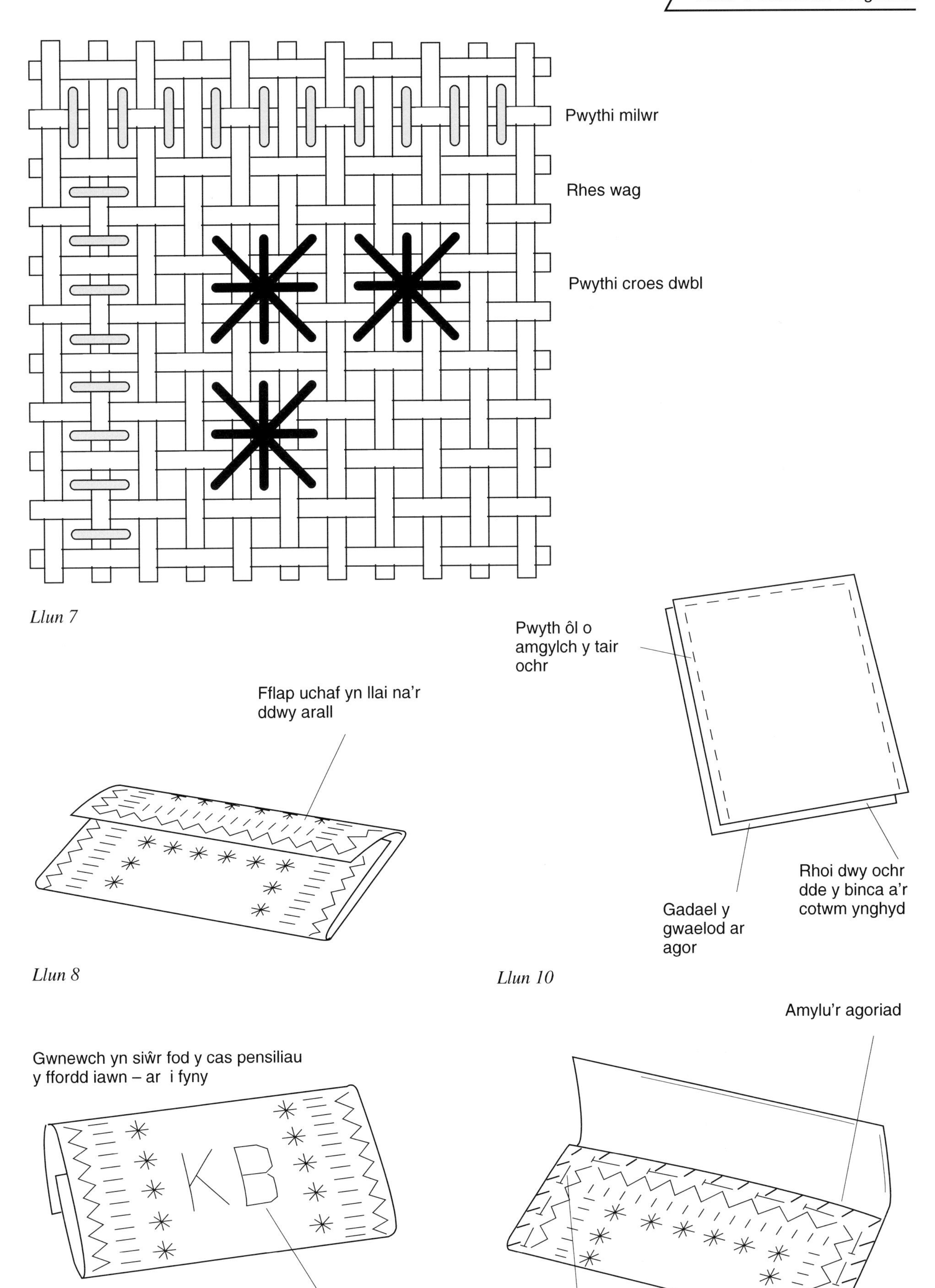

Llun 7

Llun 8

Llun 10

Llun 9

Llun 11

ASEINIAD DYLUNIO A GWNEUD

Amcan: Dylunio a gwneud croglun i'ch ystafell wely.

Defnyddiau/offer sydd eu hangen: Meistrgopi 25, papur sgwariau A4, offer lluniadu, creonau, petryalau o hesian (25cm x 37.5cm), darnau o ffabrig, rhuban, plethwaith, gleiniau, edau brodwaith, nodwyddau, siswrn, pinnau, siswrn pincio, hoelbren, llinyn, haclifiau, bachau mainc, glud PVA, haearn smwddio a bwrdd smwddio.

Cyflwyno

Dywedwch wrth y plant beth maent yn mynd i'w wneud ac os oes modd dangoswch esiampl sydd wedi ei wneud yn barod iddynt. Eglurwch y byddant yn defnyddio'r sgiliau y maent eisoes wedi eu dysgu, sef pwytho ac uno ffabrigau. Pwysleisiwch hefyd y dylent wneud eu crogluniau drwy ddefnyddio siapiau geometrig, h.y. sgwariau, cylchoedd, petryalau ac ati, er mwyn symylrwydd. (Gellid eu haddurno e.e. gyda rhubanau, plethwaith a gleiniau.) Yna, gofynnwch i'r plant feddwl yn ofalus ble bydd eu crogluniau yn hongian ac ystyried y lliwiau sydd yn y fan honno. Dylent geisio dewis lliwiau fydd yn cydweddu. Ceir awgrym ar sut i ddechrau ar y gwaith yn Meistrgopi 25.

Dylunio

Rhowch ddarn o bapur sgwariau i bob plentyn i ddylunio ei groglun. Awgrymwch eu bod yn creu darlun neu wneud dyluniad haniaethol fel addurn. Eglurwch hefyd os ydynt eisiau defnyddio rhuban neu blethwaith y dylid gadael border 1cm o amgylch ymylon eu dyluniad. Pwysleisiwch y dylai'r cynllun fod yn un syml. Ni ddylid manylu gormod gan y byddai'n anodd atgynhyrchu llawer o fân addurniadau.Yna, gallant luniadu a lliwio eu dyluniad, gan ddefnyddio lliwiau plaen yn unig.

Pan fydd y dyluniadau yn barod, rhowch ddarn arall o bapur sgwariau i bob plentyn iddynt gael lluniadu eu patrymau. Dylent luniadu'r holl wahanol siapiau sydd yn eu dyluniadau heb iddynt fod yn gorgyffwrdd o gwbl. Mae angen digon o le i roi hem 1cm o amgylch.

Yna, dywedwch wrthynt am liwio pob darn yn briodol ac ysgrifennu 'torri 2' neu 'torri 3' ar siapiau sy'n cael eu hailadrodd.

Gwneud

Yn gyntaf, rhowch ddarn o hesian i bob plentyn. Gofynnwch iddynt dynnu llinell 4cm o un pen gan ddefnyddio pensil a phren mesur. (Golyga hyn y gellir rhoi'r hesian yn sownd wrth yr hoelbren.) Yna, dylent dynnu llinell arall tua 2cm i mewn o'r ymyl ar bob ochr. Bydd hyn yn creu border ac oddi mewn i hwn y bydd y dyluniad A4 yn gorwedd (Llun 12).

Y cam nesaf yw i'r plant ddewis y darn ffabrig mae pob un yn dymuno ei ddefnyddio. Dylai'r rhain fod mor agos ag sydd modd i'r lliw sydd yn y dyluniad gwreiddiol ond gellir defnyddio ffabrig patrymog os yw'r lliw yn y cefndir yn iawn. Yna, dylid defnyddio pinnau i roi'r patrwm a'r ffabrig ynghyd a thorri allan. Pwysleisiwch bod yn rhaid i'r siapiau fod wedi eu gosod yn agos at

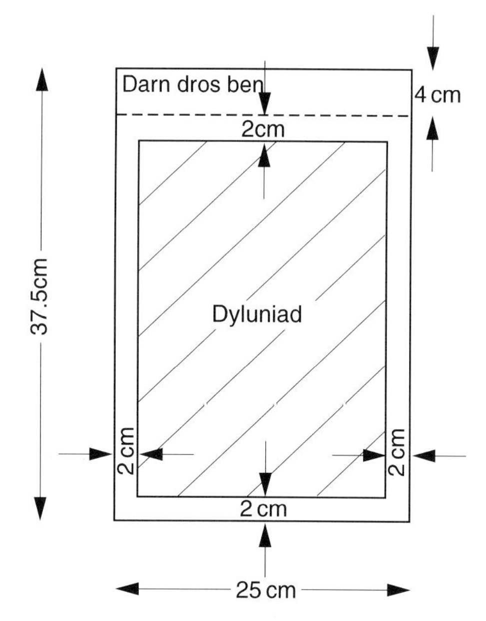

Llun 12

ymylon y ffabrig rhag gwastraffu defnydd. Hefyd, anogwch y plant i dorri dau siâp ar y tro, os yn bosibl. Pan fydd y siapiau i gyd wedi eu torri gellir eu gosod ar yr hesian gyda'r pinnau. Dylai'r plant geisio eu lleoli yn y mannau a ddangoswyd ar y dyluniad. Yna, gallant ddechrau gwnïo'r darnau ar yr hesian gan ddefnyddio rhai o'r pwythi a ddysgwyd eisoes. Os nad yw'r pinnau yn eu dal yn eu lle yn ddiogel, gellir defnyddio glud PVA i'w glynu ac yna wnïo o amgylch yr ymylon fel addurn. Pan fydd y darnau i gyd yn eu lle a'r pinnau wedi eu tynnu i ffwrdd, gellir gwnïo plethwaith neu ruban o amgylch y border (os dymunir). Neu, gellir gwnïo pwyth rhedeg o amgylch y border-llinell bensil. Os bwriedir defnyddio gleiniau, dylent gael eu gosod nawr. Y cam nesaf yw rhoi'r croglun ar hoelbren. Yn gyntaf, mesurwch, marcio a thorri darn o hoelbren 29cm o hyd. Yna, gellir plygu'r darn 4cm o hesian sydd ar un pen dros yr hoelbren. Gellir defnyddio siswrn pincio i dacluso'r ymyl neu ei throi i mewn (Llun 13), rhoi pinnau i'w dal a'i gwnïo gyda phwyth hem.

Yn olaf, gellir smwddio'r croglun (os oes angen) a rhoi llinyn ar bob pen i'r hoelbren i'w hongian (Llun 14).

Gwerthuso

Y dull gorau i werthuso'r crogluniau hyn yw drwy eu hongian yn y mannau y bwriadwyd iddynt fod, ystafelloedd gwely'r plant. Fodd bynnag, cyn i'r plant fynd â'u gwaith adref, dylid arddangos y crogluniau ynghyd â'r dyluniadau. Gellir cadw'r patrymau papur i bwrpas asesu.

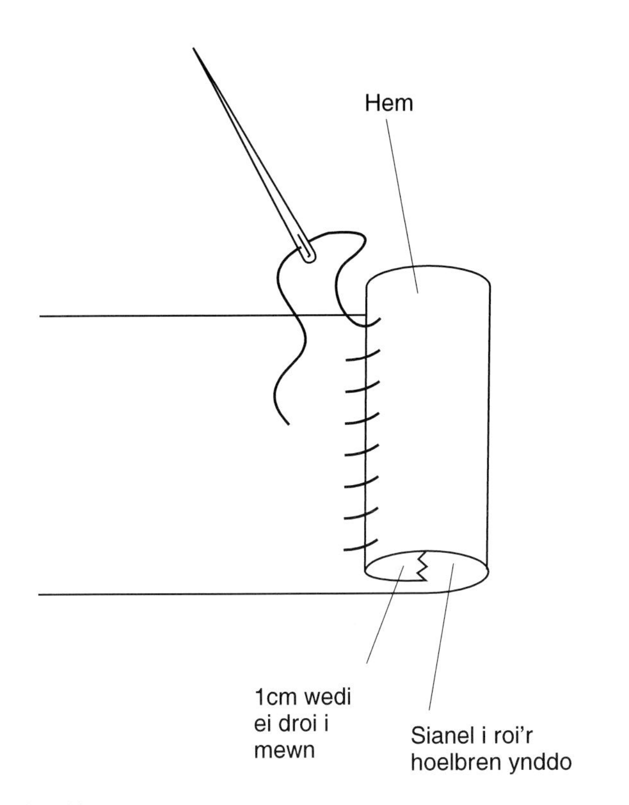

Llun 13

Llun 14

BOCSYS WEDI EU GORCHUDDIO Â FFABRIG

Nodau dysgu

Sgiliau dylunio
Dylid annog disgyblion i:

- ystyried defnyddiwr cynnyrch
- feddwl am ymddangosiad a swyddogaeth cynnyrch
- feddwl am ddyluniad ffabrig
- ddefnyddio papur isomedrig i ddylunio
- luniadu lluniadau wedi eu labelu i ddangos mesuriadau
- ddylunio bocs o faintioli priodol i'r cynnwys y bwriedir ei roi ynddo
- ddylunio a gwneud darnau patrymau

Sgiliau gwneud
Dylai disgyblion ymarfer:

- mesur a thorri yn gywir
- gwneud fframweithiau 3D o'r un maint yn union gydag onglau sgwâr
- defnyddio haclif fechan a bach mainc
- lluniadu, gwneud a defnyddio darnau patrwm
- gorchuddio cerdyn gyda ffabrig ac asio darnau ffabrig ynghyd gan greu arwyneb wedi ei badio
- gwneud colfach a modd i gau bocs
- gorffen ymylon y bocs yn daclus

Gwybodaeth a dealltwriaeth
Dylai'r disgyblion gael cyfle i:

- berthnasu gwahanol gynwysyddion a'u diben
- astudio gwahanol fathau o ddulliau cau a cholfachau
- ymchwilio i'r dulliau o wneud cynwysyddion
- adnabod fframweithiau
- ddewis defnyddiau addas ar gyfer gorchuddio, padio, colfachu a chau bocs.

Geirfa: cynhwysydd, defnyddiwr, swyddogaeth, tri dimensiwn (3D), dull cau, colfach/colyn, darnau unionsyth (yn sefyll i fyny), patrwm, troi, raflo, gorchudd, leinin, wadin, padio/llenwi, cwiltio.

TASGAU YMCHWILIOL

Defnyddiau/offer sydd eu hangen: Meistrgopïau 26 a 27, casgliad o wahanol fathau ar gynwysyddion, papur isomedrig, bocsys cardfwrdd.

Tasg 1
Gofynnwch i'r plant ddod â chynwysyddion o gartref (o bacedi grawnfwyd i fagiau ymolchi). Pob un yn ei dro, dylai unigolion ddal cynhwysydd, a dylai gweddill y dosbarth awgrymu beth yw ei swyddogaeth a phwy fyddai yn ei ddefnyddio. Yna, dewiswch rai o'r rhai mwyaf cywrain a thrafod yr addurn sydd arnynt. Gofynnwch i'r grŵp pam y maent wedi eu dylunio fel hyn ac ar gyfer pwy y'u bwriadwyd. Wedyn, defnyddiwch Meistrgopi 26 i annog y plant i astudio un cynhwysydd yn fwy manwl.

Tasg 2
Trafodwch ddyluniadau 'traddodiadol' a'r rhai ystrydebol e.e. blwch gemau â ballerina ar gyfer merched ifanc, bag ymolchi â phatrwm paisley arno ar gyfer dyn a bocs hancesi blodeuog ar gyfer merched. Anogwch y plant i chwilio am gynwysyddion sy'n torri tir newydd.

Tasg 3
Nawr, gofynnwch i'r plant edrych sut mae rhai o'r cynwysyddion ddaeth o'u cartrefi yn cau. Gallant lunio rhestr o'r gwahanol fathau ar ddulliau cau. Gallai'r rhain amrywio o fflap garden syml ar baced grawnfwyd i glo metel ar flwch gemau. Yna, dylent ymchwilio i golfachau yn yr un modd.

Tasg 4
Rhowch focs cardfwrdd i bob plentyn. Gofynnwch iddynt eu dadosod yn ofalus. Dylent sylwi sut y maent wedi eu hadeiladu. Yn nesaf, ceisiwch gael gafael ar hen focs pren a'i ddadosod gan ddangos y gwahaniaethau rhwng hwn a bocs cardfwrdd. Trafodwch sut mae ei ffrâm wedi ei hadeiladu a sut y mae'r gorchudd wedi ei roi ynghyd. Gan ddefnyddio papur isomedrig, dylai'r plant luniadu'r bocs gan ddangos yr adeiladwaith. Dyma gyfle gwych i ddysgu iddynt sut i ddefnyddio papur isomedrig, gan y byddant yn lluniadu ciwboidau gan mwyaf.

Tasg 5
Gellir cysylltu'r dasg ddilynol â gwaith mathemateg sy'n ymwneud â rhwydi. Gan ddefnyddio Meistrgopi 27, dylai'r plant chwilio am gymaint ag sydd modd o siapiau sy'n cynnwys chwe sgwâr. Rhaid i'r sgwariau gyffwrdd wrth yr ymylon, nid gornel wrth gornel ac nid hanner orgyffwrdd (Llun 1).

Atebion i Meistrgopi 27

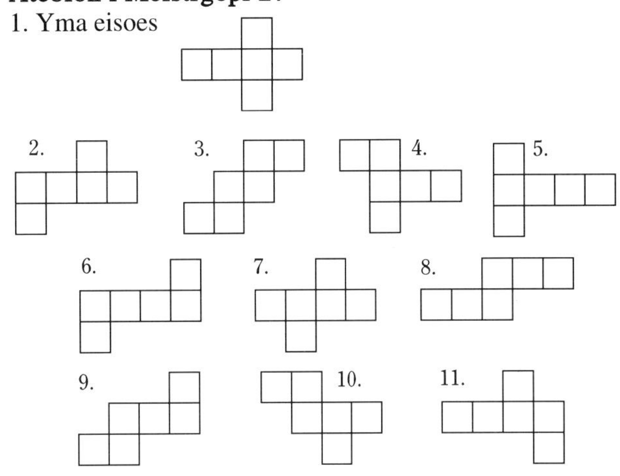

Yna, gan weithio mewn grwpiau, dylent geisio darganfod pa rai o'r siapiau hyn fydd yn gwneud ciwbiau pan gânt eu torri a'u plygu. Gyda'i gilydd, gallent wneud poster yn dangos yr unarddeg sy'n bosibl.

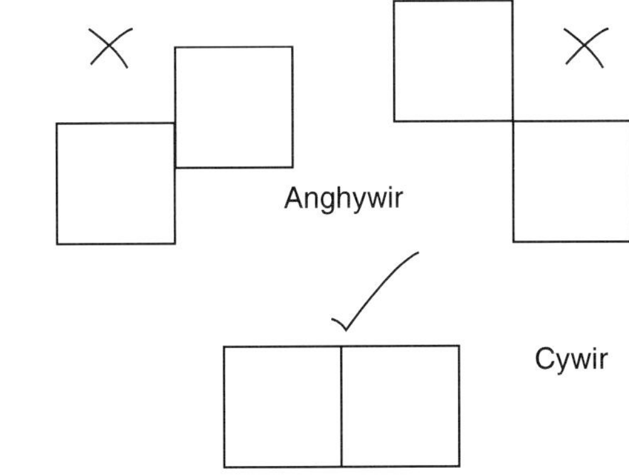

Llun 1

TASGAU YMARFEROL PENODOL

Defnyddiau/offer sydd eu hangen: Meistrgopïau 28, 29, 30, 31, 32 a 33, ramin/jelutong, trionglau o gerdyn, glud PVA, coesynnau glud, gynnau-glud poeth, prennau mesur, sisyrnau, bachau mainc, haclifiau bach, matiau â sgwariau centimetr wedi eu lamineiddio, papur sgwariau, cerdyn sgwariau, plethwaith, papur lapio, darnau o ffabrig, tâp anrhegion lliw, tâp masgio, gleiniau, rhuban, darnau o correx, edau, botymau.

Tasgau cyntaf

Gwneud ffrâm bren
Pwrpas y dasg hon yw dysgu i'r plant sut i wneud ffrâm 3D. Disgwylir eu bod eisoes yn gwybod sut i wneud ffrâm 2D, felly os nad yw'r dechneg hon wedi ei meistroli, byddai'n fuddiol gweithio drwy'r Tasgau Penodol yn yr adran ffrâm 2D (tudalen 79). P'un bynnag, byddai'n werth adolygu'r sgil.

(Defnyddiwch Meistrgopi 28 i'ch helpu gyda'r dasg hon.) Yn gyntaf, i hwyluso a chyflymu pethau, copïwch y trionglau sydd ar Meistrgopi 29 ar gerdyn tenau. Gwnewch gopïau o Meistrgopi 30 hefyd. Yna, eglurwch i'r plant eu bod yn mynd i wneud dwy ffrâm. I symlhau pethau, nodwch y dylai'r ochrau hiraf fod yn 15cm a'r rhai byrraf yn 5cm, fel yn y ffrâm 2D. Hefyd, pwysleisiwch fod yn rhaid i'r fframiau fod yn union yr un fath. Yna, dylent wneud dwy ffrâm 2D.

Pan fydd y rhain wedi eu cwblhau, dylai'r plant blygu'r trionglau mawr yn eu hanner a'u gludio yn eu lle ar gorneli'r ddwy ffrâm gan ddefnyddio glud PVA (Llun 1). Yna, rhaid iddynt dorri wyth hyd o bren, pob un yn union 5cm o hyd. Defnyddir y rhain i wneud rhannau unionsyth/yn sefyll i fyny. Dylid taenu glud PVA y tu mewn i'r corneli a dylid gludio'r rhannau unionsyth yn eu lle gyda glud poeth tra bydd y glud PVA yn sychu (Llun 2). Pan fydd y glud wedi sychu, gall y plant ychwanegu ffrâm 2D ar ben pob adeiledd gan ddefnyddio'r un dull (Llun 3).

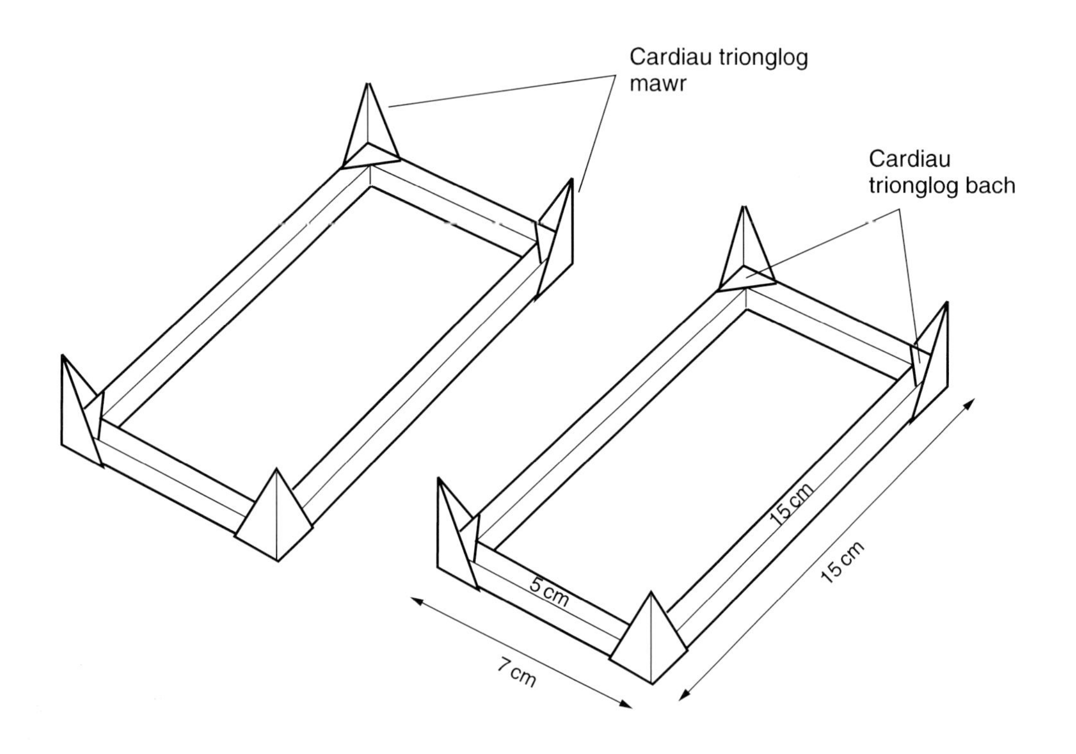

Llun 1

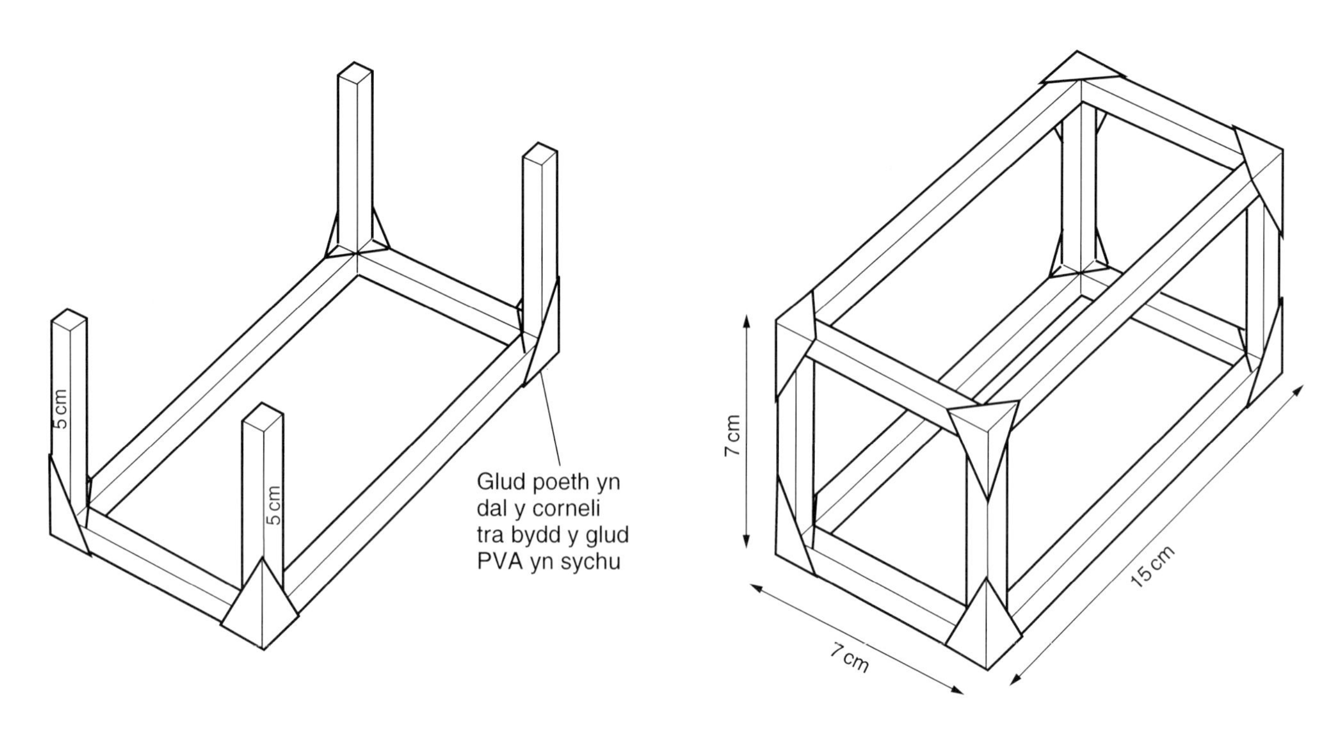

Llun 2

Llun 3

Gorchuddio'r ffrâm

(Gellir defnyddio Meistrgopi 32 i hwyluso'r addysgu.) Pan fydd y fframiau wedi sychu, dangoswch i'r plant sut i'w gorchuddio. (Dyma gyfle da i adolygu sut i wneud patrwm.) Yn gyntaf dylech ddangos i'r plant sut i wneud y dasg, ond os yw amser yn caniatáu gallai pob plentyn weithio drwy'r broses. Byddai hyn yn eu helpu i gwblhau'r dyluniad a'r aseiniad yn llwyddiannus.

Yn gyntaf, lluniadwch bum petryal ar ddarn o gerdyn. Dylai tri o'r rhain fod yn 15cm x 7 cm (i'r ffrynt, y cefn a gwaelod y ffrâm) a dylai dau fod yn 7cm x 7 cm (i'r ochrau). Dyna ochrau a gwaelod y bocs. (Os yw'r plant yn ceisio gwneud y dasg hon, gellid rhoi papur sgwariau centimetr iddynt i'w ddefnyddio. Byddai hyn yn sicrhau eu bod yn gywir ac ni fydd y sgwariau yn y golwg gan eu bod yn cael eu gorchuddio yn ddiweddarach.) Yna, torrwch allan y petryalau a lluniadu o amgylch bob un ar bapur sgwariau neu gerdyn, gan ychwanegu border centimetr (Llun 4). Pan fydd y patrwm yn cael ei drosi i ffabrig neu bapur, bydd hyn yn caniatáu i chi droi ymylon y defnydd o'r golwg.

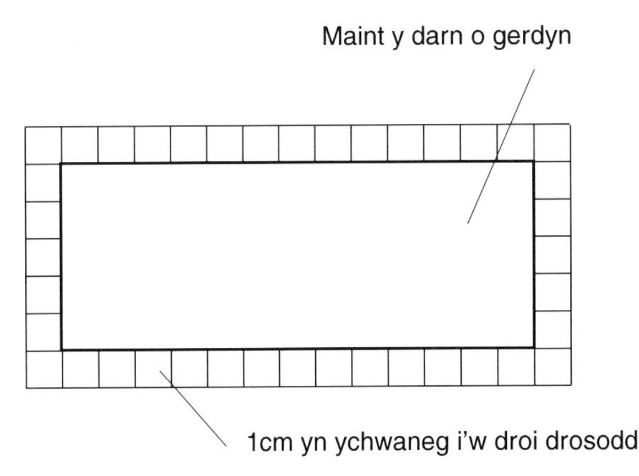

Llun 4

Y cam nesaf yw rhoi'r patrwm ar y ffabrig neu'r papur a ddefnyddir i orchuddio'r ffrâm, ei dorri allan a gosod y darnau petryal yn eu lle. (Os ydych yn defnyddio papur lapio, gellir ei ludio yn ganolog gan ddefnyddio coesyn glud.) Gallai fod yn fuddiol i fesur a marcio'r 1cm sydd i'w droi drosodd, i sicrhau ei fod wedi ei osod yn iawn. Yna, dangoswch i'r plant sut i dorri ar draws y corneli a phlygu ymylon pob ochr (Llun5).

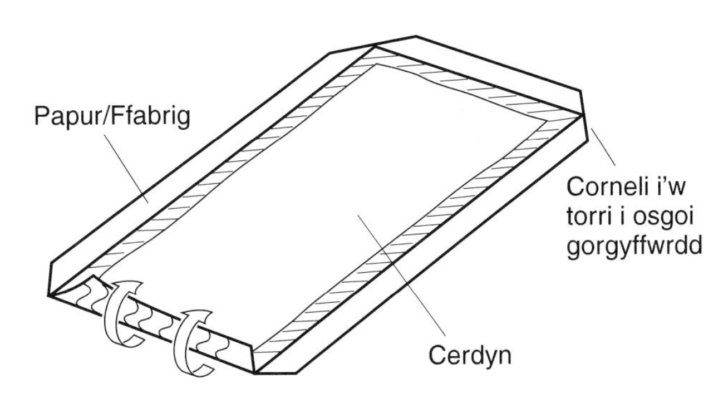

Llun 5

Rhowch focs tebyg sydd â chaead iddo i'r plant. Dangoswch fod y caead wedi ei wneud o ffrâm 2D arall ac iddo gael ei roi yn sownd yn y fath fodd fel y gellir ei agor. Yna, dangoswch wahanol ddulliau o wneud colfachau a dulliau cau (Llun 6). Mae Meistrgopi 31 yn darlunio'r technegau hyn. (Os ydych yn gwneud colfach gyda thâp masgio i'ch bocs, dylid rhoi'r caead yn ei le cyn gludio'r darnau cardiau wrth y ffrâm, ac felly orchuddio'r tâp.)

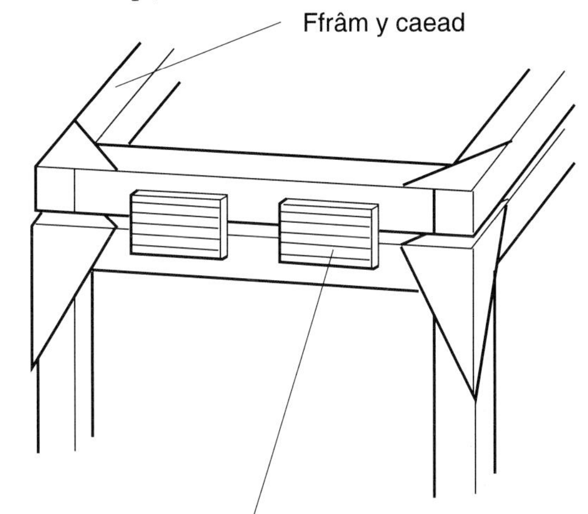

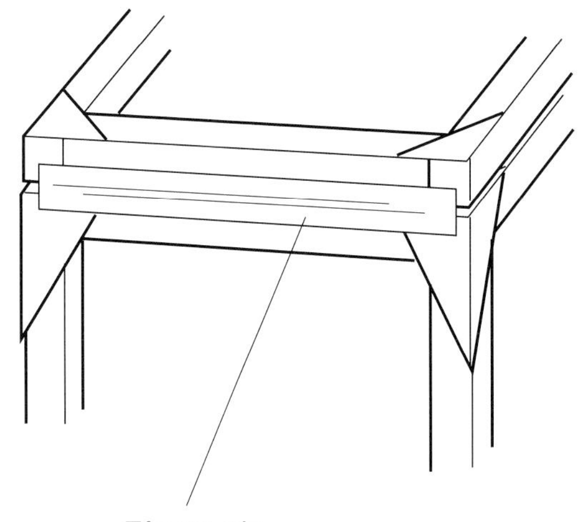

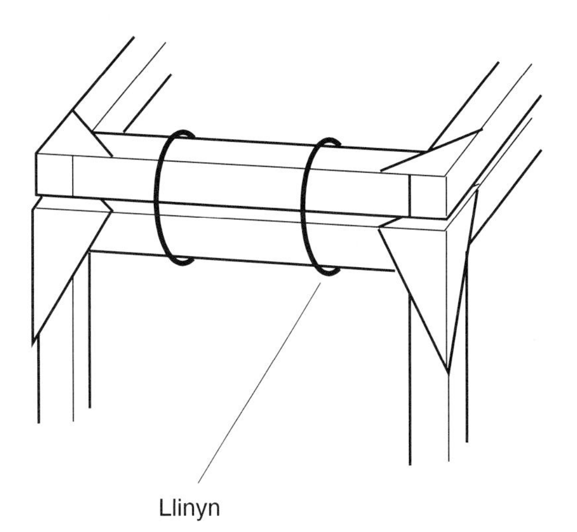

Llun 6

Yna, defnyddiwch haenen denau o lud PVA i ludio'r darnau cerdyn sydd wedi eu gorchuddio ar y ffrâm bren. I guddio'r asiadau gellir defnyddio tâp masgio, tâp anrhegion lliw neu blethwaith wedi eu gludio â PVA. I fod yn ddarbodus gellir torri stribedi o'r un un papur lapio/ffabrig fyddwch yn ei ddefnyddio i orchuddio'r bocs a'u pastio dros yr ymylon (Llun 7).

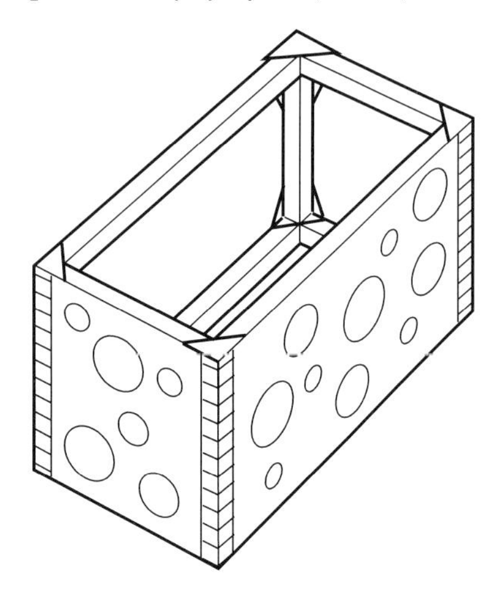

Llun 7

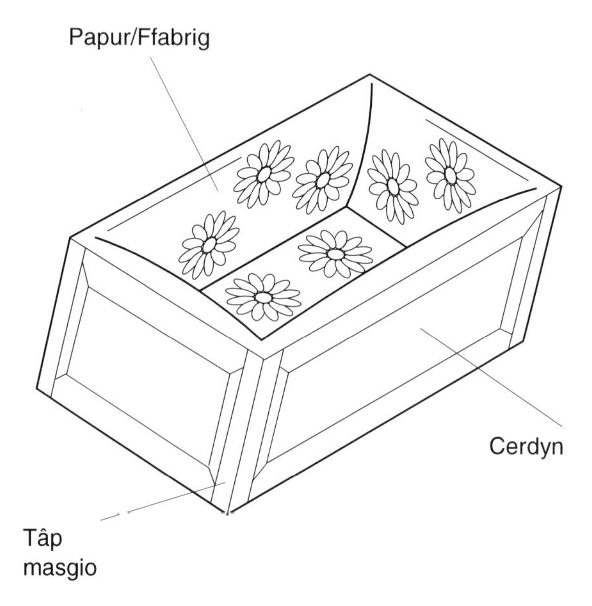

Llun 8

Gwneud leinin i'r bocs
Defnyddiwch Meistrgopi 33. Y dull hawsaf yw torri darnau o gerdyn neu bapur 2cm yn llai na maint allanol y bocs, h.y. tri darn 13cm x 5cm a dau ddarn 5cm x 5cm. Gellir gludio'r rhain yn eu lle gyda choesyn glud. Dull mwy proffesiynol yw defnyddio'r un dechneg ag a ddefnyddiwyd eisoes. Torrwch ddarn o gerdyn ar gyfer y gwaelod, 13cm x5cm a'i orchuddio fel o'r blaen. Yna, dylid gludio hwn at waelod y bocs gyda glud PVA. Yna, torrwch bedwar darn o gerdyn yr un uchder â'r bocs ond 2cm yn fwy cul, h.y. dau ddarn 7cm x 5cm a dau 7cm x 13cm. Gellir gorchuddio'r rhain yn yr un modd, gan droi'r ymylon drosodd. Eglurwch y gellid rhoi wadin i badio tu fewn i'r leinin. Golyga hyn dorri petryalau o wadin ychydig yn llai na'r petryalau o gerdyn a ddefnyddir. Yna, gosodir y wadin rhwng y ffabrig neu'r cerdyn cyn troi'r ymylon drosodd (Llun 9). Gellir uno'r rhain gyda thâp masgio, y stribed a'r asiad i fynd ar y tu chwith (Llun 8). Dylid gludio'r stribed y tu mewn i'r bocs ar y darnau unionsyth sy'n sefyll i fyny ymhob cornel gan ddefnyddio glud poeth neu PVA. Yn olaf, gellir gorchuddio'r ymyl o amgylch y bocs gyda rhuban neu blethwaith, neu ei baentio'n ofalus.

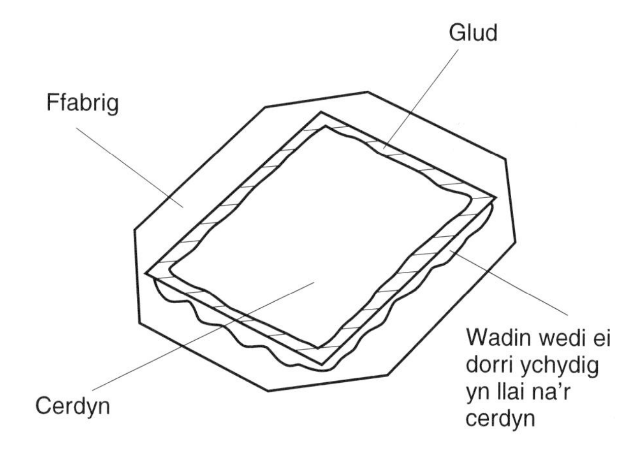

Llun 9

ASEINIAD DYLUNIO A GWNEUD

Amcan: Dylunio a gwneud bocs wedi ei orchuddio â ffabrig i bwrpas penodol.

Defnyddiau/offer sydd eu hangen: Meistrgopïau 28, 29, 30, 31, 32, 33 a 34; ramin/jelutong, bachau mainc, haclifiau bach, trionglau o gerdyn, glud PVA, coesynnau glud, gynnau-glud poeth, papur, sisyrnau ffabrig, papur sgwariau, cerdyn, papur isomedrig, matiau â sgwariau centimetr wedi eu lamineiddio, plethwaith, darnau o ffabrig, wadin, rhuban, gleiniau, botymau, darnau o correx, tâp masgio, edau, nodwyddau, pinnau gwniadwaith.

Cyflwyniad
Yn gyntaf, dylech sôn am y gwaith y mae'r plant wedi ei wneud eisoes yn yr adran hon. Yna, eglurwch eu bod yn mynd i wneud bocs wedi ei orchuddio â ffabrig i bwrpas penodol e.e. bocs pensiliau, bocs gemau, bocs defnyddiau ysgrifennu neu gadw-mi-gei. (Dylai Meistrgopi 34 awgrymu syniadau.) Eglurwch y gall y ffabrig orchuddio'r tu allan neu'r tu mewn i'r bocs. Pwysleisiwch hefyd fod yn rhaid iddynt benderfynu beth yw diben y bocs cyn dechrau a glynu wrth y penderfyniad nes cwblhau'r project.

Dylunio
Dylai'r plant ddechrau drwy luniadu'r bocs maent yn bwriadu ei wneud. (Gallent ddefnyddio papur isomedrig i gael y persbectif yn iawn.) Rhaid nodi ar y lluniadau ar gyfer pwy maent yn dylunio'r bocs a beth yw ei ddiben. Gofynnwch iddynt labelu eu lluniadau i ddangos maint y bocs. I sicrhau eu bod yn gwneud hyn yn iawn dylent fod ag esiamplau o'r math o bethau fydd yn cael eu cadw yn y bocs – mae dyfalu maint yn anodd i'r rhan fwyaf o blant. Yna, anogwch y plant i feddwl am ymddangosiad y bocs wedi iddynt ei addurno. Rhowch beth amser iddynt gasglu a storio'r ffabrig y maent yn ei ddewis. Dylent ddangos ar y lluniadau sut y byddant yn addurno'r bocsys ac a fyddant yn eu padio. Yna, gall y plant ddylunio patrymau a phatrymluniau, fel ar gyfer gweithgareddau eraill yn yr adran hon.

Gwneud
(Dylid defnyddio Meistrgopïau 28-33.) Dylai'r proses gwneud ddilyn y camau a amlinellwyd yn y rhan Tasgau Ymarferol Penodol (tudalennau 39-42). Oherwydd y bydd y plant yn defnyddio ffabrigau, efallai y bydd yn rhaid eu helpu gyda'r tasgau – gosod pinnau, torri ac unrhyw dechnegau pwytho y byddant eisiau eu defnyddio wrth addurno'r bocs.

Gwerthuso
Nodwyd y dylid ystyried diben penodol wrth ddylunio'r bocs. Y dull gorau o roi prawf ar y cynnyrch yw llenwi pob bocs â'r pethau y bwriedir iddo eu dal. Hefyd, gellid ystyried a ddewiswyd ffabrig addas ar gyfer y gorchuddio. Dylid arddangos gwaith y plant.

UNED 5:
BWYD

STWNSH FFRWYTHAU TALPIOG

Nodau dysgu

Sgiliau dylunio
Dylai disgyblion gael cyfle i:

- ddefnyddio gwahanol gynhwysion i gynhyrchu gwahanol flas
- ddod i wybod beth maent yn ei hoffi'n bersonol
- addasu rysáit syml

Sgiliau gwneud
Dylai disgyblion ddysgu:

- defnyddio offer technoleg bwyd yn ddiogel
- torri a chyfuno gwahanol ffrwythau
- technegau gwahanol i chwipio/chwyrlïo

Gwybodaeth a dealltwriaeth
Dylai'r disgyblion ddysgu:

- bod gwahanol ffrwythau yn rhoi gwahanol flas
- bod llawer o wahanol ffrwythau y gellir eu cael ar wahanol adegau yn ystod y flwyddyn
- bod yn rhaid gofalu am hylendid wrth baratoi bwyd
- bod yn rhaid dilyn rheolau diogelwch yn ofalus.

Geirfa: chwyrlïydd, cyllell, cymysgu, torri, tafellu, pilio, cynnyrch, blas, lliw, gwead, amrywiaeth, gwneud, pwyso, gram, litr, hylendid, bwydlen, dewis.

TASGAU YMCHWILIOL

Defnyddiau/offer sydd eu hangen: Meistrgopïau 35, 36 a 98; iogwrt o wahnol flas a chan wahanol wneuthurwyr, llwyau, platiau, offer lluniadu.

Gan fod y tasgau a ganlyn yn golygu blasu bwyd, dylai rhieni fod wedi derbyn gwybodaeth ymlaen llaw. (Gellid defnyddio Meistrgopi 98 i'r diben hwn.) Gall unrhyw blentyn nad yw'n gallu blasu drosto'i hun weithio gyda phartner a dibynnu ar ganlyniadau'r partner.

Tasg 1
(Dylid defnyddio Meistrgopi 35.) Rhannwch y dosbarth i grwpiau a rhoi set o botiau iogwrt heb unrhyw label arnynt, o wahanol flas, i bob grŵp. Gofynnwch i bob plentyn ragfynegi pa flas yw ei ffefryn. Yna, dylai pob aelod o'r grŵp flasu pob gwahanol flas. Pwysleisiwch reolau hylendid, h.y. ni ddylai'r plant sydd yn y grŵp ddefnyddio'r un llwy; dylid cael set o lwyau yn y gwahanol botiau i godi llwyaid i'r plat bob tro a dylid cael set arall o lwyau ar gyfer y blasu, pob plentyn yn defnyddio ei lwy ei hun.

Ar ôl blasu dylai pob plentyn benderfynu pa un mae'n ei hoffi orau a chofnodi hyn a beth yw dewis pob aelod o'r grŵp, ar Meistrgopi 35. Yna, gellir coladu'r canlyniadau a'u cofnodi ar ffurf graff neu dabl. Gellid wedyn eu cyfuno i wneud arolwg dosbarth.

Tasg 2
Rhowch set o botiau iogwrt heb eu labeli eto i bob grŵp, o'r un blas ond gan wahanol wneuthurwyr ac o wahanol siopau. Gofynnwch iddynt beth yw eu disgwyliadau, h.y. sut flas ddylai fod ar bob un. Dylent feddwl am bedwar maen prawf – yn cynnwys pa mor hufenog yw'r cynnyrch, pa mor drwchus a'r blas. Rhowch Meistrgopi 36 iddynt i gofnodi'r sgôr. Gellir nodi'r cyfanswm i weld p'un yw'r ffefryn. Yn nesaf, ystyriwch beth yw pris pob potyn a phenderfynu pa un sy'n werth yr arian, gan ystyried y pris a'r blas.

Wedyn, gellir cymharu canlyniadau'r grwpiau. Fodd bynnag, os yw pob grŵp yn profi gwahnol flas, dylid cymharu i weld a yw unrhyw wneuthurwr yn rhagori.

TASGAU YMARFEROL PENODOL

Defnyddiau/offer sydd eu hangen: Meistrgopïau 37, 38, 39, 40 a 41; gwahanol fathau o ffrwyth, yn enwedig rhai anarferol a'r rhai sydd ar gael ar y pryd; offer technoleg bwyd, cyllyll bach, byrddau malu.

Hylendid bwyd
Wrth gyflwyno technoleg bwyd i'r plant ac yn achlysurol wedyn, dylid cyfeirio at bob agwedd ar hylendid. Dylai'r plant gael eu haddysgu i wisgo ffedog bob amser a chlymu gwallt hir yn ôl. Dylent olchi eu dwylo cyn cydio mewn bwyd a chofio peidio â chyffwrdd â'u hwynebau a'u gwalltiau, na rhoi eu bysedd yn eu cegau. Os bydd iddynt wneud hynny, dylent ail olchi eu dwylo. Dylech eu hannog i beidio cymysgu offer celf ac offer bwyd, a phwysleisio y dylai cynhwysion bwyd ac offer gael eu cadw ar wahân i adnoddau eraill. Dylid eu haddysgu i lanhau ar eu hôl yn ofalus, gan sychu unrhyw lanast a rhoi'r gwastraff mewn bin â chaead arno ac os yn bosibl gyda sach blastig y tu mewn iddo. Dylid glanhau'r arwyneb y maent yn gweithio arno gyda glanhäwr gwrthfacterol cyn ac ar ôl ei ddefnyddio.

Gellir defnyddio Meistrgopi 37 i ymdrin â phob agwedd ar hylendid. Rhaid i'r plant labelu a lliwio'r poster a dewis pennawd iddo.

Diogelwch
Dylid dysgu rheolau diogelwch technoleg bwyd yn ogystal. Pwysleisiwch na ddylai'r plant ddefnyddio'r stof goginio nag offer miniog os nad oes oedolyn yn yr ystafell. Hefyd, dylent wisgo menyg ffwrn wrth gydio mewn unrhyw beth poeth a dylid rhoi sosbannau poeth ar arwyneb gwrth-wres, heb fod yn agos i'r ymyl, a'u coesau wedi eu troi i'r ochr. Dylai'r plant fod yn hynod o ofalus wrth ddefnyddio cyllyll miniog. Yn olaf, os bydd pyllau dŵr neu lanast ar y llawr, dylid sychu'r llawr yn syth, rhag iddo fod yn llithrig.

Gellir defnyddio Meistrgopi 38 i atgyfnerthu'r wybodaeth ynghylch diogelwch.

Offer
Dylai'r plant ddysgu enwau'r gwahanol offer technoleg bwyd y byddant yn eu defnyddio'n aml a dysgu pa ddefnydd a wneir ohonynt. Gellid defnyddio Meistrgopïau 39 a 40 i adolygu'r wybodaeth hon. Pan fydd y plant wedi ymgyfarwyddo â'r rheolau, gallant wneud y tasgau ymarferol penodol.

Tasgau annibynnol
Dylai'r plant weithio mewn grwpiau i wneud y tasgau a ganlyn. Dylid rhoi casgliad o ffrwythau tebyg i bob grŵp. Yna, gall unigolion ddewis un ffrwyth i'w astudio.
Dylent nodi ei groen, h.y. ei liw, ei wead ac a yw'n fwytadwy ai peidio. (Dylid darganfod yr wybodaeth drwy holi yn hytrach na blasu!) Os yw'r croen yn fwytadwy, dylai'r plentyn dorri darn i ffwrdd yn ofalus a'i flasu, gan nodi ei drwch. Yna, nodwch pa ffrwythau ddylid eu pilio a dangoswch sut i wneud hynny gan ddefnyddio'r offer priodol.

Yn nesaf, dan arolygiaeth ofalus, dylai'r plant dorri eu ffrwythau a disgrifio'r tu mewn. Gofynnwch iddynt nodi'r lliw, faint o sudd, gwead y cnawd ac a oes cerrig neu hadau yn y golwg. Wedi casglu cymaint o wybodaeth ag sy'n bosibl am ymddangosiad y ffrwyth, dylent gael blasu tamaid o bob un. Gellid defnyddio Meistrgopi 41 i gofnodi'r canlyniadau. Yna, dangoswch sut i baratoi pob ffrwyth, a disgrifio'r defnydd mwyaf cyffredin a wneir ohono. Yn olaf, dylai'r plant ym mhob grŵp benderfynu pa ffrwyth maent yn ei hoffi orau a chofnodi'r canlyniadau.

ASEINIAD DYLUNIO A GWNEUD

Amcan: Dylunio a gwneud math newydd o bwdin ffrwyth.

Defnyddiau/offer sydd eu hangen: Meistrgopïau 42, 43, 99 a 100; iogwrt blas ffrwyth; siwgwr mân; gwahanol fathau o ffrwythau; addurn, e.e. botymau siocled, bisgedi crimp; cyllyll bychan; pilwyr; byrddau malu; powlenni o faint cymedrol; gwahanol fathau o chwyrlïwyr; powlenni pwdin; llwyau bwrdd; clorian cegin; dysglau gweini.

Cyflwyno
Yn gyntaf, adolygwch y gwaith a wnaethpwyd yn y Tasgau Ymchwiliol a'r Tasgau Ymarferol Penodol. Yna, rhowch gopi o'r fwydlen sydd ar Meistrgopi 42 i bob plentyn. Eglurwch er bod Stwnsh Ffrwythau Talpiog ar y fwydlen nad yw'r cogydd yn gwybod yn iawn pa rysáit i'w ddefnyddio i'w wneud. Mae'n awyddus i wneud pwdin fydd at ddant plant yn ogystal ag oedolion, ond mae arno eisiau gwybod pa flas sy'n boblogaidd ac ati. Yna, dywedwch wrth y plant eu bod yn mynd i wneud pwdin gwreiddiol drwy addasu rysáit fel y bydd yna gymysgedd dderbyniol o sawl blas.

Dylunio
Rhowch gopi o'r Meistrgopi 43 i bob plentyn. Mae'r rysáit isod ar y dudalen. Gofynnwch iddynt addasu'r rysáit drwy ysgrifennu blas yr iogwrt a'r math o ffrwyth fydden nhw'n hoffi ei ddefnyddio i wneud y pwdin. Gallent ddefnyddio ffrwyth a iogwrt sydd â'r un blas, ond yn ddelfrydol dylent ddewis cyfuniad gwahanol e.e. mwyar duon ac afal!

Rysáit – Stwnsh ffrwythau talpiog

Cynhwysion:
150g o iogwrt ffrwyth
25g o siwgr mân
110g o ffrwyth
bisgedi crimp, darnau o ffrwyth a botymau siocled i addurno

Offer:
cyllell fechan
bwrdd malu
powlen gymedrol o ran maint
chwyrlïydd
llwy fwrdd
clorian
dysglau i'w weini

Dull:
1. Tynnu'r pîl a malu'r ffrwyth yn ddarnau bach. Cadw rhai darnau o'r neilltu i addurno.
2. Rhoi'r iogwrt mewn powlen fechan a'i chwyrlïo nes y bydd yn drwchus a hufenog.
3. Ychwanegu siwgwr at yr iogwrt, a'i chwyrlïo eto.
4. Ychwanegu'r ffrwyth at y gymysgedd a'i throi.
5. Tywallt y gymysgedd i'r dysglau a'i haddurno â'r darnau ffrwyth, botymau siocled a bisgedi.
6. Oeri'r cyfan cyn ei weini.

Dylai'r plant lunio rhestr siopa o'r holl gynhwysion fydd arnynt eu hangen. Yna, naill ai gall yr ysgol eu darparu, a gofyn am gyfraniad gwirfoddol gan y rhieni i dalu'r gost, neu gellir gofyn i'r plant ddod â'r cynhwysion o gartref. Dylid penderfynu sut rydych chi'n mynd i gael y cynhwysion cyn gofyn am ganiatâd y rhieni i wneud y gweithgaredd hwn. Yna, yn unol â'r penderfyniad, gall unigolion gwblhau Meistrgopi 99 neu 100 a mynd â'r llythyr adref.

Gwneud
Rhannwch y dosbarth yn grwpiau o chwech i wyth. Yna, gall y grwpiau ddechrau gwneud eu pwdin gan gyfeirio at Meistrgopi 43. Anogwch y plant i bwyso/mesur eu cynhwysion i'r 25g/25ml agosaf. Hefyd, dylid eu hatgoffa p'un yw'r ffordd gywir i ddefnyddio cyllell wrth dorri ffrwyth a sut i ddefnyddio chwyrlïydd yn iawn. Byddai hwn yn gyfle da i ddangos y gwahanol fathau o chwyrlïwyr sydd ar y farchnad, o chwyrlïydd llaw a chwyrlïydd balŵn i chwyrlïydd cylchol. Gellid dangos chwyrlïwyr trydanol a hylifyddion er nad oes angen eu defnyddio ar gyfer y gweithgaredd hwn.

Gwerthuso
Y dull gorau i werthuso'r pwdinau yw eu bwyta. Gellir gwneud hyn yn ystod yr awr ginio, neu yn ddiweddarach yn yr ystafell ddosbarth. Os byddwch yn blasu yn yr ystafell ddosbarth gall plant flasu gwahanol fersiynau o'r rysáit, disgrifio'r blas a dewis yr un maent yn ei hoffi orau. Os bydd amser, dylai'r plant luniadu eu cynnyrch ar Meistrgopi 42 cyn ei fwyta. Yna, dylent ysgrifennu disgrifiad ohono, ar y fwydlen, i ddenu pobl i'w ddewis. Mae'r dasg hon yn atgyfnerthu'r defnydd o iaith a'r sgil o ysgrifennu i berswadio.

PICNIC PIZZA

Nodau dysgu

Sgiliau dylunio
Dylai disgyblion gael cyfle i:

- ddewis bwydydd i greu ystod o brydau cytbwys
- ddylunio pryd o fwyd iach
- ystyried dewis pobl eraill wrth ddylunio
- ystyried blas, lliw, gwead ac ymddangosiad er mwyn cyflwyno cynnyrch deniadol
- astudio dulliau pacedu ar gyfer gwahanol fathau o fwyd.

Sgiliau gwneud
Dylai disgyblion ymarfer:

- mesur a phwyso cynhwysion yn gywir gan ddilyn rysáit yn annibynnol
- cymysgu a chyfuno bwydydd
- defnyddio offer sylfaenol yn gywir
- dilyn rheolau hylendid bwyd
- defnyddio stof goginio i ferwi a chrasu o dan arolygiaeth.

Gwybodaeth a dealltwriaeth
Dylai'r disgyblion ddysgu:

- dilyn rheolau hylendid sylfaenol
- adnabod gwahanol rannau stof goginio a'r defnydd a wneir ohonynt
- bod yn rhaid storio bwyd yn ofalus i'w gadw yn ffres ac yn ddiogel
- bod gwahanol faethynnau mewn bwydydd
- bod angen diet cytbwys i gadw'n iach
- sut y mae nodweddion bwydydd yn newid pan gânt eu cymysgu, coginio ac ati.

Geirfa: diet, maeth, cytbwys, proteiniau, carbohydradau, startsh, siwgrau, ffibr, braster, mwynau, fitaminau, pentan, gril, ffwrn/popty, rhewi, hylendid, dull rhwbio i mewn.

TASGAU YMCHWILIOL

Defnyddiau/offer sydd eu hangen: Meistrgopïau 44, 45, 46, 47 a 48; offer cegin, stof goginio, oergell, microdon.

Tasg 1
Rhowch gopi o Meistrgopi 44 i'r plant a gofyn iddynt adnabod offer cegin wrth edrych ar y silwetau. (Dylid eu helpu gyda'r sillafu lle bo angen). Yna, edrychwch ar y gwaith a chywiro unrhyw gamsyniadau. I ymestyn y gweithgaredd hwn, gellid gofyn i'r plant ddisgrifio, mewn brawddegau, pa ddefnydd a wneir o bob darn o offer.

Tasg 2
(Cyn dechrau ar y dasg hon, dylid atgoffa na ddylai unrhyw unigolyn ddefnyddio'r stof goginio heb fod dan arolygiaeth.) Dylai'r plant eisoes fod yn gallu adnabod gwahanol rannau'r stof goginio. Ond, efallai y dylid adolygu drwy ddefnyddio Meistrgopi 45. Mae'r daflen hon hefyd yn annog y plant i feddwl am y gwahanol ddefnydd a wneir o wahanol rannau ar gyfer gwahanol brosesau coginio. Pan fydd y plant wedi cwblhau'r daflen, trafodwch pa fwydydd maent yn hoffi eu bwyta neu eu gwneud a sut y mae coginio'r bwydydd hynny.

Tasg 3
Mae Meistrgopi 46 yn canolbwyntio ar nodweddion y stof ficrodon, ac yn amcanu at ddangos i blant sut i'w defnyddio i goginio. Fodd bynnag, cyn iddynt ddechrau gwaith ar y daflen hon dylent fod yn ymwybodol o'r gwahaniaeth rhwng microdon a stof goginio. Trafodwch sut y defnyddir microdon. All y plant feddwl am fanteision ac anfanteision defnyddio microdon? Wrth drafod manteision gellid cyfeirio at ei maint – yn addas mewn cegin fechan neu ar gyfer pobl sydd heb gegin, a gellir ei glanhau yn rhwydd. Wrth sôn am anfanteision gellid cyfeirio at y ffaith na ellir coginio prydau mawr, cymhleth mewn microdon ac ni ellir cael lliw brown, bwyd wedi ei grasu wrth ddefnyddio rhai modelau.

Tasg 4
Gofynnwch i'r plant feddwl am gymaint ag a allant o ddulliau i gadw bwyd, e.e. halltu, rhoi mewn can/tun, rhewi, sychu, piclo, pacio dan wactod, oeri ac ychwanegu cyffeithyddion fel siwgwr neu alcohol. Yna, canolbwyntiwch ar rewi, gan ofyn iddynt gwblhau Meistrgopi 47, sy'n dangos y ffordd gywir i lenwi oergell. Holwch i weld faint mae'r plant yn ei wybod am ddulliau hylan fel golchi llysiau a ffrwythau, gorchuddio bwydydd a choginio bwyd yn ddigonol.

Tasg 5
Defnyddiwch Meistrgopi 48 i adolygu'r rheolau hylendid sylfaenol y dylid ufuddhau iddynt mewn cegin.

Atebion i Meistrgopi 48
Cyn dechrau: Dylid –golchi eich dwylo, tynnu unrhyw dlysau, gwisgo ffedog, clymu gwallt hir, gorchuddio unrhyw friwiau, glanhau'r lle a ddefnyddir i weithio arno.
Tra'n gweithio: peidio byth lyfu'r bysedd, sychu unrhyw lanast.
Wedi gorffen: Gorchuddio'r bwydydd, golchi'r llestri, golchi'r llieiniau, sychu pob arwyneb, sgubo'r llawr.

TASGAU YMARFEROL PENODOL

Defnyddiau/offer sydd eu hangen: Meistrgopïau 49, 50, 51, 52, 53 a 54; cyfeirlyfrau yn sôn am fwyd a maeth.

Tasgau cyntaf
Dyddiadur bwyd
Gofynnwch i'r plant gofnodi popeth maent yn ei fwyta mewn wythnos ar Meistrgopi 49. Yna, trafodwch beth maen nhw'n ei feddwl yw cynnwys diet iach a byrlymu syniadau i gael enwau bwydydd iach a bwydydd afiach. (Gallai'r gwaith hwn fod yn rhan o broject gwyddonol ar iechyd a'r corff.)
Bwyd a maeth
Dylai'r plant ddarllen Meistrgopi 50. Mae yma wybodaeth gyffredinol am fwyd a maeth, a gellir cyfeirio at y daflen yn nes ymlaen. Dylid defnyddio Meistrgopi 51 i ategu'r wybodaeth. Anogwch y plant i ymchwilio gan ddefnyddio cyfeirlyfrau addas eraill.

Atebion i Meistrgopi 51
Croesair – Maetheg
Atebion ar draws: 1. caws; 3. fitaminau; 5. taten; 7. blas 9. carbohydradau; 11. llysiau; 13. joules; 15. egni; 17. mwynau; 19. dŵr.
Atebion ar i lawr: 2. adeiladwyr; 4. llythrennau; 6. tabledi; 8. haul; 10. tyfu; 12. pump; 14. siwgrau; 16. calsiwm; 18. gwaed; 20. heini

Dosbarthu bwydydd
Rhowch gopïau o Meistrgopi 52 i'r grŵp i'w cwblhau. Byddant eisiau defnyddio'r wybodaeth a ddysgwyd eisoes yn yr adran hon i ddosbarthu'r bwydydd i wahanol gategorïau. Yna, eglurwch fod rhai bwydydd yn fwy cymhleth, gan fod mwy nag un elfen ynddynt.

Atebion i Meistrgopi 52
Proteiniau: cig, pysgod, cnau, ffa, caws.
Siwgrau: siocled, jam, mêl.
Braster: iogwrt, caws, creision, menyn, cnau, llaeth.
Startsh: bara, pasta, tatws, reis.
Ffibr: ffrwyth, bara, tatws, ffa, llysiau, grawnfwyd.
Mae dŵr, mwynau a fitaminau hefyd yn bwysig i gael diet cytbwys.

Dylai'r plant ddefnyddio Meistrgopi 53 i adnabod yr elfennau sydd mewn rhai bwydydd, gan ddefnyddio lliwiau a symbolau i wneud allwedd.

Pryd cytbwys
(Dylid defnyddio Meistrgopïau 53 a 54.) I ymestyn y syniad o ddiet cytbwys dylai'r disgyblion ddewis rhai bwydydd o Meistrgopi 53 i greu amrywiaeth o fwydlenni ar gyfer pryd canol dydd. Anogwch y plant i gynnwys cymaint o elfennau ag sydd modd ym mhob dyluniad. Yna, gofynnwch iddynt pa fwydlen maen nhw'n ei hoffi orau. Mae'r dasg hon yn eu harwain at y dasg Dylunio a Gwneud sy'n gofyn iddynt gynllunio pryd iddynt eu hunain.

ASEINIAD DYLUNIO A GWNEUD

Amcan: Dylunio a gwneud picnic ar gyfer canol dydd (gan gynnwys tafell o gaws a pizza tomato).

Defnyddiau/offer sydd eu hangen: Meistrgopïau 50, 52, 53, 54, 55, 56, 57 a 58;. cynhwysion i'r rysáit pizza, cynwysyddion a defnydd lapio i'r bwydydd picnic; cynhwysion picnic, clorian cegin, cyllyll bwrdd, powlenni o faint cymedrol; rhidyllau, ffyrc, powlenni plastig i gymysgu; rholbrennau, tuniau crasu, sosbannau bychan, cyllyll miniog, byrddau malu, graturon, jygiau mesur.

Cyflwyno
Yn gyntaf, trefnwch y plant yn barau. Gellid gwneud y dasg hon yn unigol, ond mae gweithio fel pâr yn gofyn am gydweithrediad a chyfathrebu. Hefyd, byddai'n fuddiol i bob plentyn wneud 'arolwg' i ddarganfod y bwydydd mae'r partner yn eu hoffi a beth mae'n ei gasáu. Yna, eglurwch y bydd pob pâr yn dylunio a gwneud pryd canol dydd – picnic fydd yn cynnwys tafell o gaws a pizza tomato. Rhaid i'r pryd fod yn bryd iach a chytbwys.

Dylunio
Rhowch gopi o Meistrgopi 55 i bob plentyn. Mae'r daflen hon yn egluro beth maen nhw i fod i'w wneud ac yn gofyn cwestiynau allweddol i'w hystyried. Rhowch gopïau o Meistrgopïau 56 a 57 i'r plant – rysáit ar gyfer gwneud pizza ar sgon. Yna, gofynnwch iddynt gynllunio'r gweddill o'u picnic gan ddefnyddio Meistrgopïau 50, 52, 53 ac yn enwedig 54. (Dylech eu hatgoffa i ddefnyddio gwybodaeth flaenorol.) Pwysleisiwch y gellir ystyried chwaeth bersonol ac y dylent drafod beth maen nhw'n ei hoffi a'i gasáu.

Y cam nesaf yw i'r plant ysgrifennu eu bwydlen ar Meistrgopi 58 gan ddefnyddio'r allwedd i ddangos yr elfennau sydd ym mhob math o fwyd. Hefyd, dylent lunio rhestr siopa ar yr un daflen. Penderfynwch pa gynhwysion fydd yn cael eu darparu gan yr ysgol a beth sy'n dod o'r cartref.

Gwneud
Yn gyntaf, dylid atgoffa'r plant am reolau hylendid, h.y. golchi dwylo, clymu'r gwallt a gwisgo ffedog. Yna, anogwch y plant i gasglu'r cynhwysion a'r offer fydd arnynt eu hangen i wneud eu picnic. Yna, dylai parau ddarllen drwy'r cyfarwyddiadau 'Dull' gan rannu'r gwaith rhyngddynt.

Dylid arolygu'r plant yn ofalus a'u cyfarwyddo tra byddant yn gwneud y pizza. Efallai y bydd ar rai angen help i rwbio i mewn a help gyda'r stof goginio. Fodd bynnag, dylid eu hannog i weithio'n annibynnol os oes modd.

Pan fydd y pizzas yn y ffwrn, gall y plant baratoi'r gweddill o'r picnic. Mae'n debyg y byddant wedi dod â'r rhan fwyaf o'r cynhwysion o gartref ac na fydd angen dim ond eu rhoi ynghyd. Yna, gellir trefnu'r picnic mewn modd diddorol a deniadol.
Gobeithio y bydd y parau wedi meddwl am ddarparu cyllyll a ffyrc, lliain bwrdd a napcynnau papur. Dylid bod wedi sôn am y rhain yn y dyluniad.

Pan fydd y pizzas yn barod, gellir eu rhannu rhwng y plant, pob un yn cael tafell ac yn mynd â'r gweddill adref.

Gwerthuso
Y dull gorau i werthuso'r picnic yw ei fwyta ond dylai'r plant gael cyfle i edrych ar y cynnyrch yn gyntaf. Dylid eu hannog i roi sylwadau ar waith ei gilydd. Dylid tynnu ffotograff o bob picnic i bwrpas asesu.

UNED 6: RHEOLI TRYDAN

GOLAU AR GYFER ARDDEGAU-DDOL

Nodau dysgu

Sgiliau dylunio
Dylai disgyblion gael cyfle i:

- edrych ar ddatblygiad lampau drwy gyfnodau hanes
- astudio gwahanol lampau, ble y caent eu defnyddio a'u diben
- ddarganfod sut y mae fflachlamp syml yn gweithio a sut y ffurfir cylched
- ddylunio lamp sydd o faint addas ar gyfer arddegau-ddol.

Sgiliau gwneud
Dylai disgyblion ymarfer:

- defnyddio cydrannau trydanol syml i wneud cylched sy'n gweithio
- defnyddio defnyddiau bob dydd i wneud swits sy'n gweithio
- dod o hyd i ddiffygion mewn cylched syml a'u cywiro
- dewis defnyddiau addas o ystod cyfyngedig
- defnyddio offer trydanol, fel stripiwr gwifrau, tyrnsgriw ac ati

Gwybodaeth a dealltwriaeth
Dylai'r disgyblion ddysgu:

- sut y mae cylched yn gweithio a sut i'w rheoli â swits
- sut y mae lampau yn gweithio a sut i werthuso eu haddasrwydd ar gyfer diben penodol
- am ddiogelwch wrth ddefnyddio trydan a pheryglon y prif gyflenwad trydan.

Geirfa: batri, bwlb, swits botwm-cloch, swits togl, cylched, bwlb, astell-ddaliwr, daliwr clip, clip crocodeil, gwifrau.

TASGAU YMCHWILIOL

Defnyddiau/offer sydd eu hangen: Meistrgopïau 59 a 60; gwahanol fathau o lampau a goleuadau, lluniau o lampau heddiw a lampau'r gorffennol, fflachlamp.

Tasg 1
(Gwnewch arddangosfa i ddangos datblygiad lampau drwy gyfnodau hanes – o'r gannwyll frwyn neu'r lamp olew Rufeinig hyd y candelabra a lamp ddiogelwch y glöwr ac ymlaen i oleuadau trydan. Defnyddiwch Meistrgopi 59.

Tasg 2
Sylwch ar wahanol fathau o lampau cyfoes a'u trafod. Dangoswch sut y mae pob golau yn gweithio. Yna, nodwch eu diben a'u nodweddion, e.e. lamp hirgoes ar gyfer darllen a lamp yn gogwyddo ar gyfer gweithio.

Tasg 3
Dadosodwch fflachlamp a dangos i'r plant sut y mae'n gweithio. Yna, gan ddefnyddio Meistrgopi 60, eglurwch beth yw cydrannau cylched.

Atebion i Meistrgopi 60
Beth sy'n digwydd pan gaiff y swits ei symud i gyfeiriad y saeth? *Mae'r fflachlamp yn goleuo.*
Beth yw pwrpas y sbring? *I gadw'r batrïau yn eu lle ac i gwblhau'r gylched.*
Beth yw pwrpas yr adlewyrchydd? *I adlewyrchu golau'r bwlb a gwneud i'r fflachlamp ymddangos yn fwy llachar.*

Dylai'r rhan fwyaf o'r plant fod wedi gwneud rhywfaint o waith ar gylchedau sylfaenol yng Nghyfnod Allweddol 1 a dyma gyfle da i weld faint o wybodaeth sydd ganddynt ac i adolygu geirfa sylfaenol, e.e. batri, gwifren, bwlb, cylched, trydan, cerrynt a swits. (Gellid cyplysu'r dasg hon gyda gwaith gwyddonol ar gerrynt paralel a chyfresi, ynysyddion a dargludyddion.)
Yn nesaf, edrychwch yn ofalus ar y swits togl a dangos i'r plant sut y mae'n gweithio. Tynnwch y casyn iddynt gael cyfle i astudio'r symudiad a'u hannog i chwarae gyda'r swits gan wylio'r bwlch yn agor a chau (Llun1).

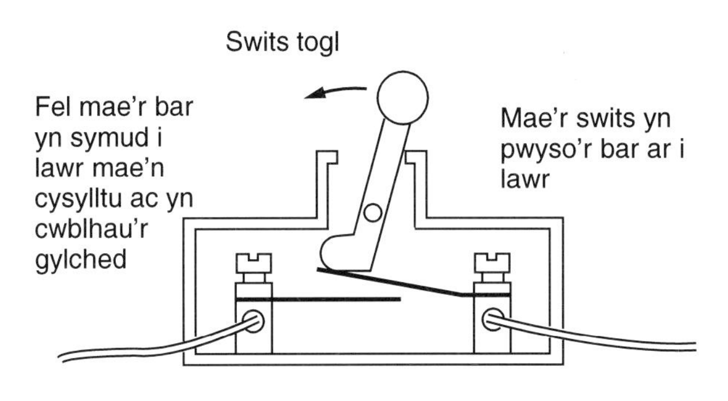

Llun 1

TASGAU YMARFEROL PENODOL

Defnyddiau/offer sydd eu hangen: Meistrgopïau 61 a 62; setiau trydan, hoelbren 4.5mm, tiwb plastig, olwynion MDF, gwifren, caniau ffilm Kodak, pinnau hollt, clipiau papurau, cerdyn, ffoil alwminiwm, pinnau bawd.

Tasgau cyntaf

Cydrannau cylched
Dylai grwpiau o bedwar neu bump o blant gael setiau trydan. (I gael manylion am y cydrannau sy'n rhaid eu darparu ym mhob set, gweler Meistrgopi 61.) Yna, gan ddefnyddio Meistrgopi 61 dylent nodi'r gwahanol fathau o offer i gyd. Dyma ddull effeithiol o wirio bod pob set yn gyflawn, ar ddechrau ac ar ddiwedd pob gwers.

Tasgau annibynnol
Gofynnwch i'r plant wneud cylched gan ddefnyddio batri mewn daliwr, gwifrau crocodeil, bwlb a swits togl (Llun 2). Dangoswch iddynt sut i wirio eu cylched (os nad ydynt eisoes yn gwybod hyn). Yn gyntaf, dylent wneud yn siŵr ei bod wedi ei chysylltu'n iawn a bod y cysylltiadau yn rhai da. Yn ail, dylent newid pob darn o offer yn ei dro, gan ddechrau gyda'r batri – batri diffygiol sy'n achosi problem gan amlaf! Pwysleisiwch na ddylent newid y gwahanol ddarnau i gyd yr un pryd, gan na fydd hyn yn profi dim. Gellid defnyddio Meistrgopi 62 i atgyfnerthu.

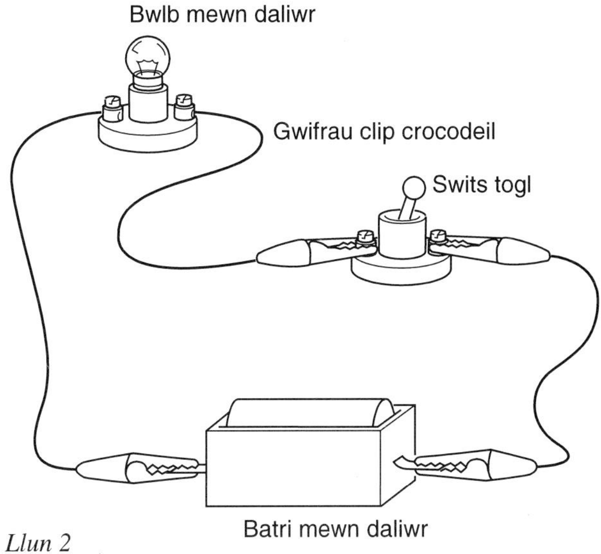

Llun 2

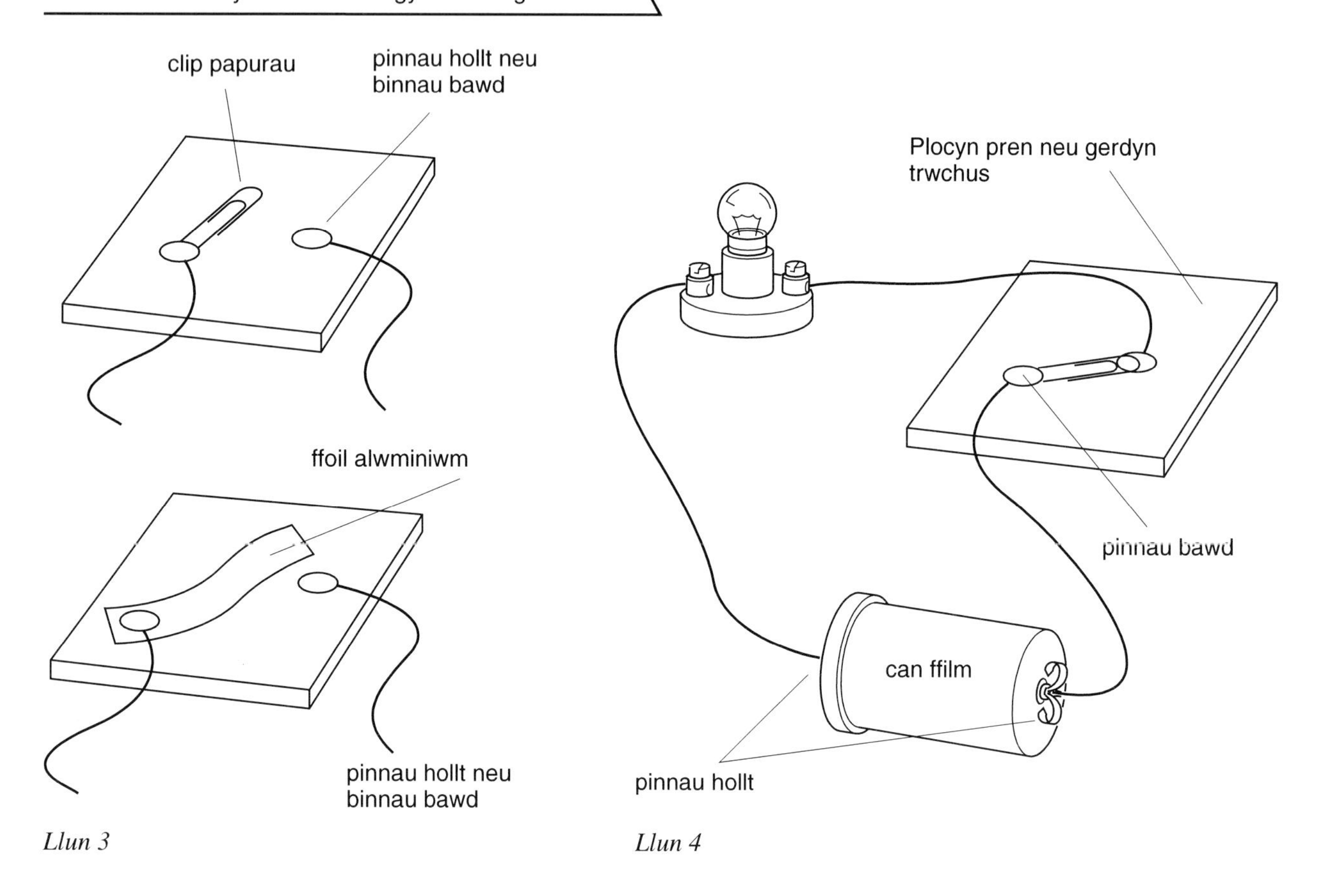

Llun 3

Llun 4

Pan fydd y gylched yn gweithio, gall y plant newid eu daliwr batri safonol am un wedi ei wneud gyda chan ffilm (gweler yr adran ar Oleuadau Traffig, tudalennau 57-60). Gan fod y rhain braidd yn anodd i'w gwneud gallai plant iau gael rhai sydd wedi eu gwneud eisoes. Yna, gallant wneud swits gan ddefnyddio dau bin hollt a chlip papurau, neu ddarn o gerdyn wedi ei orchuddio â ffoil alwminiwm. Os defnyddir sylfaen cadarn, yna gellid defnyddio pinnau bawd yn lle'r pinnau hollt (Llun 3). Gellir defnyddio gwifrau clip crocodeil yn lle gwifrau plaen, gan stripio'r plastig i ffwrdd oddi ar y pennau. Gellir lapio'r gwifrau yn dynn o amgylch y pinnau, i osgoi gorfod eu sodro (Llun 4). DS Dylid gwirio'r gylched ar bob cam i sicrhau ei bod yn dal i weithio.

ASEINIAD DYLUNIO A GWNEUD

Amcan: Dylunio a gwneud golau ar gyfer arddegau-ddol.

Defnyddiau/offer sydd eu hangen: batrïau, dalwyr batri, bylbiau 1.5V, astell ddalwyr a dalwyr bylbiau sy'n clipio, gwifrau, stripwyr gwifrau, pinnau hollt, clipiau papurau, pinnau bawd, cerdyn, gwellt celf, pren/cerdyn trwchus yn sylfaen, hoelbren 4.5 mm, tiwbiau plastig, gwellt yfed sy'n plygu, olwynion o gerdyn/MDF, papur trwchus (e.e. papur wal neu bapur lapio), tiwbiau cardfwrdd, glud PVA, glanhawyr pib, ffoil alwminiwm, haclifiau bychan, snipyddion, dril, pwns llygaden, prennau lolipop, caniau ffilm, defnydd wedi ei adennill, padiau glynu, glud poeth, gwlân dur, papur llyfnu, arddegau-ddoliau, darnau o jelutong.

Cyflwyno

Casglwch ychydig o arddegau-ddoliau a gofyn i'r plant enwi'r teganau atodol a werthir yn y siopau. Eglurwch eu bod yn mynd i ddylunio golau fydd yn gweithio, yn arbennig ar gyfer un o'r doliau hyn.

Dylunio

Yn gyntaf, adolygwch y gwaith a wnaethpwyd eisoes ar gylchedau. Yna, gofynnwch i'r plant benderfynu i beth y bydd eu golau yn cael ei ddefnyddio neu ym mha ystafell y bydd yn cael ei roi. Dylent gadw hyn mewn cof pan fyddant yn dylunio eu lampau.

Yn nesaf, dangoswch y defnyddiau sydd ar gael. Dangoswch fod yr hoelbren yn ffitio'n dynn yn yr olwynion i wneud y sylfaen/gwaelod y lamp. Gellir tynhau'r goes ychydig, os oes angen, trwy ddefnyddio darn o diwb plastig fel wasier (Llun 5). Os yw ychydig yn rhy dynn gellir rhoi min ar yr hoelbren drwy ddefnyddio miniogwr pensil. Awgrymwch y gellid asio'r hoelbren drwy ddefnyddio tiwb plastig. Os yw'r golau i ogwyddo fel mewn lamp ongl-ogwydd gellir torri darn o'r tiwb neu roi gwellt yfed sy'n plygu yn lle'r hoelbren (Llun 6). Gellir gwneud y bwlb yn symudol hefyd drwy wthio pren lolipop i ddaliwr bwlb sy'n clipio. Mae'r pren lolipop cyntaf yn cael ei roi ynghyd wrth un arall neu wrth ddarn o jelutong gyda phin hollt (Llun 7). Yna, dangoswch i'r plant sut i wneud cysgodlen o gôn o bapur neu gerdyn drwy dorri'r darn uchaf i ffwrdd. Gellir defnyddio defnyddiau wedi eu hadennill, fel darn o focs wyau neu

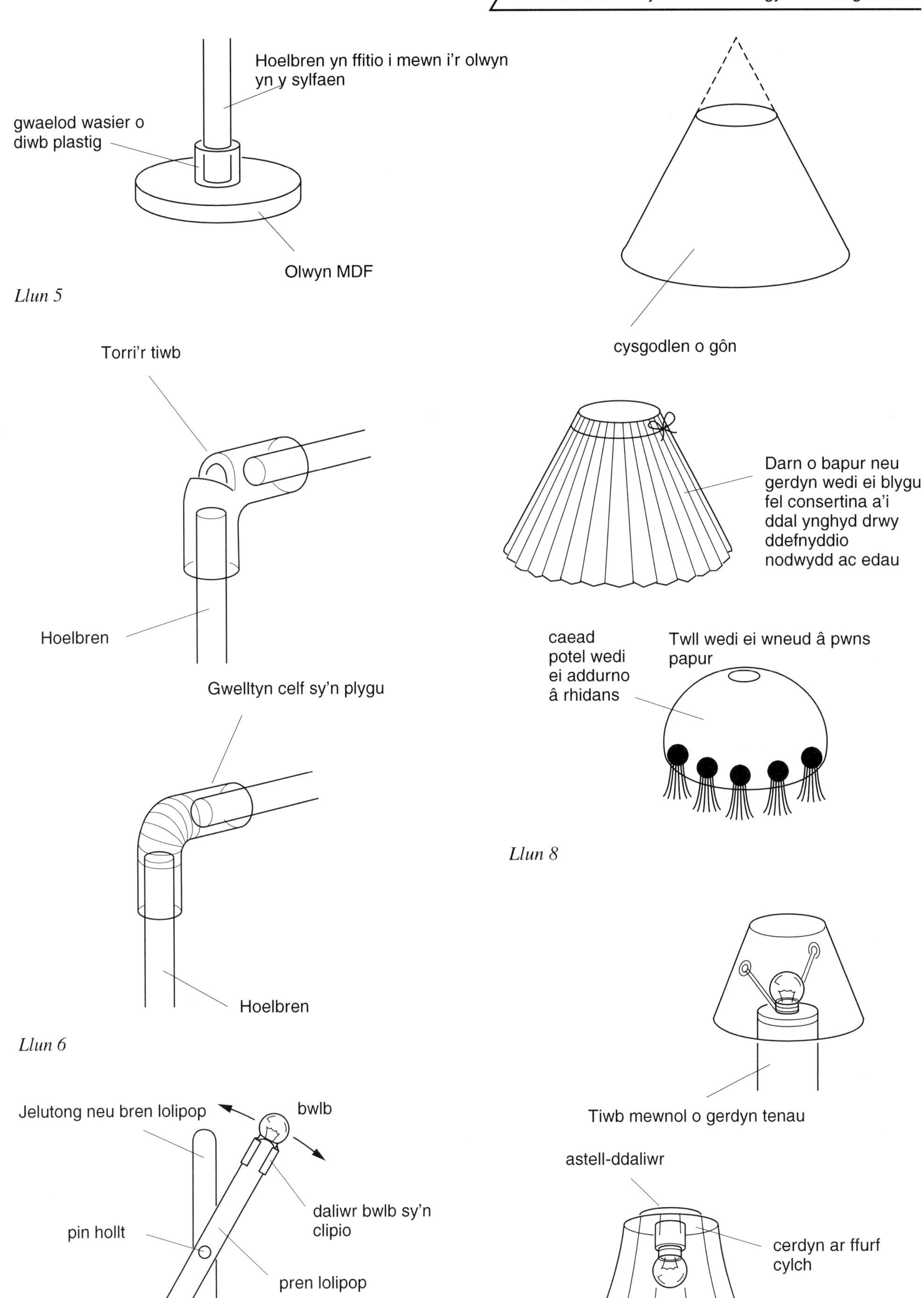

Llun 5

Llun 6

Llun 7

Llun 8

Llun 9

gaead potel i'r un diben (Lluniau 8 a 9). Dangoswch y gellid defnyddio cylch o gerdyn neu lanhawyr pib i gadw'r gysgodlen rhag cyffwrdd yn y bwlb.

Caiff gwifrau eu gadael yn y golwg ar rai lampau, ond os yw'r plant yn dymuno eu cuddio bydd y gwifrau a'r hoelbren yn ffitio i mewn i ddarn o diwb plastig 6.5mm. Byddai'r hoelbren deneuaf (3.2mm) yn mynd i mewn i welltyn hyd yn oed.

Pan fyddwch wedi trafod y defnyddiau, gofynnwch i'r plant luniadu'r golau y byddent yn hoffi ei wneud. I gael lluniad manwl, dylent fesur uchder y ddol maen nhw'n dymuno ei defnyddio ar ei sefyll neu, os ydyn nhw'n gwneud lamp ar gyfer desg, ar ei heistedd. Yna, dylent dynnu llinell yr un hyd i fyny ochr darn o bapur. Dywedwch wrthynt am wneud eu llun wrth ochr y llinell fesur hon gan gofio beth yw pwrpas y golau a ble y bydd yn cael ei osod. Y cam nesaf yw lluniadu'r batri, swits, bwlb a gwifrau i'w hatgoffa eu hunain sut y bydd y gylched yn cael ei ffurfio. Yna, gellir labelu'r lluniad i ddangos pa ddefnyddiau a ddefnyddir a sut y bydd y golau'n cael ei gynhyrchu.

Gwneud

Dylid gwneud y daliwr bwlb a'r rhan waelod yn gyntaf, gan adael y gwifrau yn rhydd, i'w cysylltu â gweddill y gylched yn nes ymlaen. Dylid atgoffa'r plant i ofalu peidio â rhoi glud ac ati ar hyd y cysylltiadau gan y byddai'n ymddwyn fel ynysydd. Hefyd, dylid annog y plant i fesur eu goleuadau yn erbyn y doliau. Gellid wedyn wneud unrhyw addasiadau wrth weithio ar y goleuadau yn hytrach nag ar ddiwedd y project pan fydd hi'n fwy anodd gwneud newidiadau.

Wedi adeiladu eu lamp ar y sylfaen, gellir rhoi cysgodlen arni. Ni ddylai hon gyffwrdd â'r bwlb, rhag ei llosgi, ond gellir ei haddurno gyda phapur, rhidans ac ati neu â ffoil alwminiwm i roi gwedd fodern, fetalaidd neu i ddarparu adlewyrchydd i sbot-olau.

Dylid ffitio gweddill y gylched o amgylch hyn a gwneud y gweddill o'r gwaith.

Pan fydd y lamp gyfan wedi ei chwblhau, dylai'r plant gysylltu'r gwifrau o'u golau i'w cylched. Wedi ei wirio, gellir rhoi'r model i gyd ar gerdyn trwchus neu sylfaen bren gan ddefnyddio padiau glynu neu lud poeth. Os byddwch yn defnyddio glud poeth dylid cofio y bydd angen sgriffinio'r arwyneb gyda gwlân dur neu bapur llyfnu yn enwedig y darn lle bydd y daliwr batri gan fod glud ar blastig llyfn yn tueddu i ddadludio.

Gwerthuso

Gofynnwyd i'r plant ddylunio golau ar gyfer arddegau-ddol, ac felly'r dull cyntaf i werthuso'r cynnyrch yw gweld a yw'r golau o faint addas i'r ddol. Yn ail, gofynnwyd iddynt wneud golau sy'n gweithio, felly profwch a yw'r modelau yn gweithio ai peidio. Yn drydydd, dylai'r plant ddyfalu ble y byddai'r ddol yn defnyddio pob un o'r lampau ac i ba bwrpas.

GOLEUADAU TRAFFIG

Nodau dysgu

Sgiliau dylunio
Dylai disgyblion ddysgu dylunio lluniadau cylched gymhleth gan ddefnyddio symbolau cyfarwydd.

Sgiliau gwneud
Dylai disgyblion ymarfer:

- defnyddio cydrannau trydanol: seinyddion, bylbiau, switsys, batrïau, gwifrau a phlocyn terfynell
- defnyddio haearn sodro pan fo hynny'n briodol
- cyfuno cydrannau trydanol â defnyddiau eraill

Gwybodaeth a dealltwriaeth
Dylai'r disgyblion ddysgu:

- bod terfynell bositif a negatif mewn batri
- am gylchedau mwy cymhleth, gan gynnwys cylchedau paralel a chylchedau cyfres
- am bolaredd a sut i adnabod terfynellau positif a negatif
- am beryglon trydan.

Geirfa: swits, cylched, bwlb, seinydd/suydd, batri/cell, polaredd, cyfres, paralel, rheoli, positif, negatif, terfynell.

TASGAU YMCHWILIOL

Defnyddiau/offer sydd eu hangen: Meistrgopïau 62, 63, 64 a 65; setiau trydan (gweler y manylion ar Meistrgopi 61), bylbiau ychwanegol a dalwyr bylbiau, gwifrau crocodeil, batrïau, seinyddion/suyddion, switsys corsen, magnetau, cerdyn, clipiau papurau, pinnau hollt.

I gwblhau'r tasgau dilynol, bydd yn rhaid i'r plant fod yn gwybod am gylchedau a bod yn abl i wneud cylched syml sy'n cynnwys bwlb, seinydd/suydd ac ati. Hefyd, cyn dechrau ar y tasgau hyn, defnyddiwch Meistrgopi 63 i adolygu enwau rhai o'r cydrannau. (Mae'r cydrannau yr un fath â Meistrgopi 61 ar wahân i rif 7 sef switsys corsen.)

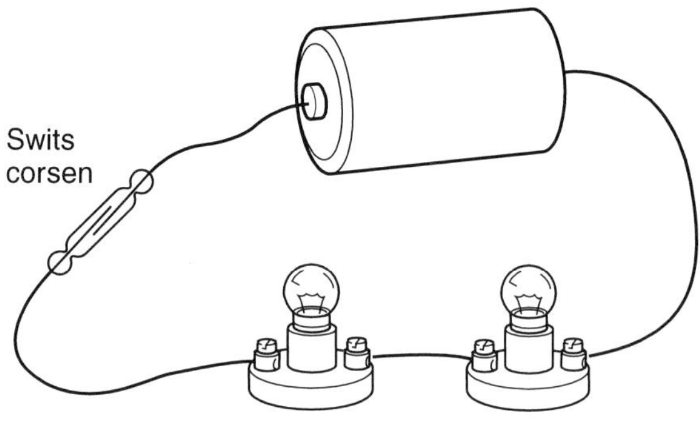

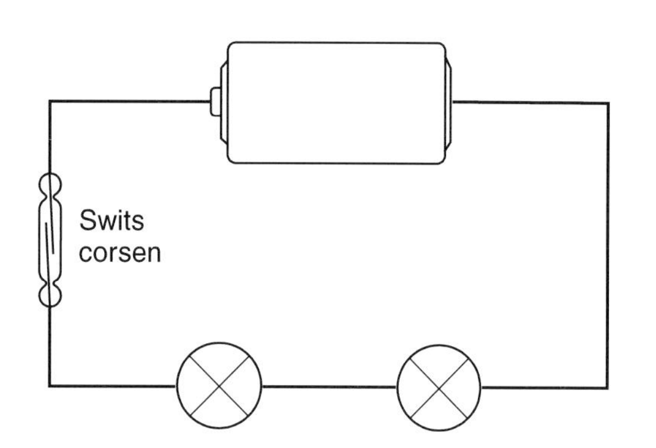

Llun 1

Tasg 1
Gofynnwch i'r plant wneud cylched yn defnyddio batri sengl mewn daliwr batri, bwlb a swits togl. Gallant ddefnyddio'r siart sydd ar Meistrgopi 62, 'Datrys problemau', os oes unrhyw broblem gyda'r gylched, neu os ydynt yn dymuno ei haddasu. Yna, dylent nodi pa mor llachar yw'r bwlb.

Tasg 2
Gofynnwch i'r plant roi swits corsen yn lle'r swits togl. Dangoswch sut mae'r swits yn gweithio pan fydd magnet yn cael ei roi yn ymyl. Gellir defnyddio Meistrgopi 65 wedyn i ddangos y gwahaniaeth rhwng y ddau fath o swits.

Atebion i Meistrgopi 65
Troi'r swits ymlaen
Swits togl Mae lefel y togl yn gwthio'r bar i lawr gan beri iddo gyffwrdd â'r cyswllt ac felly gwblhau'r gylched. Mae'r gylched yn dal ar gau nes y caiff y swits ei symud yn ôl i'w safle 'diffodd'.
Swits botwm-cloch Pan gaiff y swits ei bwyso bydd yn gorfodi'r ddau far metel i gyffwrdd ac yn cwblhau'r gylched. Pan gaiff y swits ei ollwng mae'r bariau yn neidio'n ôl i'w safle gwreiddiol.
Swits corsen Pan gaiff y magnet ei symud yn nes at y swits mae'n atynnu'r rhodenni dur. Mae'r rhain yn cyffwrdd ac yn cwblhau'r gylched. Pan gaiff y magnet ei symud i ffwrdd mae'r rhodenni yn dychwelyd i'w safle gwreiddiol.

Tasg 3
Yna, dylai'r plant ychwanegu bwlb arall i'r gylched, fel yn Llun 1. Dywedwch wrthynt mai cylched gyfres yw hon. Ydy'r bwlb cyntaf mor llachar, neu'n fwy llachar neu'n llai llachar nag yn Tasg 1?

Tasg 4
Gofynnwch i'r plant dynnu'r ail fwlb a'i roi i mewn yn baralel i'r bwlb cyntaf (Llun 2). Ydy'r bwlb cyntaf yr un fath, neu'n fwy llachar neu'n llai llachar nag yn Tasg 1?

Tasg 5
Dylai'r plant roi'r tri bwlb mewn cyfres (Llun 3) a'u profi.

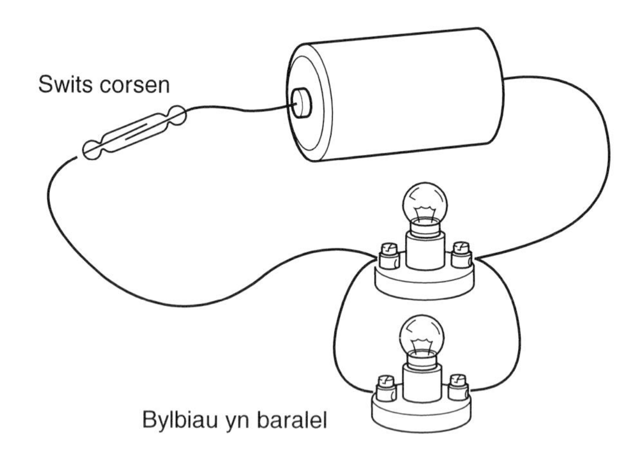

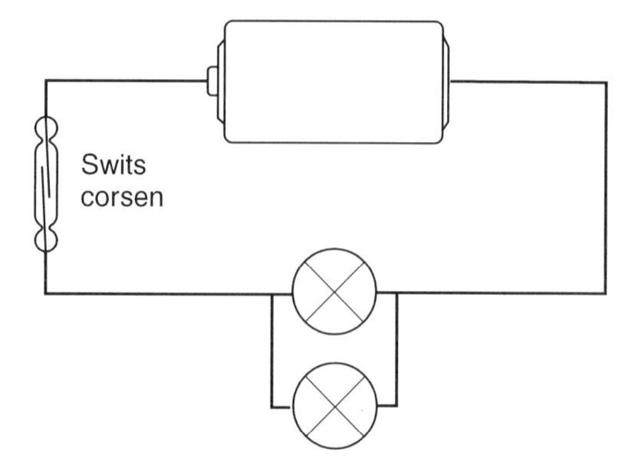

Llun 2

Tasg 6
Yn olaf, dylai'r plant roi'r tri bwlb yn baralel (Llun 4) a'u profi.

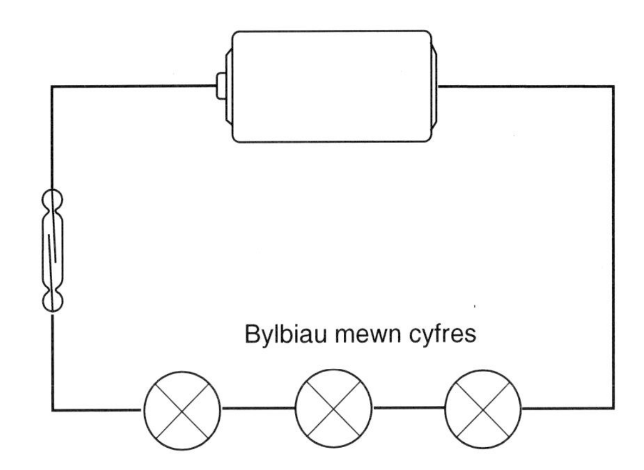

Llun 3

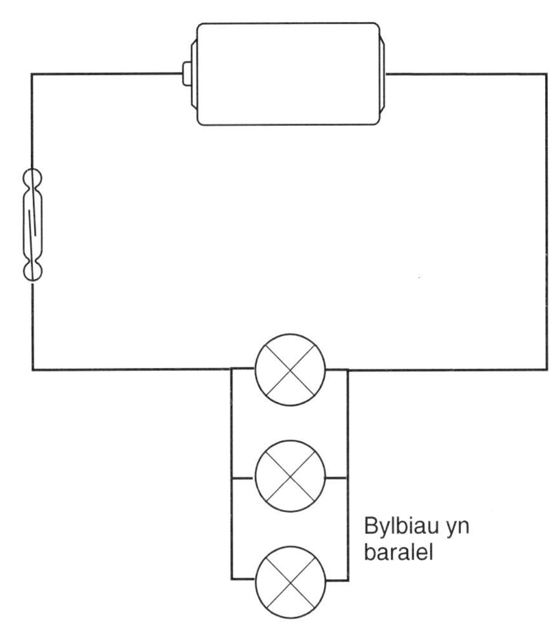

Llun 4

Tasg 7
Dywedwch wrth y plant am wneud cylched ddwbl fel yn Llun 5. Bydd angen batri a swits y dylid bod wedi ei wneud o glip papur wedi ei roi yn sownd wrth ddarn o gerdyn gyda phin hollt. Dylai'r swits fod wedi ei gysylltu i'r ddau bin hollt arall, felly'n cysylltu'r batri i'r ddwy gylched – un gyda bwlb a'r llall gyda seinydd/suydd.

Tasg 8
Dylai'r plant wneud y dasg ddarllen a deall am Michael Faraday ar Meistrgopi 64.

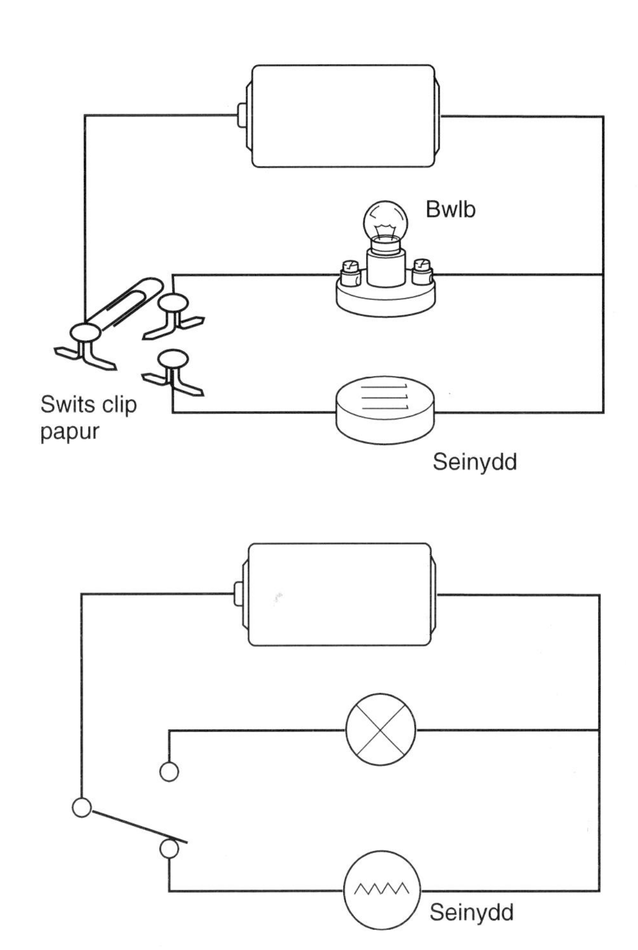

Llun 5

TASGAU YMARFEROL PENODOL

Defnyddiau/offer sydd eu hangen: Meistrgopi 66; LEDs (deuodau yn rhoi goleuadau) mewn coch, melyn a gwyrdd; batrïau, caniau ffilm, dalwyr batri, pinnau hollt, pinnau bawd, clipiau papurau, astell-ddalwyr, gwifrau, stripwyr gwifrau, haearn sodro, darnau o correx neu bren yn sylfaen, padiau glynu, tâp.

Dylunio cylched 'goleuadau traffig'
I gwblhau'r dasg hon bydd angen i'r plant fod yn gwybod sut i wneud daliwr batri o gan ffilm a swits, gan ddefnyddio pinnau hollt neu binnau bawd a chlipiau papurau. Yn gyntaf, eglurwch eu bod yn mynd i wneud cylched ar gyfer goleuadau traffig. Yna, rhowch bapur iddynt i luniadu cylched gyda thri lliw (coch, melyn a gwyrdd) fydd yn gweithio'n annibynnol o un batri. Yn nesaf, dywedwch wrthynt eu bod i wneud y daliwr batri allan o gan ffilm (Llun 6). Dylid gwneud y swits o glipiau papurau a dylid cael nifer o gylchedau fydd yn cysylltu y naill ar ôl y llall. Dylid rhoi'r swits ar y sylfaen hyd yn oed os yw cydrannau eraill y gylched yn rhydd (Llun 7).

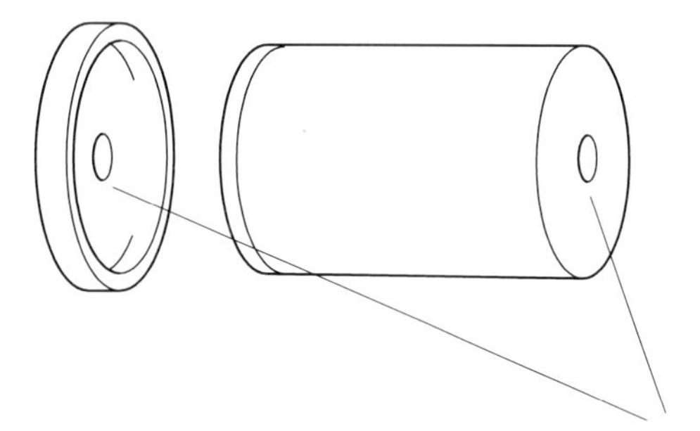
Defnyddiwch ganiau ffilm gyda chaeadau llwyd
1. Tyllau wedi eu gwneud â dril papur

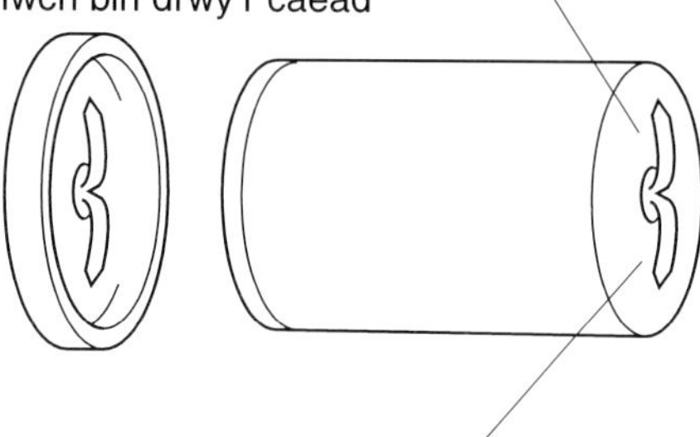
2. Rhowch y pin hollt yn sownd wrth y pensil gyda Blu-tak®, a'i wthio drwy'r twll
3. Gwthiwch bin drwy'r caead
4. Plygwch y pennau at allan

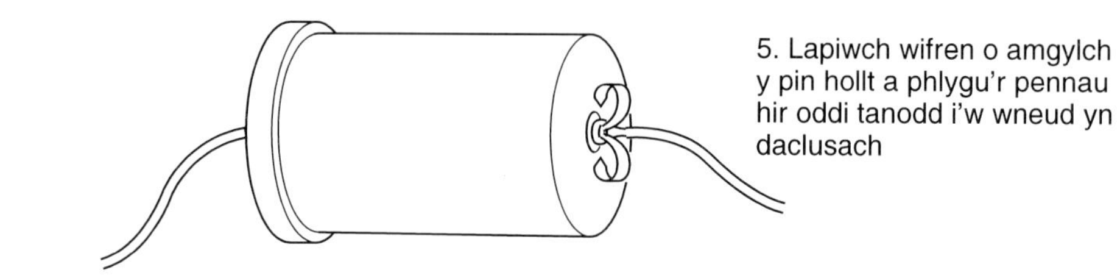
5. Lapiwch wifren o amgylch y pin hollt a phlygu'r pennau hir oddi tanodd i'w wneud yn daclusach
6. Lapiwch wifren o amgylch y pin sydd ar y caead
7. Rhowch fatri y tu mewn a gwthio'r caead i'w le yn gadarn

Llun 6

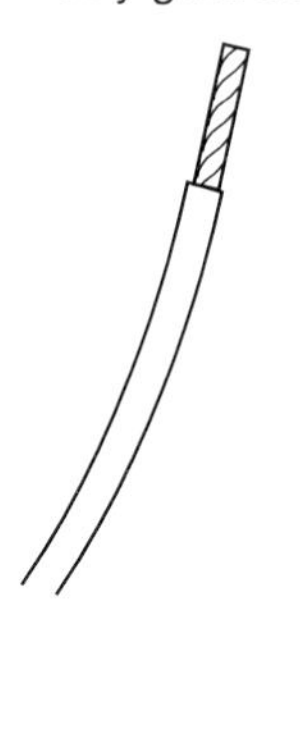
Troellwch y gwifrau ynghyd

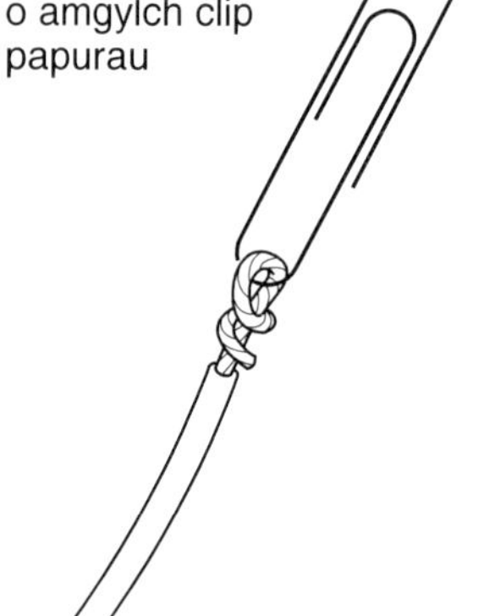
Troellwch y gwifrau o amgylch clip papurau

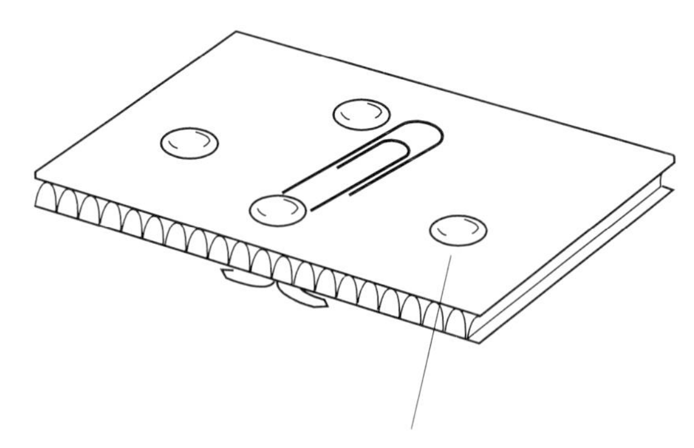
Swits cartref 3-ffordd
Pinnau hollt neu binnau bawd yn ddigon agos i'r clip papurau gyffwrdd ynddynt

Llun 7

Dylai'r plant wneud eu lluniadau cylched a'u gwirio yn ofalus. (Gellir defnyddio Meistrgopi 66 i'r dasg hon.) Os bydd unigolion yn ei chael yn dasg anodd dylid eu helpu drwy roi lluniad sy'n dangos cynllun cylched iddynt. (Llun 8)

Gwneud 'goleuadau traffig'
Ar ôl dylunio, gall y plant ddefnyddio eu setiau trydan i wneud eu cylchedau. Os yw adnoddau yn brin, gellir gwneud y gweithgaredd hwn mewn grwpiau, ond yn ddelfrydol dylai pob plentyn gael y cyfle i brofi ei ddyluniad ei hun. Er bod defnyddio LEDs yn ei gwneud hi'n haws i adnabod lliw, gellir defnyddio bylbiau 1.5V cyffredin i wneud y gylched – cyn belled â'u bod wedi eu labelu yn goch, melyn a gwyrdd.

Cyn i'r plant ddechrau gwneud eu cylchedau, mae'n bwysig eu bod yn ymwybodol o ddylanwad pegynedd/polaredd. Golyga hyn na fydd dyfais fel seinydd neu LED yn gallu gweithio ond i un cyfeiriad, ac felly rhaid ei gysylltu yn gywir. Fel rheol, mae hyn yn golygu y dylid cysylltu'r wifren goch i ochr bositif y batri (+) a'r wifren ddu i'r ochr negatif (-).

Yna, dylai'r plant wneud eu cylchedau. (Nid oes raid i'r cylchedau hyn fod yn rhai parhaol. Bydd angen defnyddio pob cylched, neu o leiaf y cydrannau wrth wneud y dasg Dylunio a Gwneud.) Bydd angen dangos i'r plant sut i stripio gwifren, gan ddefnyddio stripiwr gwifrau, a dylid eu hannog i ddefnyddio cysylltwyr cylched yn hytrach na throelli gwifrau ynghyd. Efallai y bydd angen sodro'r LEDs. Os nad yw'r plant eisoes wedi defnyddio haearn sodro, byddai hwn yn gyfle da i wneud hynny, ond er mwyn diogelwch ac er mwyn arbed amser efallai y byddai'n haws sodro cyn dechrau ar y project `(gweler yr adran ar Offer tud. 114).

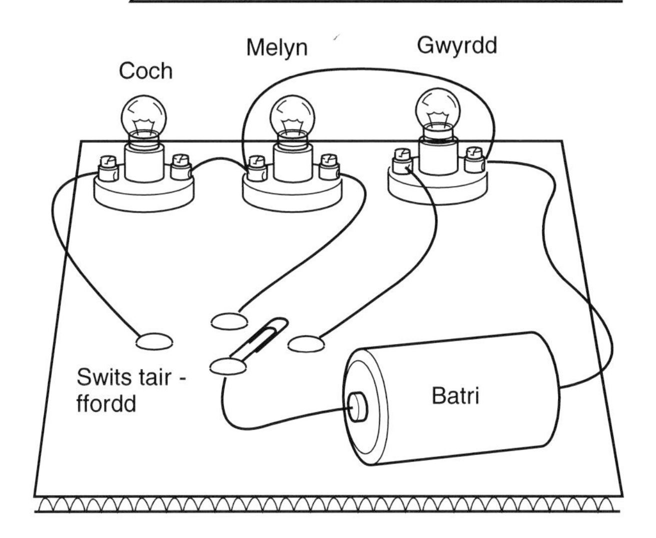

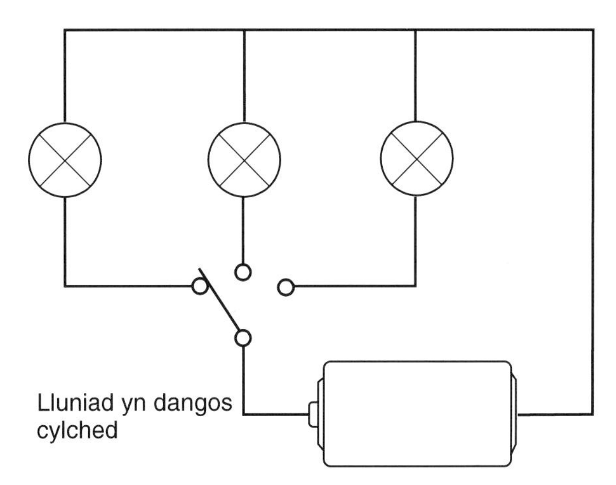

Llun 8

ASEINIAD DYLUNIO A GWNEUD

Amcan: Dylunio a gwneud goleuadau traffig fydd yn gweithio ac arwydd i'r deillion eu bod yn gallu croesi.

Defnyddiau/offer sydd eu hangen: Meistrgopi 66, batrïau, dalwyr batri, LEDs/bylbiau 1.5V, astell-ddalwyr, dalwyr bylbiau, gwifrau, stripwyr gwifrau, haearn sodro, correx neu bren i wneud sylfaen, pinnau hollt, pinnau bawd, clipiau papurau, seinyddion/suyddion, tyrnsgriwiau, bocsys cardfwrdd, tiwbiau mewnol o gardfwrdd, padiau glynu, tâp, ramin, gynnau glud, haclifiau, bachau mainc.

Cyflwyno
Gan fod y plant eisoes wedi gwneud eu cylched i'r goleuadau trafig, gellir symud ymlaen bron yn syth. Ond dylid talu sylw arbennig i'r dasg gan fod angen ychwanegu arwydd i groesi ar gyfer y deillion. Dylid atgoffa'r plant fod yn rhaid i hwn fod yn arwydd clywadwy a bod yn rhaid iddo weithio pan fydd y goleuadau yn goch. Gallai plant galluog feddwl am hyn drostynt eu hunain.

Dylunio
Dylai'r plant ddefnyddio'r gwaith maent eisoes wedi ei wneud yn yr adran Tasgau Penodol ar gyfer yr aseiniad hwn. Bydd angen iddynt gynnwys eu seinydd/suydd yn eu dyluniad cylched gwreiddiol. Dylai hwn weithio pan fydd y golau yn goch, h.y. pan fydd y ceir wedi stopio. (Gellir defnyddio Meistrgopi 66 i ategu'r dasg hon.) Bydd y gylched wedyn fwy neu lai fel yr un a ddangosir

yn Llun 9.

Dylid atgoffa'r plant o begynedd/bolaredd y seinydd, ac nad yw o'r herwydd yn gweithio ond i un cyfeiriad. Dylid nodi hefyd y byddai'n well ei gysylltu yn baralel â'r bwlb coch, yn hytrach nag mewn cyfres, gan y gallai lleihad yn y foltedd beri na fyddai'r seinydd/suydd yn gweithio (Llun 10).

Ar ôl dylunio eu cylched, bydd angen i'r plant ddylunio'r goleuadau traffig lle bydd y bylbiau/suydd a'r batri ac felly gallant amcangyfrif maint y darn fydd yn eu cynnal. Bydd yn rhaid i hwn fedru sefyll i fyny ar ei ben ei hun. Dylent labelu eu dyluniad a dangos ble bydd y bylbiau.

Yn nesaf, dylai'r plant ysgrifennu cynllun gweithredu sef rhestr ddilynol o'r tasgau, wedi eu rhifo, ar gyfer gwneud eu cylched a'r darn fydd yn cynnal y goleuadau.

Gwneud
Cyn gadael i'r plant ddechrau ar y dasg, dylid eu hatgoffa am reolau diogelwch. Yna, dylent weithio mor annibynnol ag sydd modd i gwblhau'r project. (Os nad ydynt yn glynu wrth y cynllun gweithredu, dylid nodi unrhyw wahaniaethau.) Anogwch y plant i ddefnyddio'r cydrannau o'u cylched flaenorol gan ychwanegu seinydd. Y tro hwn, bydd angen rhoi'r cydrannau yn sownd yn fwy parhaol gan ddefnyddio cysylltwyr cylched a haearn sodro. Pwysleisiwch hefyd y dylai'r cynnyrch gorffenedig fod o ansawdd da. Dylid atgoffa'r plant y bydd angen gwirio eu cylched nifer o weithiau yn ystod y proses o wneud. Fodd bynnag, bydd gwirio'n rhy aml yn diffygio'r batri (defnyddio gormod o'r egni) heb sôn am ddiffygio'r athrawon!

Gwerthuso
Dylai'r plant ddangos eu modelau i weddill y dosbarth. Yna, gelllir eu trafod o safbwynt ymddangosiad ac effeithiolrwydd. Yn olaf, dylid arddangos y projectau ochr yn ochr â'r portffolio o waith dylunio.

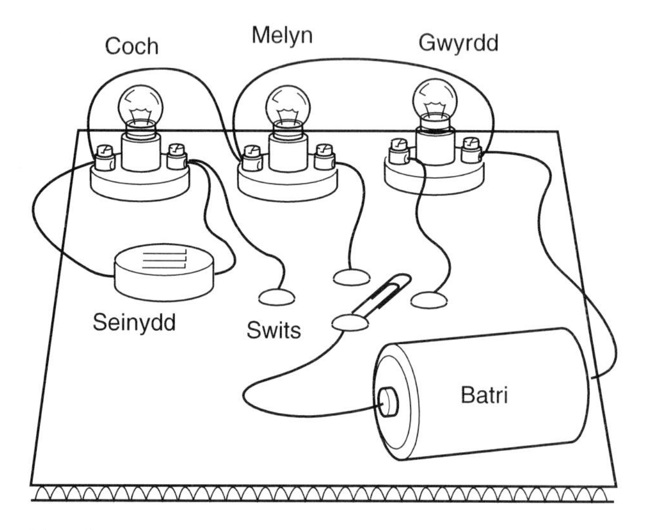

Llun 9

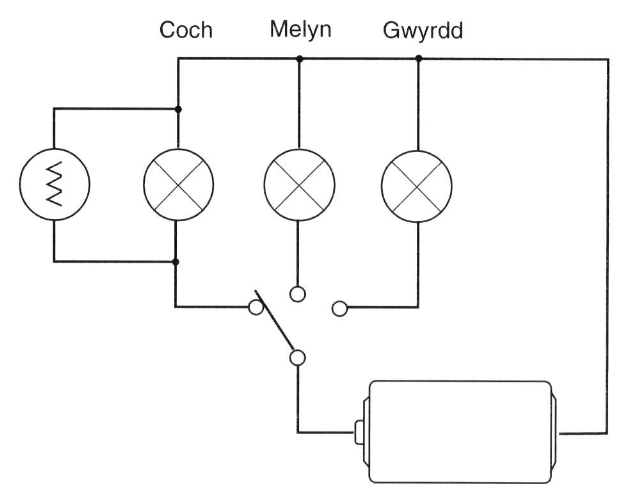

Llun 10

UNED 7: LIFERI

PYPEDAU AR BREN LOLIPOP

Nodau dysgu

Sgiliau dylunio
Dylai disgyblion gael cyfle i:

- ddefnyddio papur a cherdyn i fodelu mecanweithiau sy'n defnyddio lifer
- werthuso syniadau er mwyn dewis yr un mwyaf addas i bwrpas penodol ac i ddefnyddiwr arbennig.

Sgiliau gwneud
Dylai disgyblion ymarfer:

- torri a siapio papur a cherdyn gan ddefnyddio siswrn a snipydd
- defnyddio pwns a phwns tyllu i wneud tyllau
- defnyddio nodwydd ac edau, tâp, glud a phinnau hollt i asio/uno defnyddiau.

Gwybodaeth a dealltwriaeth
Dylai'r disgyblion ddysgu:

- am gynhyrchion sy'n defnyddio liferi
- mai trawst anhyblyg sy'n cylchdroi o amgylch colyn neu o amgylch pwysbwynt yw lifer
- bod un pen i lifer yn symud ymhellach na'r pen arall
- bod liferi'n cael eu defnyddio i gynyddu grym
- bod liferi'n cael eu defnyddio i wthio ac i dynnu.

Geirfa: lifer, colyn, trawst, gwthio/tynnu, prototeip

TASGAU YMCHWILIOL

Defnyddiau/offer sydd eu hangen: Meistrgopi 67; casgliad o wahanol fathau o liferi, lluniau o lyfrau, llyfrau a fideos am liferi, cerdyn, pinnau hollt, gefelen lygaden, pynsiau, prennau lolipop, pensiliau lliw.

Tasg 1

Diffiniwch beth yw lifer, h.y. trawst anhyblyg sy'n cylchdroi o amgylch colyn neu o amgylch pwysbwynt. Trafodwch y diffiniad hwn ac, os yw'n bosibl, gwyliwch fideos am liferi neu dangoswch luniau o wahanol fathau o liferi. Yna, eglurwch fod liferi yn cael eu defnyddio yn aml i gynyddu'r grym rydym yn dymuno ei ddefnyddio, e.e. defnyddio tyrnsgriw i agor tun paent neu ddefnyddio trosol i godi craig (Llun 1). Cyfeiriwch at ddyfeisiadau sydd wedi defnyddio liferi, e.e. y teipiadur, y peiriant gwnïo a dolen drws.

Atebion i Meistrgopi 60

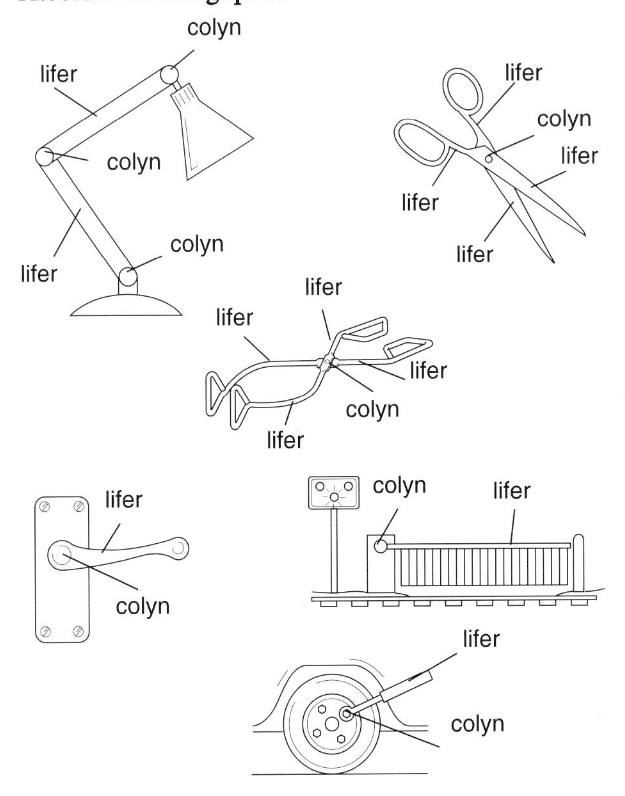

Llun 2

Chwiliwch am bethau o amgylch yr ysgol sydd â lifer a gofynnwch i'r plant ddod â phethau o'u cartrefi i wneud casgliad, e.e. siswrn, teclyn i agor jar, malwr garlleg, plyciwr, dadlwythwr tegan, lampau ongl-ogwydd, pynsiau tyllu, styffylwr ac ati. Dangoswch y lifer ym mhob un. Yna, defnyddiwch Meistrgopi 67 i ategu'r gwaith. Mae Llun 2 yn rhoi'r atebion i Meistrgopi 67.

Tasg 2

Dangoswch fod un pen i lifer yn teithio ffordd bell, ond mai dai dim ond symud dros ychydig o bellter mae'r pen sydd agosaf at y colyn. (Llun 3). Yna, rhowch ddarn o bapur A4, stribed o gerdyn a phin hollt i bob plentyn.

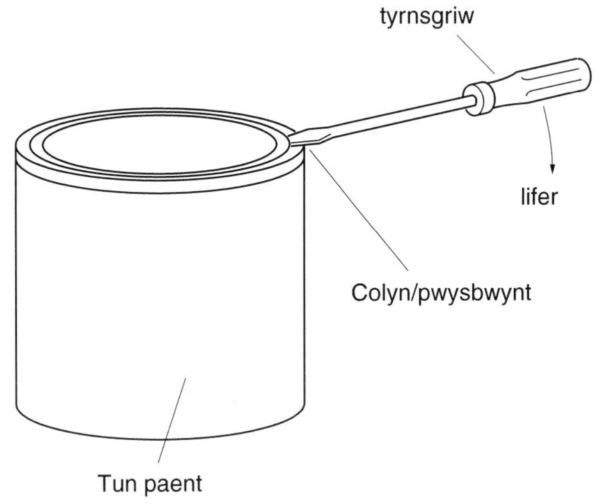

Llun 1

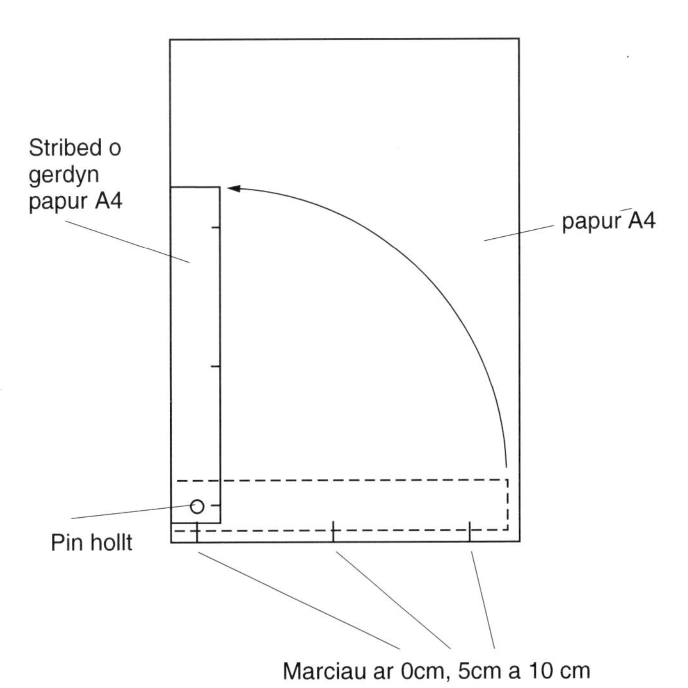

pren mesur

Llun 3

Gofynnwch iddynt roi pen y stribed cerdyn yn sownd wrth gornel y papur gyda'r pin hollt, a defnyddio pren mesur i farcio 0cm, 5cm a 10 cm ar hyd un ymyl i'r cerdyn a'r papur. Yna, dylent gylchdroi'r stribed cerdyn drwy 90° a marcio'r papur ar 0cm, 5cm a 10 cm. Yna, gofynnwch iddynt fesur y pellter rhwng y ddwy set o farciau.

Pan fydd y marciau wedi eu cysylltu â'i gilydd gellir gweld fod y colyn yn symud ymhellach nag yn y pen arall. Mae'r arbrawf hwn yn profi fod y pellter a symudir yn fwy po bellaf rydych oddi wrth y colyn.

Tasg 3

Rhowch stribed o gerdyn 20cm x 3cm a sgwaryn o gerdyn 10cm x 10cm i bob plentyn. Gofynnwch iddynt fesur 15cm ar hyd canol y stribed a marcio'r man hwn trwy wneud twll bychan gyda blaen pensil. Dywedwch wrthynt am wneud twll bach arall yn rhan chwith uchaf y pedair rhan o'r sgwâr. Gellir lleoli'r rhan gywir drwy blygu'r cerdyn yn bedair rhan (os yw'n ddigon hyblyg), neu drwy wneud lluniad ar y bwrdd du. Yna, rhaid rhoi'r stribed yn sownd wrth y cefn gan ddefnyddio pin hollt. Gellid lluniadu pen anifail/person a'i ludio wrth ran uchaf y stribed. Bydd symud y stribed i lawr yn golygu y bydd yr anifail/person yn 'neidio-i-fyny' o'r tu ôl i'r sgwâr (Llun 4).

Yna, gallai'r plant gymharu'r liferi a wnaed i'r ddwy dasg (2 a 3).

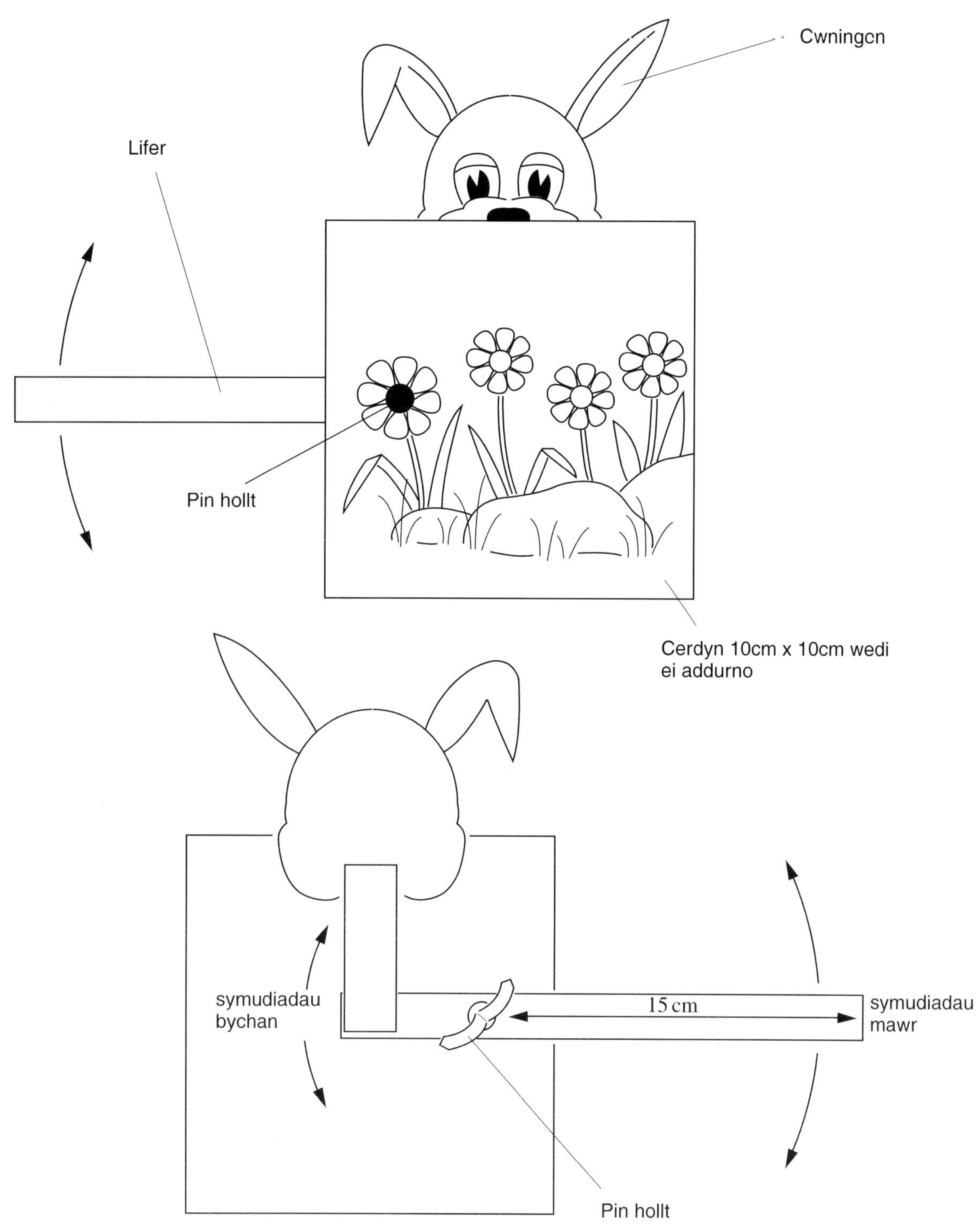

Llun 4

TASGAU YMARFEROL PENODOL

Defnyddiau/offer sydd eu hangen: prennau lolipop, cylchoedd o gerdyn/platiau papur, tâp, glud PVA, gwlân/llinyn, creonau, peniau ffelt, tyllwr llygadennau.

Llun 5

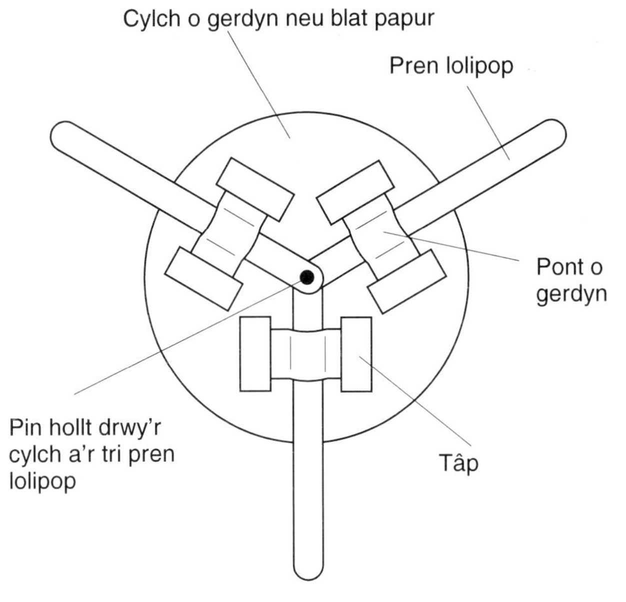

Llun 7

Cyn gwneud y tasgau a ganlyn, gwnewch dwll yn un pen i bob pren lolipop (3 ar gyfer pob plentyn) gyda thyllwr llygadennau a lluniadu a thorri cylchoedd o gerdyn gyda diamedr o 10cm.

Tasgau cyntaf

Gwneud mecanweithiau pren lolipop
Dangoswch sut y gellir cysylltu prennau lolipop i ffurfio siapiau X, Y a Z (Llun 6). Yna, gyda phob un, dangoswch pa fath o symudiad sydd wedi ei greu.

Tasgau annibynnol

Gwneud pyped pren lolipop
Gofynnwch i'r plant wneud mecanwaith siâp Y fel yr un a ddangoswyd o'r blaen. Dylid gosod hwn ar gefn cylch o gerdyn a'i roi'n sownd gyda 'phontydd' o gerdyn, h.y. defnyddio tâp a phin hollt i ddal y stribedi cerdyn yn eu lle (Llun 7) a dal y prennau lolipop yn eu lle ond gan ganiatáu i'r symudiad weithio. Nawr, gellir addurno'r cerdyn cylch i ddangos wyneb anifail/person. Gyda phlant hŷn gelllid gwneud hyn cyn rhoi'r prennau lolipop ynghyd, ond efallai y bydddai plant iau yn ei chael hi'n anodd i osod y siâp Y yn ei le cywir.) Yn nesaf, gellir gwneud y clustiau a'r bwyd a'u rhoi'n sownd wrth y prennau lolipop gyda glud, gan sicrhau bod y bwyd yn cyrraedd y geg pan fydd y mecanwaith yn cael ei symud (Gweler Lluniau 5 ac 8).

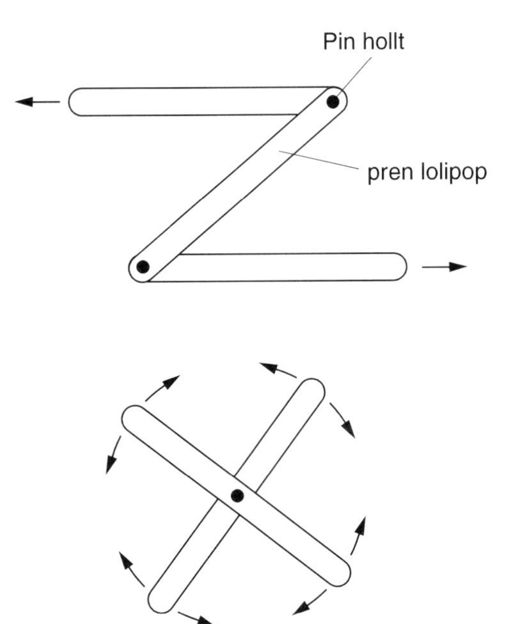

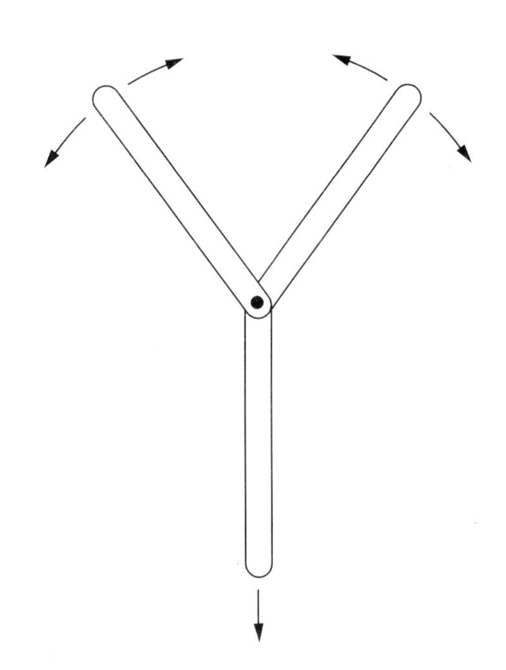

Llun 6

Syniadau dylunio

Llun 8

ASEINIAD DYLUNIO A GWNEUD

Amcan: Dylunio a gwneud prototeip ar gyfer tegan symudol a gysylltir â chymeriad o lyfr plant.

Defnyddiau/offer sydd eu hangen: Meistrgopïau 68 a 69, casgliad o bethau a gafodd eu dylunio oherwydd eu bod yn gymeriadau mewn llyfrau, ffilmiau, ar y teledu ac ati, cerdyn, prennau lolipop, llinyn/edau trwchus, gleiniau, nodwyddau, pinnau hollt, sisyrnau, glud PVA, tâp clir.

Cyflwyno

Darllenwch Meistrgopi 68 yn uchel. Mae'n dweud fod cwmni cyhoeddi yn bwriadu cynhyrchu cyfres newydd o lyfrau plant ac yn dymuno creu set o deganau i'w gwerthu gyda'r llyfrau. Eglurwch eu bod wedi penderfynu gofyn cyngor arbenigwyr, h.y. plant. Yna, dangoswch rai o'r pethau sydd wedi eu dylunio oherwydd y cyfryngau e.e. llyfrau, ffilmiau ac ati. Trafodwch y rhesymau dros gynhyrchu'r pethau hyn – h.y. i hyrwyddo'r cynnyrch gwreiddiol ac i wneud arian a soniwch eu bod yn ddeniadol, yn enwedig i blant! Hefyd, trafodwch ystyr y gair 'prototeip' ac egluro nad oes raid iddynt wneud tegan i'w werthu ond gwneud model i enghreifftio eu syniadau ar gyfer y gwneuthurwr.

Dylunio

Anogwch y plant i edrych drwy lyfrau gartref ac/neu yn yr ysgol i chwilio am gymeriadau addas y gallent eu defnyddio fel sail ar gyfer eu dylunio. (Efallai y byddai'n well nodi ar gyfer pa oedran y bwriedir dylunio'r model – babanod neu blant ieuaf yr ysgol gynradd e.e.) Yna, gofynnwch iddynt luniadu a lliwio lluniau bychan o'r cymeriadau posibl – yn ddelfrydol llun ohonynt yn sefyll ac yn eu hwynebu. Rhaid iddynt wedyn ddewis un i'w ddatblygu ymhellach a gwneud lluniad mawr, mwy manwl. Gellir labelu'r llun hwn i ddangos lliw, patrwm ac ati.

Gwneud

Gellir defnyddio Meistrgopi 69 ar gyfer y dasg hon. Dangoswch fodel o'r dyluniad pyped-lifer-siâp-Y (a wnaed yn y dasg Benodol) ac adolygu'r camau a wnaed wrth ei fodelu. Yna, rhowch bedwar pren lolipop i bob plentyn a dangos sut i wneud tyllau ynddynt drwy ddefnyddio tyllwr llygadennau. Ar gyfer pob un, dylid gwneud un twll ar y pen ac un arall 2cm ar i mewn oddi wrtho. (Gellir gwneud y dasg hon fel unigolion neu mewn grwpiau bychan gyda help oedolyn.) Yna, dylid torri darn o edau tua 60cm o hyd a chan ddefnyddio nodwydd, ei wthio drwy'r twll ar ben un pren lolipop (gan adael un gynffon hir) a'i glymu (Llun 9).

Dylid ailadrodd y cam hwn gyda phob un o'r pedwar pren lolipop.

Y cam nesaf yw torri dau ddarn o gerdyn 10cm x 10cm a thorri tyllau yng nghorneli pob un gan ddefnyddio pwns cyffredin. Os tyllir y ddau ddarn yr un pryd bydd y tyllau yn cyfateb. Yna, dylid rhoi'r prennau lolipop yn sownd wrth y cerdyn gan ddefnyddio pinnau hollt i wneud brechdan –cerdyn, pren lolipop, cerdyn – gan wneud yn siŵr bod pob pin hollt yn mynd drwy'r ail dwll ym mhob pren. Wedyn gellir agor y pinnau gan ofalu peidio â'u pwyso i lawr yn rhy dynn neu fydd y prennau lolipop ddim yn gweithio'n iawn (Llun 10).

Pan fydd y prennau lolipop i gyd wedi eu rhoi'n sownd wrth y cerdyn, gellir dod â'r edau i gyd i un ochr. Yna, gellir clymu'r rhain ynghyd, ar ôl gwneud yn siŵr fod y breichiau a'r coesau i gyd yn pwyntio ar i lawr. Dylid rhoi glain ar y pedwar llinyn wedyn a'u plygu yn un cwlwm mawr (Llun11).

Yna, gall y plant addurno eu pypedau. Yn gyntaf, rhaid iddynt luniadu a thorri sgwâr 10cm x 10cm ar gerdyn fel sylfaen i'w cymeriad. Bydd y gwaith addurno'n dibynnu ar ddyluniad pob unigolyn. Er enghraifft, gellir ehangu'r sgwâr i ychwanegu sgert, clogyn, cot ac ati. Rhaid cofio y bydd yn rhaid gwneud trowsus, llewys ac ati ar wahân fel y gellir eu rhoi'n sownd wrth y prennau lolipop. Yna, gellir lliwio'r corff, ei dorri allan a'i ludio yn ei le ar y model gan ddefnyddio glud PVA neu lud tebyg. Gellir defnyddio stwffwl o dan bob braich os oes angen. Yn nesaf, dylid lluniadu pen, gyda gwddf 4cm o hyd, a'i dorri allan. Dylid addurno hwn a'i roi'n sownd wrth gefn y corff gyda thâp (Llun 13). Gellir addurno mwy ar y pyped gan ddefnyddio secwinau, gleiniau, plu ac ati.

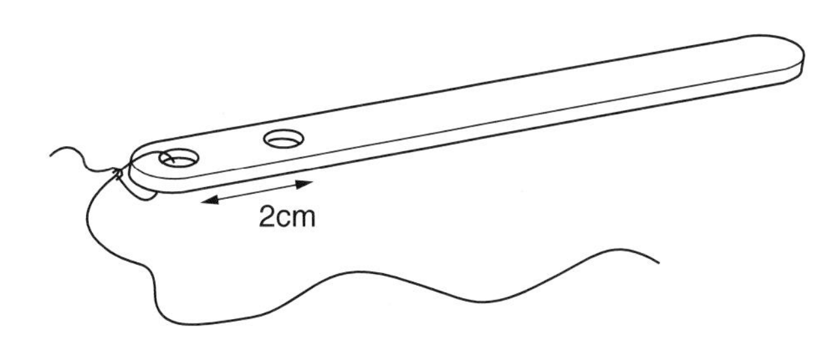

Llun 9

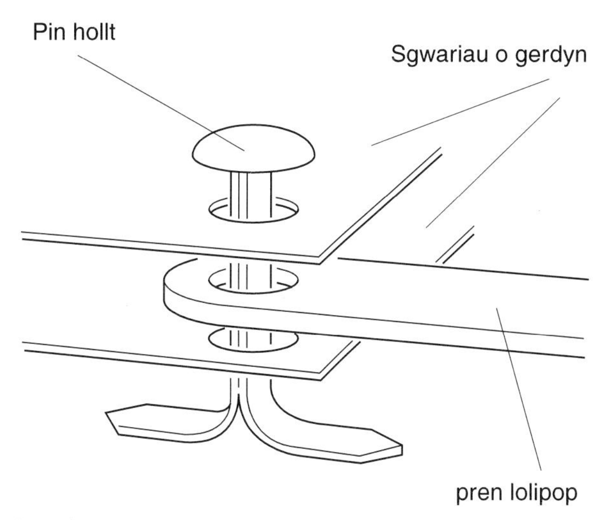

Llun 10

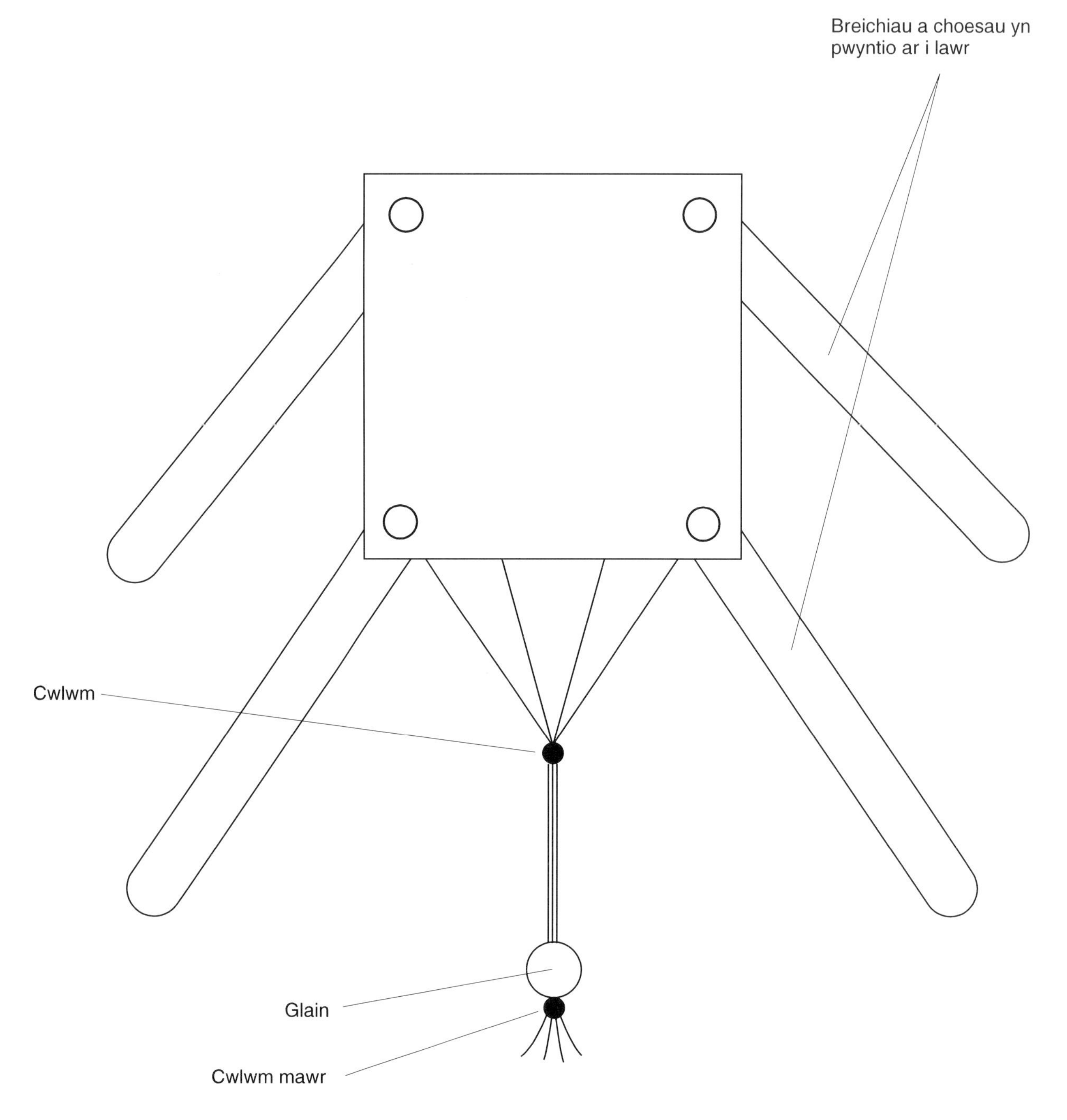

Llun 11

Gwerthuso
Dylid annog y plant i werthuso gwaith ei gilydd, gan awgrymu gwelliannau. Yna, gellir arddangos y pypedau ar y wal, ynghyd â'r dyluniadau a'r llyfrau roedd y cymeriadau'n ymddangos ynddynt.

'TROI'R TAP'

Nodau dysgu

Sgiliau dylunio
Dylai disgyblion gael y cyfle i:

- ddefnyddio eu gwybodaeth flaenorol am liferi a chynnyrch sy'n defnyddio liferi
- wneud lluniadau wrth raddfa er mwyn cyflwyno dyluniad manwl-gywir
- ddefnyddio papur sgwariau er mwyn cynhyrchu lluniadau manwl-gywir
- gynhyrchu lluniadau wedi eu labelu neu luniadau taenedig i ddangos y dull adeiladu

Sgiliau gwneud
Dylai disgyblion ymarfer:

- dargopïo a gwneud patrymau
- defnyddio snipydd neu gyllell gelf a phren mesur diogel
- dewis defnyddiau addas a dulliau o uno/asio
- torri a siapio pren gan ddefnyddio haclif fechan a bach mainc
- torri gwifren gan ddefnyddio gefelen neu dorrwr gwifrau
- profi dyfais yn llwyr.

Gwybodaeth a dealltwriaeth
Dylai'r disgyblion ddysgu:

- gwerthuso cynnyrch sy'n defnyddio liferi
- mai lleiaf yn y byd o rym sydd ei angen po fwyaf y pellter o'r colyn/pwysbwynt
- bod tri math gwahanol o liferi
- bod mesur gofalus a phrofi yn cynhyrchu dyfais fwy defnyddiol.

Geirfa: lifer, colyn, ymdrech, llwyth, 'cyflwr gorffenedig', addasu.

TASGAU YMCHWILIOL

Defnyddiau/offer sydd eu hangen: Meistrgopïau 70 a 71, rhywbeth trwm, clorian si-so, pwysynnau clorian, pwysynnau 100g, clorian sbring, llinyn, prennau mesur, pensiliau, casgliad o offer sy'n defnyddio gwahanol fathau o liferi.

Tasg 1

Eglurwch mai mecanweithiau i gynyddu /gryfhau ymdrech yw liferi. Po fwyaf y pellter rhwng y colyn (pwysbwynt) a'r grym a ddefnyddir, a pho hiraf y lifer, lleiaf yn y byd o ymdrech fydd ei angen. Yna, gan ddefnyddio pensil fel colyn a phren mesur fel lifer, dangoswch ei bod yn haws codi rhywbeth trwm – e.e. bocs neu botyn o baent – drwy wthio i lawr ar ben y lifer yn hytrach nag ar ei ganol (Llun 1). Yn nesaf, gofynnwch i blentyn gau'r drws gan ddefnyddio un bys yn agos i'r colfachau. (Cymerwch ofal nad yw'n cau ei fysedd yn y drws!)) Gwnewch yr arbrawf eto gan ofyn iddynt wthio canol y drws ac yna yr ochr bellaf oddi wrth y colfachau. Eto, dylai hyn ddangos po hwyaf y lifer, hawsaf yw'r dasg (Llun 2).

Tasg 2

Gosodwch y glorian si-so gyda phwysyn clorian wedi ei hongian hanner y ffordd ar hyd un ochr, h.y. pwynt 5 ar yr ochr A. Cydbwyswch hwn â phwysyn wedi ei hongian yn yr un man ar yr ochr B. Mae hyn yn dangos, pan fydd y llwyth a'r ymdrech yn gyfartal eu pellter o'r colyn fe fyddant yn cydbwyso (Llun 3). Yna, ychwanegwch bwysyn arall i'r ochr A ar bwynt 5, felly'n dyblu'r llwyth. Gofynnwch i'r plant awgrymu sut y gellid gwneud i'r glorian si-so fod yn gytbwys eto. Mae'n siŵr y byddant yn awgrymu rhoi pwysyn arall ar bwynt 5 ar yr ochr B. Dangoswch iddynt fod hyn yn iawn. Gofynnwch iddynt awgrymu dull arall sydd ddim ond yn defnyddio un pwysyn. Fel rheol, byddant yn awgrymu symud y pwysyn ar yr ochr B at allan. Dangoswch iddynt fod hyn yn iawn. Os dodir pwysyn ar bwynt 10 ar yr ochr B bydd yn gyfartal â'r ddau bwysyn ar bwynt 5 (Llun 5). Y rheswm am hyn yw fod y pellter o'r colyn i'r pwynt 10 ddwywaith y pellter o'r colyn i bwynt 5. Felly, er mwyn i'r si-so fod yn gytbwys, rhaid i'r grym, wedi ei luosi â'r pellter, fod yn gyfartal ar bob ochr, h.y. mae 2 bwysyn ar bwynt 5 yn gyfartal ag 1 pwysyn ar bwynt 10, 2 x 5 = 1 x 10. Defnyddiwch Meistrgopi 70 i ategu hyn.

Tasg 3

Mae tri math o lifer. Defnyddiwch yr arbrofion a ganlyn i'w cyflwyno. Yna, dangoswch i'r plant enghreifftiau o bob un. I'r arbrofion, gallech ddefnyddio clorian sydd â bar llorweddol y gellir ei roi'n sownd wrth yr unionsyth mewn gwahanol safleoedd, ond gan mai ychydig o

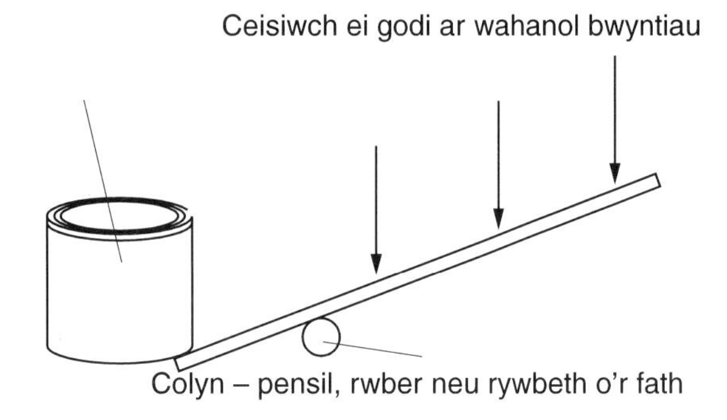

Llun 1

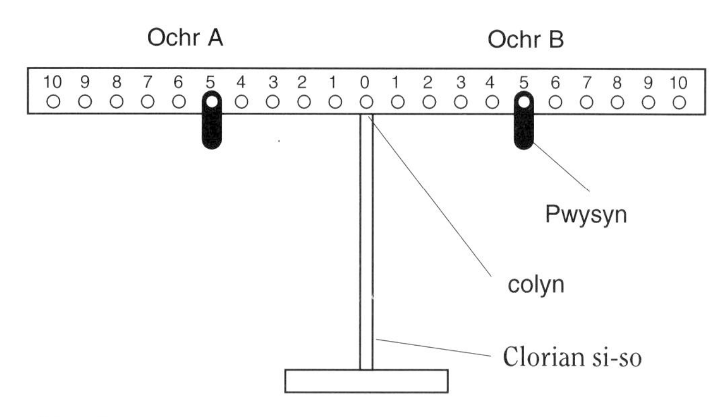

Llun 3

Llun 2

Mae lifer hwy yn golygu llai o ymdrech

10 9 8 7 6 5 4 3 2 1 0 1 2 3 4 5 6 7 8 9 10

2

1

2 x 5

1 x 10

Llun 4

ysgolion sy'n gallu cael gafael ar yr offer hwn, darluniwyd yr arbrofion yn defnyddio clorian si-so safonol.

Lifer – Dosbarth 1
Mae'r colyn rhwng y llwyth (pwysau) a'r ymdrech (Llun 5).

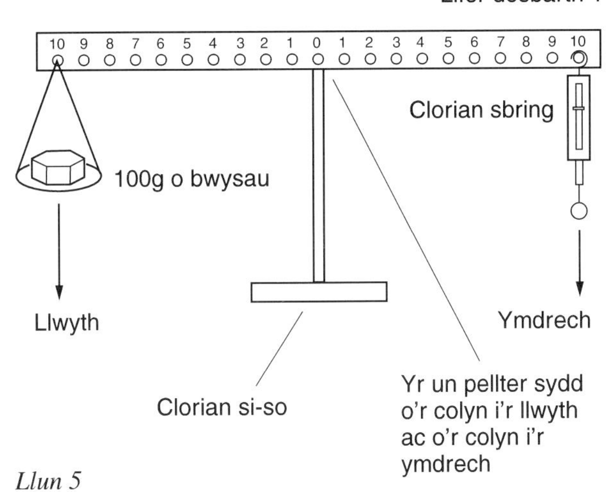

Llun 5

Dylid gosod y glorian fel bod y llwyth – pwysyn 100g yma – yn hongian o un pen i'r glorian si-so, y glorian sbring yn y pen arall a'r colyn yn y canol. Yr un pellter sydd o'r llwyth ac o'r ymdrech at y colyn, felly dylai'r glorian sbring ddangos pwysau normal y llwyth. Bydd symud y llwyth yn nes at y colyn yn creu mantais, h.y. mae'r lifer yn hwy ac felly bydd angen llai o ymdrech. Esiamplau o liferi o'r dosbarth cyntaf yw sisyrnau, gefeiliau, gefelau, gwelleifiau, trosolion.

Lifer – Dosbarth 2
Mae'r llwyth rhwng yr ymdrech a'r colyn (Llun 6). Dylid gosod y glorian fel bod y pwysyn 100g yn sownd wrth bwynt hanner y ffordd ar hyd y glorian a'r grym yn cael ei roi ar y pen ar yr un ochr. Er bod y llwyth a'r grym yr un pellter oddi wrth ei gilydd, mae'r grym ddwywaith

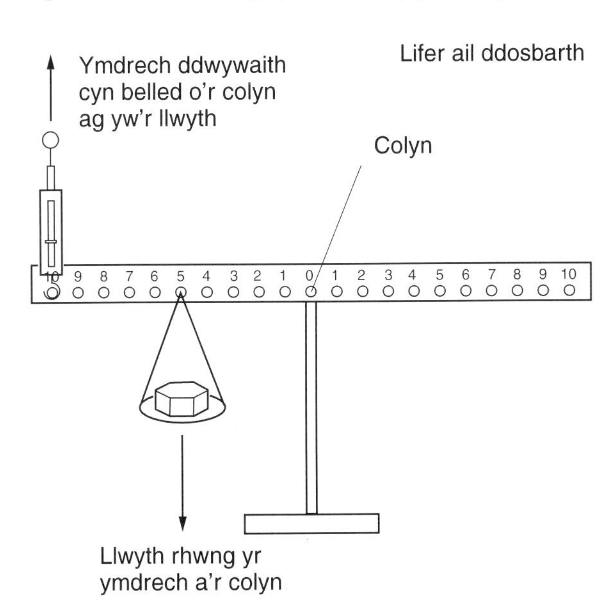

Llun 6

cyn belled oddi wrth y colyn. Mae hyn yn creu lifer hir, ac mae'r glorian sbring yn dangos llai o ymdrech o'i chymharu ag yn yr arbrawf blaenorol. Bydd symud y pwysyn yn nes at y colyn yn lleihau'r ymdrech a rhoi gwell mantais.

Esiamplau o liferi ail ddosbarth yw torrwr cnau, malwr garlleg, berfa a pwns tyllu.

Lifer – Dosbarth 3
Mae'r ymdrech rhwng y colyn a'r llwyth (llun 7).

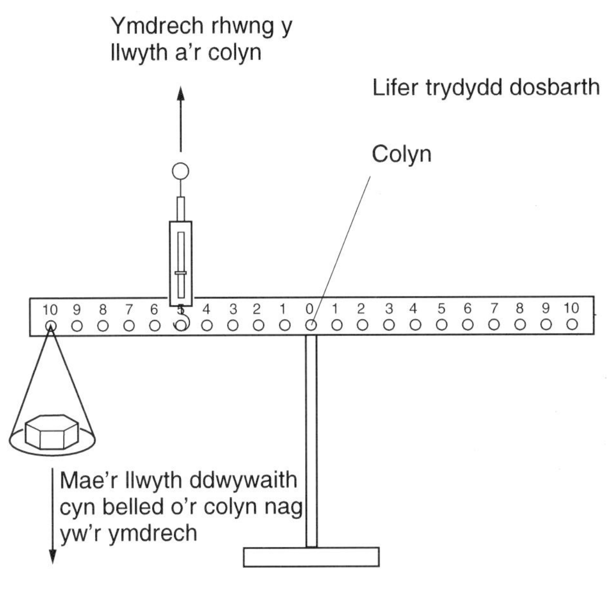

Llun 7

Dylid gosod y glorian fel bod y llwyth yn hongian ar ben y glorian a'r glorian sbring hanner y ffordd ar hyd yr un ochr. Mae'r ymdrech a'r llwyth yr un pellter oddi wrth ei gilydd, ond mae'r llwyth ddwywaith cyn belled oddi wrth y colyn ag yw'r ymdrech. Felly, mae'r glorian sbring yn dangos mwy o ymdrech, gan fod y lifer yn fyr iawn. Er ei bod yn anoddach gweithio'r system hon na'r ddwy arall, gall hyn fod yn fantais wrth ddelio â llwyth bregus, pan fo angen rheolaeth.

Esiamplau o liferi trydydd dosbarth yw, gefel siwgwr, pliciwr a rhan isaf y fraich (Llun 8).

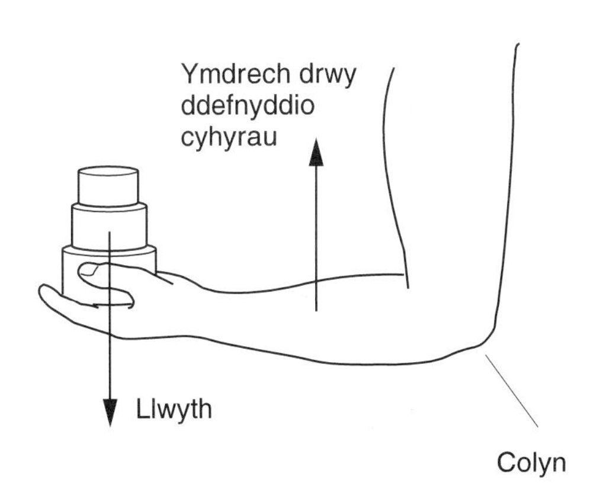

Llun 8

Gellir defnyddio Meistrgopi 71 i adolygu'r gwaith sydd yn yr adran hon. Mae Llun 9 yn dangos y daflen 'Meistrgopi' wedi ei chwblhau yn gywir.

Atebion i Meistrgopi 71

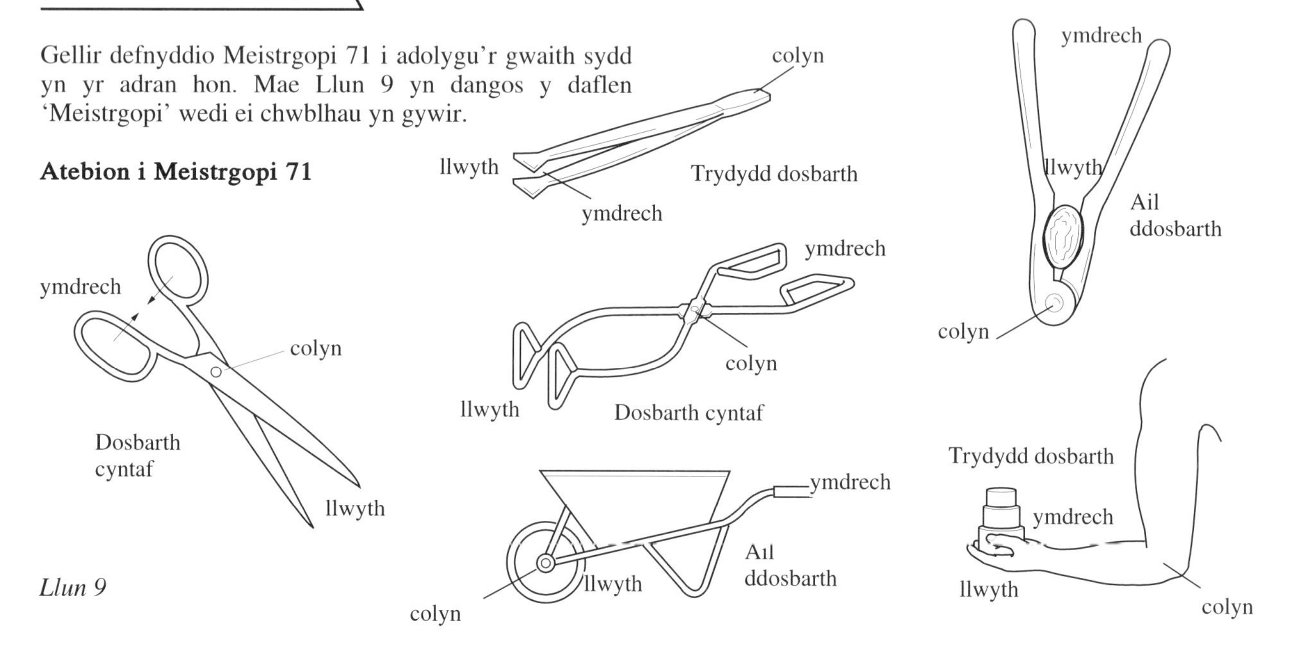

Llun 9

TASGAU YMARFEROL PENODOL

Defnyddiau/offer sydd eu hangen: Meistrgopi 72, papur dargopïo, cerdyn trwchus/ plastig rhychiog, snipyddion/cyllyll celf, prennau mesur diogel, matiau torri, pinnau hollt, hoelbren, haclifiau bychan, bachau mainc, glud PVA, tâp clir, pinnau bawd, padiau rwber/Blutak ®/Velcro® .

Tasgau cyntaf

Yn gyntaf, trafodwch yn gyffredinol pa broblemau sydd gan bobl anabl a'r henoed. Yna, dywedwch wrth y plant eu bod yn mynd i wneud teclyn i helpu rhywun sydd mewn cadair olwyn, neu rywun sydd yn methu plygu'n dda iawn, i godi rhywbeth o'r llawr.

Cynnig 'help llaw'

Dechreuwch drwy ofyn i'r plant ddargopïo'r patrwm a ddangosir ar Meistrgopi 72 ar blastig rhychiog neu gerdyn trwchus. Yna, rhaid torri'r ddau ddarn allan gan ddefnyddio naill ai snipydd neu gyllell gelf a phren mesur diogel a mat torri. (Dylid eu hatgoffa sut i ddefnyddio'r offer yn ddiogel.) Dylid eu huno gan ddefnyddio pin hollt neu rywbeth tebyg yn y mannau a nodwyd. Byddai pensil miniog yn gwneud twll digon mawr i roi'r pin hollt trwyddo, ond dylid defnyddio dril papur neu bwns tyllu i sicrhau symudiad rhydd (Llun 10).

Yn nesaf, gofynnwch i'r plant wneud coesau i'r teclyn allan o gerdyn/hoelbren. Rhaid iddynt yn gyntaf benderfynu ar hyd y coesau. Dylai'r plant weithio yn barau i ddarganfod hyn, gydag un plentyn yn mesur faint sydd angen ei ychwanegu at hyd y teclyn tra bydd y partner yn eistedd ac yn ceisio'i ddefnyddio. Pan fydd y coesau wedi eu gwneud gellir eu rhoi yn sownd gan ddefnyddio glud neu dâp. Yn olaf, anogwch y plant i roi prawf ar eu dyfais orffenedig drwy geisio codi pethau o wahanol faint o'r llawr.

Gweithgaredd estynedig

I ymestyn y gweithgaredd, gofynnwch i'r plant addasu'r teclyn er mwyn ei wneud yn well at godi pethau. Gellid ychwanegu padiau rwber, Blu–tak® neu Velcro® at y pennau i'w gwneud hi'n haws i godi pethau bychan, neu gellid rhoi magnet ar bob pen i godi pethau metel (Llun 11). Efallai yr hoffai rhai plant wneud teclyn sy'n plygu, gan ddefnyddio pinnau bawd i roi'r coesau yn sownd fel y gallant blygu ar yn ôl.

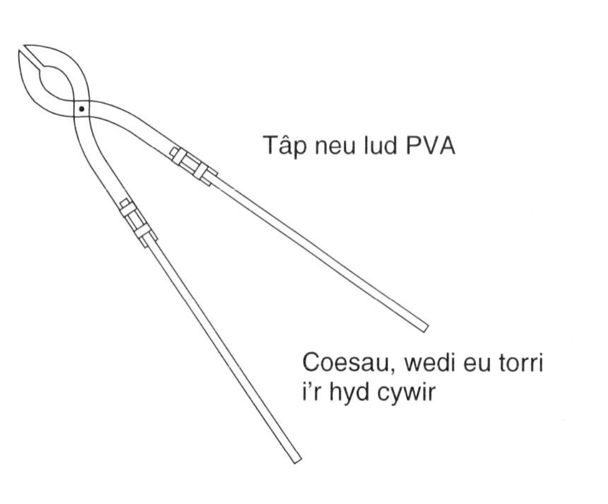

Llun 10

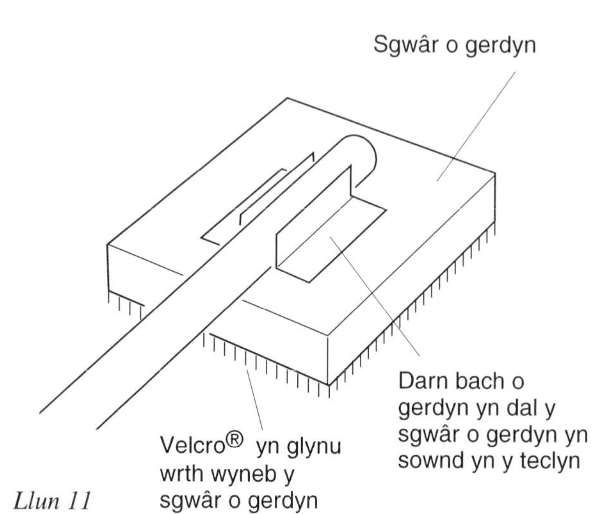

Llun 11

ASEINIAD DYLUNIO A GWNEUD

Amcan: Dylunio a gwneud dyfais i helpu'r henoed neu berson sy'n dioddef o'r gwynegon i droi'r tap.

Defnyddiau/offer sydd eu hangen: Meistrgopi 73, darnau o bren, ramin/jelutong, cerdyn trwchus, haclifiau bychan, bachau mainc, darnau o ffabrig (rhai cryf yn ddelfrydol e.e. lledr, melfaréd, denim), snipydd, gwifren, torrwr gwifrau, bandiau rwber, pinnau bawd, pinnau hollt, glud PVA, hoelion bach, morthwylion, gynnau glud, casgliad o wahanol fathau o ddyfeisiadau ffitio tapiau, papur sgwariau.

Cyflwyno

Os yn bosibl, gwahoddwch ffrind sy'n anabl, yn dioddef o'r gwynegon neu mewn oed i'r ysgol i egluro pa broblemau maent yn eu hwynebu wrth wneud gorchwylion-bob-dydd. Gofynnwch a ydynt yn ei chael hi'n anodd i droi'r tap. Yna, eglurwch fod y plant yn mynd i'w helpu drwy ddylunio dyfais i'w gwneud yn haws iddynt droi'r tap. (Er bod llawer o ddyfeisiadau ar y farchnad byddai'n ddoeth i beidio â dangos y rhain hyd ddiwedd y project.)
Dylid gadael i'r plant ddylunio'r teclyn yn annibynnol. Fodd bynnag, mae Meistrgopi 73 yn rhoi canllawiau.

Dylunio

Gofynnwch i'r plant edrych ar wahanol fathau o bennau tapiau o amgylch yr ysgol ac yn eu cartrefi ac, os yn bosibl, wneud casgliad ohonynt yn y dosbarth. Dewiswch un tap yn yr ysgol i'w ddefnyddio fel enghraifft. Yn ddelfrydol, dylai hwn fod yn agos i'r man gweithio, e.e. yn yr iard, yn y gegin, yr ystafell athrawon neu yn y toiledau os nad oes unman arall. Dylai parau neu grwpiau fesur y tap yn ofalus a gwneud lluniad i weithio arno. Os byddai'r gweithgaredd hwn yn creu gormod o helbul, gwnewch un lluniad ymlaen llaw a'i lungopïo ar gyfer y dosbarth.
Y cam nesaf yw i bob plentyn luniadu ychydig o ddyluniadau, ac yna yn eu grŵp ddewis yr un gorau i'w ddatblygu. Dylech eu hatgoffa nad y lluniad gorau ddylid ei ddewis o anghenraid ond y syniad mwyaf ymarferol. Anogwch y plant i ddefnyddio papur sgwariau neu bapur graff i sicrhau dyluniad manwl-gywir. Hefyd, dylai eu dyluniadau ddangos pa ddefnyddiau a ddefnyddir a dylid eu labelu i ddangos sut y bydd pob dyfais yn cael ei rhoi ynghyd. Mae Lluniau 12 ac 13 yn ddwy esiampl o ddyluniadau posibl.

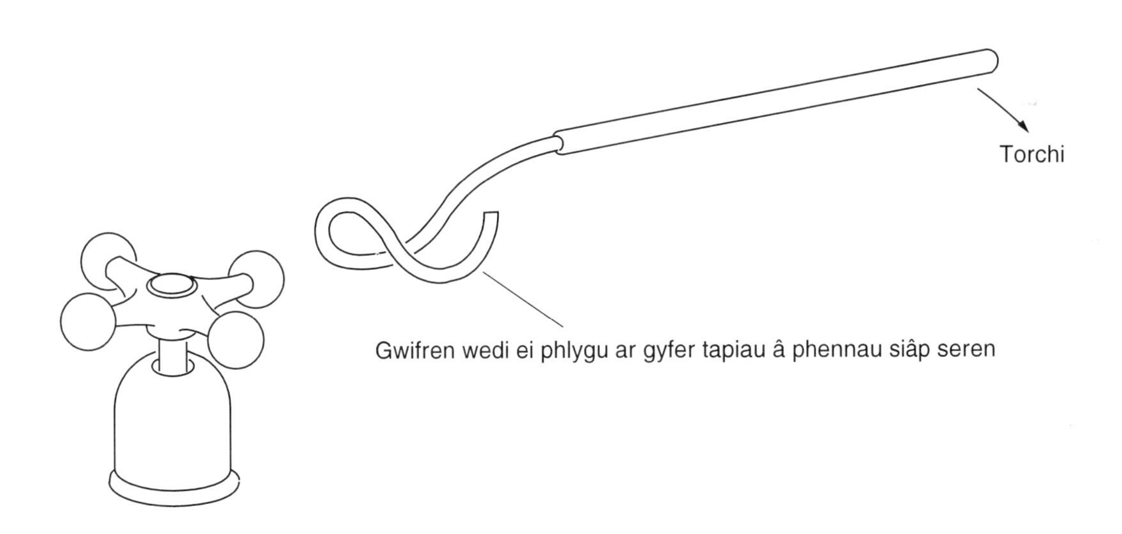

Llun 12

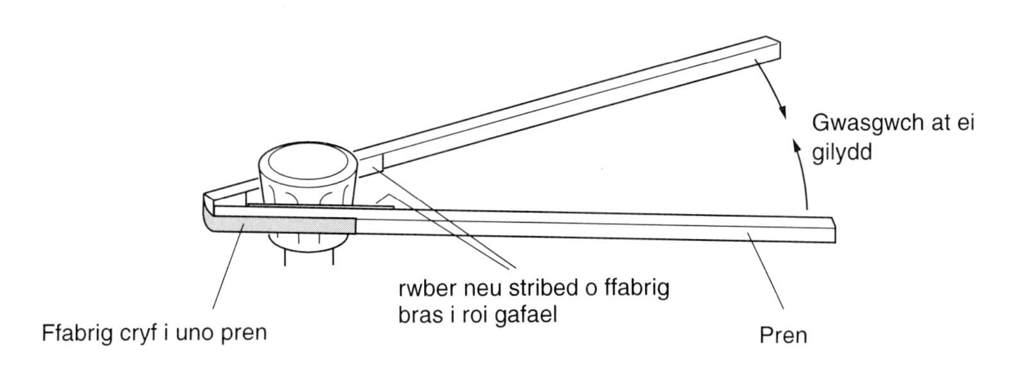

Llun 13

Gwneud

Cyhyd ag sy'n bosibl, y plant ddylai drefnu'r gweithgaredd. Fodd bynnag, efallai y bydd angen adolygu rheolau diogelwch sylfaenol y mae'n rhaid eu dilyn wrth dorri, gludio ac ati. Hefyd, dylid eu hatgoffa y dylai'r cynnyrch fod o ansawdd da. Dylid eu hannog i wirio eu dyfais nifer o weithiau yn ystod y gweithgaredd i sicrhau bod eu dyluniad yn un y gellir ei wneud. Os bydd problemau, gellid addasu'r dyluniad, ond dylai'r plant gofnodi unrhyw newidiadau.

Gwerthuso

Rhaid profi'r ddyfais yn drwyadl ar ddiwedd y project. Os oedd ymwelydd yn yr ysgol ar ddechrau'r gweithgaredd, gellid ei wahodd i ddod i weld y canlyniadau. Byddai hyn yn rhoi pwrpas i'r gweithgaredd ac yn golygu fod y gwerthuso yn fwy diduedd. Dylid gwerthuso'r dyfeisiadau o safbwynt hwylustod eu defnyddio gydag un llaw ac hefyd o safbwynt effeithiolrwydd – i weld a fydd y ddyfais yn troi'r tap ai peidio! Dylid ystyried ymddangosiad a theimlad y ddyfais. Yn olaf, dylai'r plant ysgrifennu adroddiad llawn, gan nodi unrhyw newidiadau a wnaed i'w dyluniad gwreiddiol, effeithiolrwydd eu dyfais ac unrhyw addasiad fyddai angen ei wneud cyn y gellid ei weithgynhyrchu. Hefyd, gellid gofyn iddynt gyflwyno eu dyfais fel pe baent yn ceisio'i werthu i weithgynhyrchydd.

UNED 8: OLWYNION AC ECHELAU

FFRÂM SIASI 2D

Nodau dysgu

Sgiliau dylunio
Dylai disgyblion gael cyfle i:

- astudio mecanweithiau nifer o deganau sy'n symud
- drafod ar gyfer pwy mae cerbyd wedi ei wneud a sut y byddent yn ei ddefnyddio
- greu a dylunio o siâp sylfaenol, gan ystyried ei bwrpas a'r defnyddiwr
- gynllunio sut i wneud eu model.

Sgiliau gwneud
Dylai disgyblion ymarfer:

- dilyn cynllun cam wrth gam i wneud model
- asio, mesur a thorri pren yn gywir
- defnyddio haclif fechan a bach mainc yn gywir
- asio pren, gan ddefnyddio trionglau o gerdyn
- gwneud dalwyr echel a'u cyfunioni a thorri hoelbren i ffitio
- torri, rhychu ac adeiladu rhwyd yn gywir
- torri allan a gludio siapiau, yn daclus, fel addurn
- profi a gwerthuso cynnyrch gorffenedig.

Gwybodaeth a dealltwriaeth
Dylai'r disgyblion ddysgu:

- sut y defnyddir olwynion i symud cerbyd
- fod yn rhaid gwneud olwynion yn gaeth pan fydd yr echel yn llac ond gall olwynion fod yn llac pan fydd yr echel yn gaeth
- sut y defnyddir berynnau i roi'r echel yn sownd
- am rwydi
- am ddyluniad ceir a deall fod gan gerbydau wahanol nodweddion.

Geirfa: haclif, bach mainc, ffrâm 2D, echel, cap both, olwyn, rhwyd, gwerthuso, rhychu, plyg/ plyg o chwith

TASGAU YMCHWILIOL

Defnyddiau/offer sydd eu hangen: Meistrgopi 74; casgliad o deganau sy'n symud, lluniau o geir o lyfrau, ffilmiau a phapurau newydd.

Tasg 1
Rhowch gopïau o Meistrgopi 74 i'r plant. Gofynnwch iddynt gysylltu'r lluniau â darnau cywir o wybodaeth. Neu, gellir gwneud gêm gofio drwy ludio'r daflen ar gerdyn a thorri'r sgwariau allan. I chwarae'r gêm bydd yn rhaid i'r plant roi'r cardiau a'u hwyneb i waered ar y bwrdd. Yna, yn eu tro ddewis dau gerdyn a'u troi wyneb i fyny. Os yw'r ddau gerdyn yr un fath, gellir eu rhoi o'r neilltu a chymryd tro arall. Os nad yw'r ddau gerdyn yr un fath, rhaid eu troi wyneb i waered eto a'r chwaraewr nesaf yn cael tro. Gellir dal ati i chwarae'r gêm nes darganfod pob pâr o gardiau.

Tasg 2
Gofynnwch i'r plant ddod â gwahanol fathau o deganau-sy'n-symud o gartref. Helpwch unigolion i ddisgrifio i weddill y dosbarth sut mae un o'u teganau yn gweithio. Yna, anogwch y grŵp i archwilio eu mecanweithiau. Dylai pob plentyn luniadu un o'u teganau ac ysgrifennu ychydig frawddegau am ei fecanwaith.

Tasg 3
Gan ddefnyddio lluniau o gerbydau o ffilmiau, llyfrau, papurau newydd ac ati, gofynnwch i'r plant ddisgrifio pob car a'r math o berson fyddai yn ei yrru. Dylent ganolbwyntio ar gymeriad y person a'r math o gar y byddai'n debyg o'i ddewis, e.e. cyflym, lliwgar, ymarferol, araf, anghyffredin. Yna, gallent ddechrau dylunio car ar gyfer person maen nhw'n ei adnabod.

TASGAU YMARFEROL PENODOL

Defnyddiau/offer sydd eu hangen: Meistrgopïau 29, 30 a 75; ramin/jelutong, haclifiau bychan, glud PVA, trionglau o gerdyn, bachau mainc, hoelbren 4.5mm, olwynion MDF, tiwb plastig, Connect-O-Mec®, tiwb, pegiau dillad, tiwbiau biro, bandiau rwber, cylchoedd-O rwber a ddefnyddir gan blwmwr/sbwng ynysu ar gyfer pibau, sgwarynnau, gynnau glud, papur sgwariau centimetr.

Tasgau cyntaf

Gwneud siasi 2D
(I baratoi ar gyfer y tasgau hyn, gwnewch gopïau o Meistrgopïau 29 a 30 ar gerdyn.) Er mwyn defnyddio'r siasi gyda'r rhwyd ar gyfer ffrâm car ar Meistrgopi 78, bydd yn rhaid i'r siasi fod yn 13cm x 6 cm. Bydd ar bob plentyn angen tua hanner metr o jelutong neu ramin a thrionglau o gerdyn. Gofynnwch iddynt fesur a thorri dau ddarn o ramin neu jelutong 15 cm o hyd. (Os nad ydynt yn gyfarwydd â'r dechneg o ddefnyddio bachau mainc a haclifiau bychan, dyma gyfle da i'w cyflwyno – gweler Technegau, offer a storio, tudalen 111.) Yna, dylent dorri dau ddarn o ramin 5cm o hyd. Wedi torri'r pedwar darn o bren, dylai'r plant eu gosod fel y'u dangosir yn Llun 1. Er mwyn llwyddo i gael onglau sgwâr cywir, dylid defnyddio sgwarynnau neu fatiau wedi eu gwneud o bapur sgwariau centimetr wedi eu lamineiddio. (Mae Meistrgopi 30 wedi ei sgwario mewn centimetrau.)

Y cam nesaf yw asio'r darnau pren ynghyd gan ddefnyddio trionglau o gerdyn. Rhaid gludio'r trionglau yn ofalus ar hyd y corneli, ar y ddwy ochr i'r ffrâm, gan ddefnyddio haenen o lud PVA. Gellid defnyddio gwn glud, ond nid yw hynny'n angenrheidiol fel arfer.

Tasgau annibynnol

Gwneud dalwyr echelau a berynnau
Yn nesaf, dylai'r plant roi echelau a berynnau yn sownd wrth eu siasis. Mae sawl ffordd o wneud dalwyr echelau

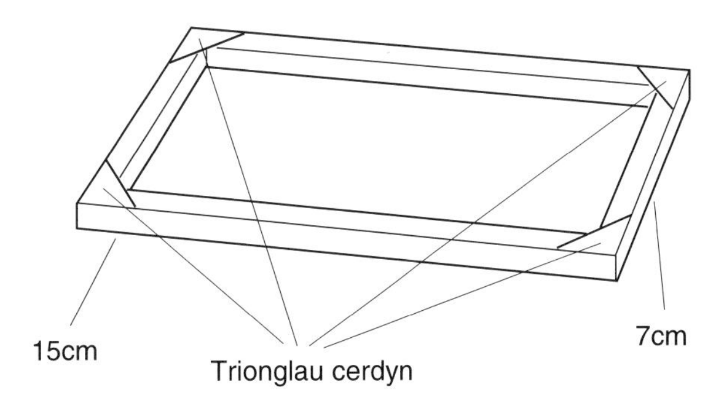

Llun 1

neu ferynnau – disgrifir ar Meistrgopi 75: naill ai rhoi'r olwyn yn sownd wrth yr echel, a'r holl beth yn troi yn rhydd, neu mae'r echel yn gaeth a dim ond yr olwynion yn troi. Os yw'r olwynion a'r echel yn rhydd, fydd y cerbyd ddim yn mynd ymhell! Os yw'r cerbyd i gael ei ddefnyddio mewn arbrofion, e.e. profi gwahanol olwynion, yna byddai troelli bandiau rwber o amgylch yr echelau neu ddal yr echel yn dynn, gyda phegiau dillad, yn ddelfrydol. Mae hyn yn golygu y gellid newid echelau, a'r olwynion yn sownd wrthynt, yn rhwydd. Neu, gellid defnyddio casynnau peniau plastig neu rywbeth tebyg. Os bydd y plant yn defnyddio cydrannau plastig, rhaid eu hatgoffa i sgriffinio'r arwynebedd gyda phapur gwydrog i'w garwhau cyn gludio.

Gwneud olwynion
Gellir gwneud olwynion i'r cerbyd drwy ddefnyddio gwahanol ddefnyddiau o gaeadau potiau jam i olwynion pren a weithgynhyrchwyd. Mae'r olwynion a gynhyrchwyd o bren bedw yn ddrud ac olwynion cartref braidd yn rhy hyblyg, felly cyfaddawd da yw olwynion MDF. Gellir gwneud teiars o gylchoedd-O rwber fel a ddefnyddir gan blwmwr neu o ddarnau o sbwng ynysu pibau. (Pan fyddwch yn uno olwynion i wneud trac treigl, mae cerdyn rhychiog yn ddefnydd delfrydol.)

Os yw'n anodd cael yr echel i ffitio i'r twll yn yr olwyn, miniogwch ben yr echel gyda miniogwr pensil. Hefyd, i rwystro i'r olwynion ddod oddi ar yr echelau, naill ai gelllir rhoi glain ar y pen neu dorri darn byr o diwb i'w roi drostynt. Os oes raid tynnu'r olwynion i ffwrdd yn aml, byddai band rwber wedi ei droelli o amgylch pen yr echel yn ddigon.

ASEINIAD DYLUNIO A GWNEUD

Amcan: Dylunio a gwneud cerbyd sy'n symud ar gyfer cymeriad sy'n ymddangos mewn llyfr, ar ffilm neu ar y teledu.

Defnyddiau/offer sydd eu hangen: Meistrgopïau 76, 77, 78, 79 a 105, y siasi o'r Tasgau Ymarferol Penodol, rhwydi o gerdyn, cerdyn tenau, coesynnau glud, glud PVA, sisyrnau, prennau mesur, prennau mesur diogel, plastig clir, papur lliw, tiwb plastig, ffoil alwminiwm, gynnau glud, gleiniau, darnau o ffabrig, peniau ffelt, paent, sticeri hunan-ludio.

Cyflwyno

Gwnewch arddangosfa o deganau – casgliad o gerbydau 'matchbox' neu rai tebyg. Trafodwch y gwahaniaeth rhwng ceir a nodweddion gwahanol gerbydau. Hefyd, os yn bosibl, gwnewch gasgliad o luniau o gerbydau yn perthyn i bobl enwog neu gymeriadau mewn ffilmiau, ar y teledu neu mewn llyfrau i'w dangos i'r plant, e.e. Chitty Chitty Bang Bang, Herbie, car Lady Penelope o'r Thunderbirds a'r Batmobile. Yna, eglurwch eu bod yn mynd i wneud cerbyd symudol ar gyfer cymeriad sydd mewn llyfr, ar y teledu neu mewn ffilm.

Dylunio

Dylai'r plant ddewis cymeriad sydd mewn llyfr, ffilm neu ar y teledu, yn ddelfrydol un nad oes ganddo gar, i ddylunio car ar ei gyfer. Yna, dylent luniadu'r cymeriad gan ddefnyddio llyfrau, lluniau ac ati i'w helpu a gwneud lluniad o'r car ar yr amlinell ar Meistrgopi 76. Mae gan y plant siasi sylfaenol eisoes, wedi ei llunio wrth wneud y dasg Ymarferol Benodol ac felly nawr gallant ystyried sut i addurno eu cerbyd.

Yn nesaf, anogwch y plant i wneud eu cerbyd drwy ystyried rysáit. Byddai Meistrgopi 77 yn ddefnyddiol i ddysgu'r sgil hwn.

Atebion i Meistrgopi 77

Gwneud fy nghar

Defnyddiwch bren mesur i fesur y pren. Marciwch y pren gyda phensil. Torrwch ddau ddarn byrrach o bren gan ddefnyddio haclif fechan. Gosodwch y darnau ar ffurf petryal. Torrwch drionglau o gerdyn i'r corneli. Gludiwch yr ochr gyntaf at ei gilydd gan ddefnyddio corneli cerdyn. Trowch y ffrâm drosodd a gludio corneli ar yr ail ochr

.

Yna, dylent ysgrifennu 'rhestr gynhwysion' o'r defnyddiau y bydd arnynt eu hangen a rhestr o'r offer. Gellir defnyddio Meistrgopi 105 i ategu'r dasg hon. Dylid trafod eu cynlluniau yn eu grwpiau i sicrhau eu bod yn ymarferol.

Gwneud

Gellir defnyddio Meistrgopi 78 wedi ei lungopïo ar gerdyn tenau. Dylai'r plant liwio'n ofalus a thorri allan eu rhwyd ar gyfer ffrâm y car. (Gallai plant hŷn, mwy profiadol, addasu eu rhwyd neu hyd yn oed luniadu un eu hunain. Gellir gwneud hyn yn haws drwy lungopïo sgwariau centimetr o Meistrgopi 30 ar gerdyn tenau.) Pan fydd y rhwyd gerdyn wedi ei thorri, gellir rhychu'r llinellau bylchog gan ddefnyddio siswrn a phren mesur diogel. Yna, dylid rhychu'r llinell fylchog ar y tu chwith. Wedi plygu ar hyd y llinellau rhychiog, gall y plant blygu'r tabiau ar i fewn a'u gludio gyda choesyn glud.

Cyn ychwanegu'r ffrâm (corff y car) rhaid i'r plant sicrhau ei bod yn ffitio'n daclus ar y siasi ac nad yw'n ymyrryd â symudiad yr olwynion. Os oes angen, gellir torri dau hanner cylch ar bob ochr i'r ffrâm i ffitio o amgylch yr echelau (Llun 2). Yna, gellir plygu rhan isaf y ffrâm a'u gludio wrth y sylfaen bren â glud PVA.

Torrwch ddau hanner cylch i ffitio o amgylch yr echelau

Llun 2

Y cam nesaf yw addurno'r ffrâm, gan ddefnyddio papur neu blastig clir ar gyfer y ffenestri, tiwb plastig wedi ei orchuddio â ffoil alwminiwm i'r bympar, gleiniau i'r goleuadau ac ati. Dylid annog y plant i bersonoli'r car cymaint ag sydd modd, gan feddwl am y cymeriad y maen nhw'n dylunio'r car ar ei gyfer.

Gwerthuso

Yn gyntaf, dylai'r plant werthuso eu ceir eu hunain gan ddefnyddio Meistrgopi 79. Yn nesaf, gan fod y dasg yn gofyn am gerbyd symudol, dylid profi'r cerbydau i weld a ydynt yn symud. Dull arall o werthuso fyddai arddangos y ceir ynghyd â'r cymeriadau y dyluniwyd hwy ar eu cyfer ac annog y plant i gysylltu 'car' a 'pherchennog'. Gellid cynnig y gweithgaredd fel cystadleuaeth. Neu, gellid creu albwm lluniau, 'Ceir y Sêr', gan ddefnyddio lluniau o'r cymeriadau ochr yn ochr â'r modelau.

TEGANAU CORREX

Nodau dysgu

Sgiliau dylunio
Dylai disgyblion gael y cyfle i:

- luniadu nifer o syniadau cychwynnol
- ddewis a datblygu un dyluniad
- gynnwys tabiau a holltau yn eu dyluniad
- fodelu'r dyluniad mewn cerdyn neu bapur
- ddylunio a gwneud set o batrymluniau.

Sgiliau gwneud
Dylai disgyblion ymarfer:

- defnyddio correx a thorrwr correx
- defnyddio siswrn a/neu dyllwr i rychu
- defnyddio pren mesur diogel a chyllell gelf yn gywir
- uno siapiau drwy ddefnyddio tabiau a holltau
- defnyddio adnoddau yn ofalus i leihau gwastraff.

Gwybodaeth a dealltwriaeth
Dylai'r disgyblion ddysgu:

- fod gan ddefnyddiau wahanol nodweddion a defnydd gwahanol
- sut y gellir gwneud llenddefnyddiau/defnyddiau taflennol anhyblyg yn fwy hyblyg
- sut i addasu correx i wneud y gorau o'i nodweddion
- sut i uno defnyddiau fel correx
- fod dulliau torri, uno ac ati yn amrywio gan ddibynnu ar y math o ddefnydd a ddefnyddir
- gwerthuso cynnyrch a wnaed gan ddefnyddio correx
- gwerthuso teganau y gall plant eu tynnu ar eu holau.

Geirfa: lifer, correx, torrwr correx, cyllell gelf, pren mesur diogel, echel, siasi, gwahanyddion, sianel, bob yn ail, tabiau, rhychog, torrwr tonnog, tyllwr, torrwr union/syth, patrymlun, modelu, addasu.

TASGAU YMCHWILIOL

Defnyddiau/offer sydd eu hangen: Meistrgopïau 80, 81, 82 a 83, correx, rholyn papur cegin, papur wedi ei leinio, pren, pipedau, ffabrig wedi ei wau, cerdyn, papur llyfnu, blociau llyfnu, casgliad o ddarnau o blastig.

Tasg 1
Trafodwch y defnyddiau yn gyffredinol. Gofynnwch i'r plant ddychmygu fod ganddynt ddarn o ddefnydd, nad ydyn nhw ddim yn gwybod beth yw, i'w ddisgrifio a'i brofi. Byrlymwch syniadau am nodweddion y defnydd – e.e. trwm, garw, tryloyw, esmwyth, hyblyg, oer, sgleiniog, crwn a chofnodwch yr awgrymiadau ar ffurf siart. Yna, rhowch ddarn o correx i bob plentyn. Edrychwch drwy'r rhestr nodweddion sydd yn y siart a dewiswch y rhai allai ddisgrifio'r correx. Gellir defnyddio Meistrgopi 81 i ategu'r eirfa berthnasol ac adolygu nodweddion defnyddiau.

Tasg 2
Dewiswch ddwy nodwedd y gellir eu profi, e.e. diddosrwydd, cryfder, gwydnwch. Gofynnwch i'r plant awgrymu arbrofion i brofi'r nodweddion hyn. Yna, gwnewch arbrofion syml fel y rhai a amlinellir isod.

- Arbrawf 1

Gan ddefnyddio piped, gollyngwch dri dafn o ddŵr ar ddarn o correx a darnau o'r un maint o bapur cegin a phapur wedi ei leinio. Cymharwch y gwahaniaethau yn y pyllau dŵr. Defnyddiwch Meistrgopi 82 i gofnodi'r canlyniadau.

- Arbrawf 2

Torrwch ddarnau o'r un hyd o correx, pren a phapur wedi ei leinio. (Gwnewch yn siŵr fod y sianeli ar y correx yn rhedeg yn eu hyd ar y stribed.) Gosodwch y stribedi fel bod dau bentwr o lyfrau yn eu cynnal a rhowch bwysau ar bob pen. Yna, profwch i weld faint o bwysynnau fydd y stribedi yn eu dal. Ailadroddwch yr arbrawf unwaith eto gan ddefnyddio stribed o correx fydd wedi ei dorri y ffordd groes – gyda'r sianeli yn rhedeg ar draws y stribed, a rhoi pwysau ar bob pen. Defnyddiwch Meistrgopi 82 i gofnodi'r canlyniadau.

- Arbrawf 3

Torrwch ddarnau tua'r un maint o correx, gwlân neu ffabrig wedi ei wau, cardfwrdd tenau a phapur cegin. Gosodwch y darnau gyda phinnau bawd neu styffylau ar fwrdd sylfaen. Lapiwch ddarn o bapur llyfnu o amgylch blocyn llyfnu a rhwbiwch bob darn o ffabrig. Cymharwch y gwahaniaethau yn eu hymddangosiad ar ôl 10 rhwbiad, 50 rhwbiad a 100 rhwbiad. Defnyddiwch Meistrgopi 83 i gofnodi'r canlyniadau.

Tasg 3
Gwnewch gasgliad o blastigau o wahanol fath, trwch a lliw; pethau sy'n cynnwys rhywfaint o blastig; neu wahanol fathau o deganau babanod, rhai y maent yn eu tynnu ar eu holau. Gan ddefnyddio'r casgliadau, gofynnwch i'r plant luniadu pob un ohonynt, dweud pa ddefnydd yw pob un ac os yw hynny'n berthnasol sut maent wedi eu huno ynghyd.

Tasg 4
Gellir defnyddio Meistrgopi 80 i adolygu pa wahanol ddefnydd y gellir ei wneud o wahanol ddefnyddiau yn ôl eu nodweddion.

TASGAU YMARFEROL PENODOL

Defnyddiau/offer sydd eu hangen: Meistrgopi 75; darnau o correx (corriflute); datodwyr pwythi (torwyr correx); riwliau metel diogel; cyllyll celf; bwyell dorri papur/gilotîn/tociwr papur; gynnau glud; tâp gludiog ar y ddwy ochr; padiau glynu; matiau torri hunain-adfer; styffylwr; pwns cyffredin; hoelbren; cerdyn; olwynion MDF; tiwb plastig; papur llyfnu; coesau matsys; cerdyn rhychiog; gleiniau; Blu-tack®/Plasticine.

Tasgau cyntaf

Torri corex
Dangoswch sut y gellir torri correx gyda gilotîn neu dociwr papur. (Ni ddylid defnyddio siswrn neu snipydd gan nad ydynt yn gwneud toriad taclus.) Os oes angen, dysgwch i'r plant sut i ddefnyddio riwl ar hyd ymyl y tociwr, neu sut i osod y correx fydd wedi ei farcio i sicrhau toriad unionsyth, sgwâr. Yna, adolygwch sut i fesur a thorri correx gan ddefnyddio riwl diogel a chyllell gelf. Dylid atgoffa'r plant y dylent gadw eu bysedd yn y rhigol ganol a defnyddio mat neu fwrdd torri o dan eu gwaith i osgoi difrodi'r byrddau (Llun 1). Yna, rhowch ddarn o correx iddynt i dorri stribed ohono. Wedyn, dangoswch sut i ddefnyddio torrwr tonnog.

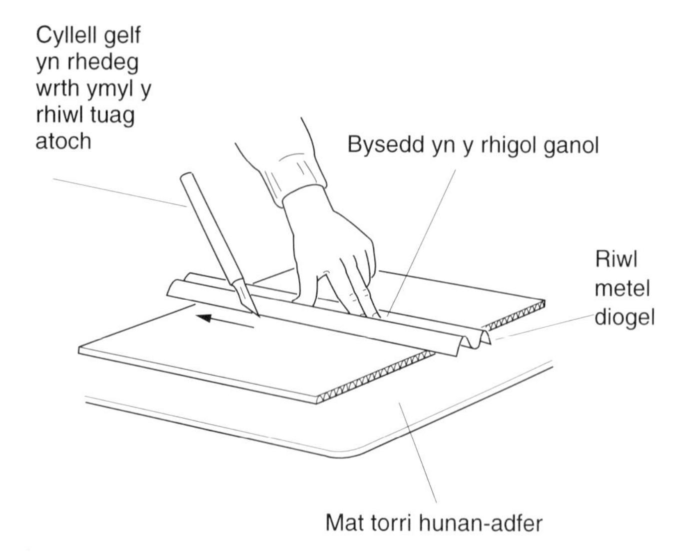

Llun 1

Yn nesaf, dangoswch i'r plant y gellir defnyddio datodwr pwythi i dorri drwy sianeli'r correx. Dylid eu hatgoffa i roi'r pen gleiniog i mewn yn y sianel bob amser rhag niweidio'r haen isaf o blastig (Llun 2). Os byddwch yn torri yr un sianel ar y ddwy ochr bydd y toriad yn mynd drwodd ac fe ddaw'r ddau ddarn oddi wrth ei gilydd. Gall hyn fod yn ddefnyddiol pan fyddwch eisiau torri darn bach o correx neu os nad oes modd defnyddio mathau eraill o offer torri. Yna, gofynnwch i'r plant dorri stribed arall oddi ar eu darn o correx gan ddefnyddio'r dull hwn.

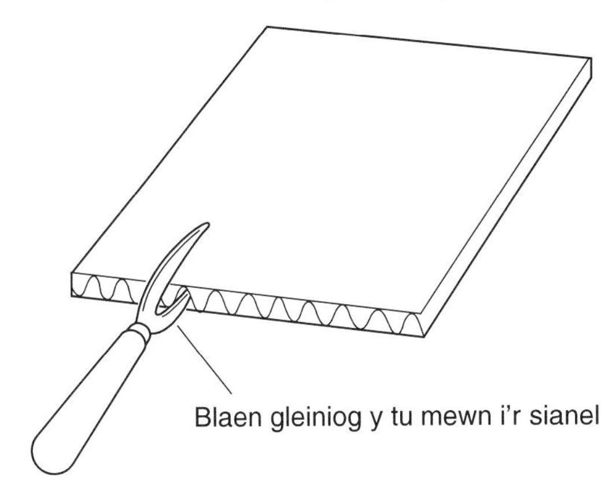

Llun 2

Mae correx yn weddol hyblyg, ond mae'n plygu yn haws os bydd wedi ei sianelu. Dangoswch i'r plant sut i dorri sianeli bob yn ail ar yr un ochr i ddarn o correx. Mae hyn yn golygu y gellir plygu'r defnydd. Gan ddefnyddio stribed o correx, dylent ddefnyddio'r dechneg hon i blygu eu correx yn gylch (Llun 3).

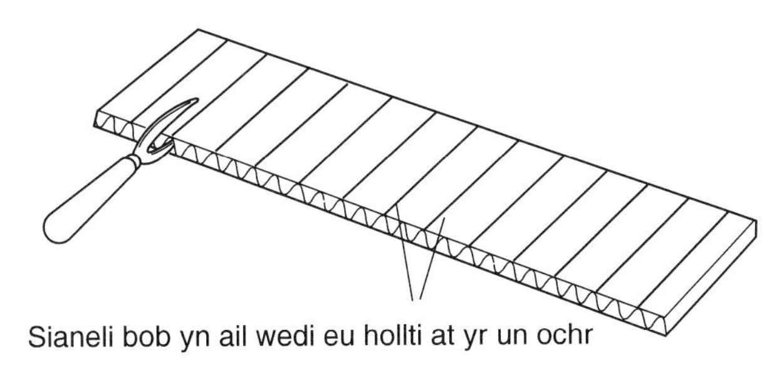

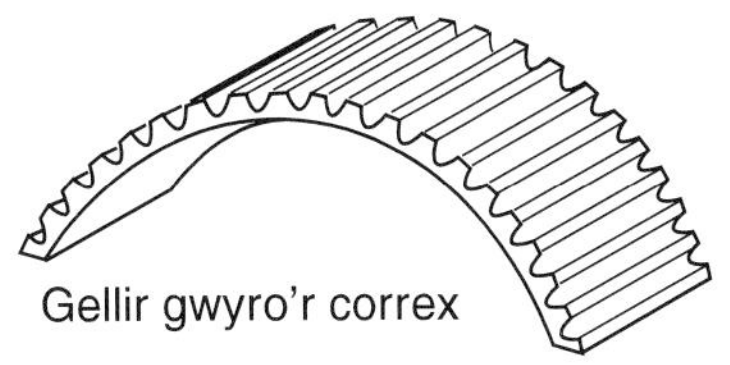

Llun 3

Yn nesaf, dangoswch sut i dorri sianeli bob yn ail ar ochrau eraill darn o correx. Fel arfer, mae'n haws torri sianeli bob yn ail ar un ochr ac yna ei droi drosodd a gwneud yr un peth yr ochr arall. Ond, rhaid pwysleisio y bydd yn rhaid i'r sianeli ar yr ail ochr (yr ochr isaf) fod yn rhai gwahanol i'r rhai a dorrwyd ar yr ochr uchaf, neu bydd y cyfan yn dod oddi wrth ei gilydd yn stribedi! Yna, gellir ymestyn a throelli'r correx i ffurfio sbiral (Llun 4). Anogwch y plant i wneud eu sbiralau correx eu hunain.

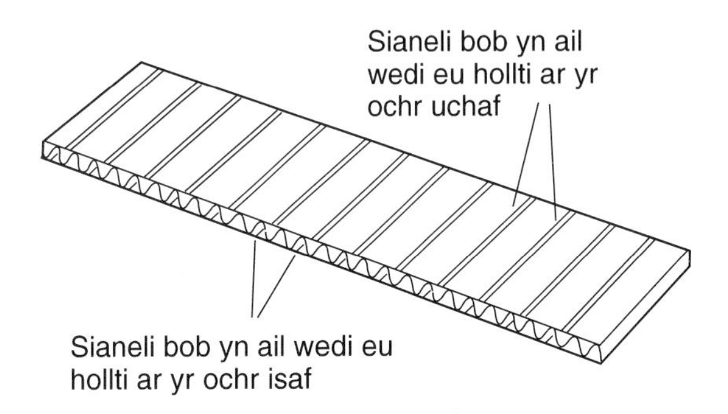

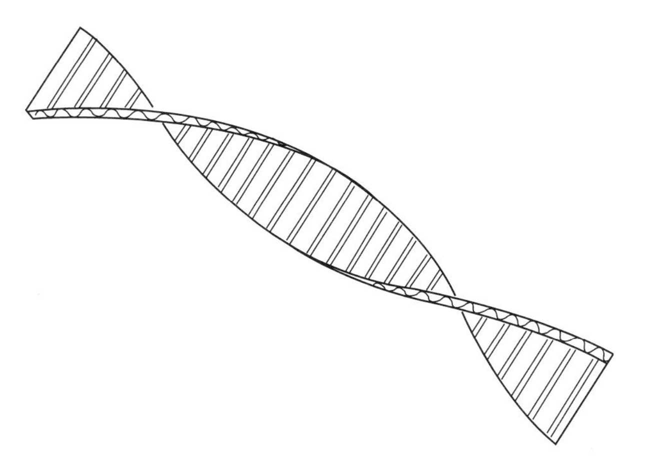

Llun 4

Uno a rhychu correx

Dangoswch i'r plant wahanol ffyrdd o uno correx gan ddefnyddio tâp gludiog ar y ddwy ochr a phadiau glynu. Pwysleisiwch nad yw glud PVA yn addas i uno plastigau. Yna, dangoswch y gellir rhychu correx drwy ddefnyddio siswrn neu dyllwr. (Bydd y tyllwr yn gadael marciau gwell ac yn caniatáu i chi blygu'r correx yn haws.) Neu, os byddwch yn hollti'r correx ar un ochr yn unig, gellir ei blygu i ffurfio ongl sgwâr. Yna, gwasgwch ddafnau o lud poeth i'r rhigol agored i'w ddal yn ei le. Gellir tacluso'r uniad gyda llinell o lud ar hyd y plyg. Gellir defnyddio'r dull hwn i ddal darn sy'n gwyro neu ddarn sbiral fel a gafwyd yn y tasgau uchod (Llun 5). Anogwch y plant i ymarfer y dull hwn gan ddefnyddio rhai o'u darnau sgrap o correx. Dylid eu hatgoffa i sgriffinio arwyneb llyfn cyn gludio gan fod hyn yn gwella'r glynu.

Dangoswch fod modd uno dau ddarn o correx ar ongl drwy eu ffitio at ei gilydd. Gan ddefnyddio riwl diogel a chyllell gelf, mesurwch a thorrwch hollt yn ymyl uchaf un darn. Dylai hwn fod yr un lled â thrwch y correx, (fel arfer 3-4mm) a chyrraedd hanner y ffordd i lawr y siâp. Yna, torrwch hollt yr un fath yn rhan isaf y darn arall a'u ffitio at ei gilydd. Unwaith y bydd y darnau wedi eu ffitio at ei gilydd yn iawn, gellir eu gludio gyda glud poeth neu dâp i wneud uniad parhaol (Llun 6).

Yn olaf, dangoswch i'r plant y gellir tyllu correx, ei styffylu a'i bwytho yn union fel cerdyn trwchus.

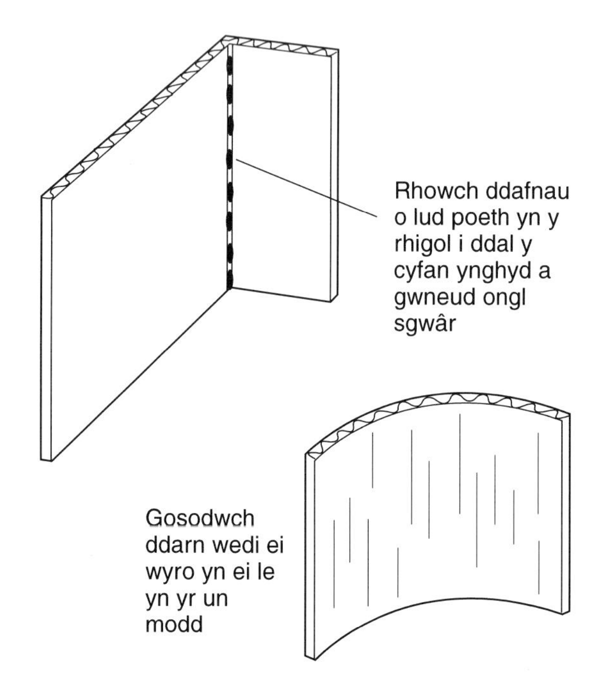

Llun 5

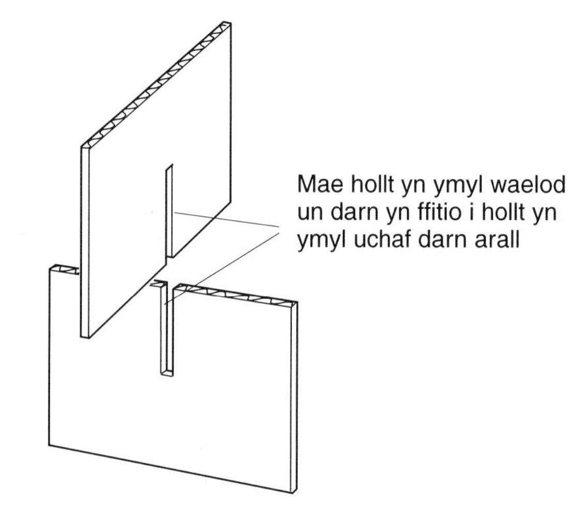

Llun 6

Tasgau annibynnol

Yn yr adran hon bydd y plant yn gwneud siasi correx ar gyfer cerbyd symudol neu degan tynnu-ar-ôl. Bydd ar bob plentyn angen petryal o correx 20cm x 10cm. Gellir torri hwn ymlaen llaw neu gellir gofyn i'r plant ei dorri eu hunain. Fodd bynnag, mae'n rhaid i'r sianeli redeg ar hyd lled y petryal, gan adael pennau'r sianeli yn y golwg ar hyd yr ochrau hir 20cm. Pan fydd y correx wedi ei dorri, gallant dorri pedwar darn o hoelbren tua 4cm o hyd. (Bydd maint yr hoelbren yn dibynnu ar ddyfnder y sianeli correx, gan fod yn rhaid iddynt fod yr un fath.) Dylid miniogi un pen i bob darn o hoelbren gyda miniogwr pensil. Bydd hyn yn ei gwneud yn haws i ffitio'r hoelbren i'r sianeli correx. Yna, dylid gosod y darnau hoelbren ynghyd wrth ochrau cyferbyniol y siasi i ffurfio echelau.

Yn nesaf, dylid rhoi olwynion ar yr echelau. (Dyma gyfle da i adolygu sut mae olwynion ac echelau yn gweithio gan ddefnyddio Meistrgopi 75.) Dylid atgoffa'r plant pan fydd yr echelau yn gaeth, fel yma, y bydd yn rhaid i'r olwynion fod yn rhydd i droi. Pan fydd yr echelau yn rhydd, fodd bynnag, rhaid rhoi'r olwynion ar yr echelau mewn modd fydd yn caniatáu iddynt droi gyda'i gilydd. Dylid gwneud yr olwynion o gerdyn trwchus, neu'n well fyth, MDF neu bren haenog. Gellir defnyddio tiwb plastig wedi ei dorri i ffurfio bylchwyr/ gwahanyddion rhwng y siasi a'r olwyn i atal yr olwynion rhag simsanu neu rwbio yn erbyn y siasi. Os nad yw'r olwynion yn troi yn foddhaol ar arwyneb llyfn, mae angen peri iddynt afael/gydio yn well. Gellir defnyddio band rwber (ei roi o amgylch cylchyn yr olwyn drwy ludio stribed o bapur gwydrog at ymyl yr olwyn), neu drwy ludio coesau matsys ar yr olwyn. Neu fe ellid gludio stribed o bapur rhychiog neu correx at ymyl yr olwyn, ond yn gyntaf byddai'n rhaid hollti'r correx ar y ddwy ochr (fel wrth wneud sbiral) a'i ymestyn i ddarparu arwyneb garw, anwastad. I sicrhau na fydd yr olwynion yn syrthio i ffwrdd oddi ar yr echelau, gellir rhoi gleiniau ar y pennau. Neu, gellid defnyddio Blu-tack®, Plasticine neu lud poeth.

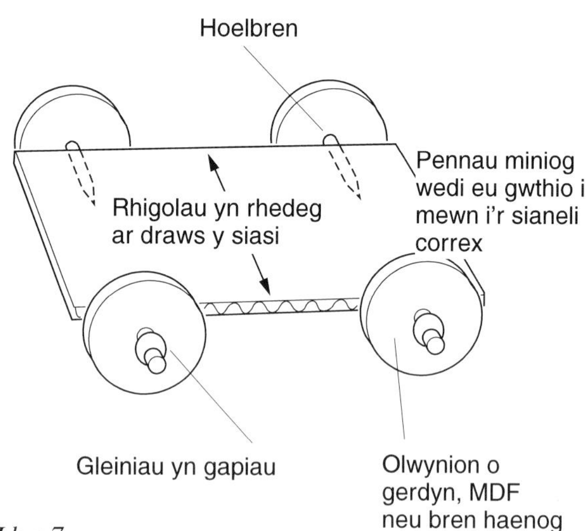

Llun 7

ASEINIAD DYLUNIO A GWNEUD

Amcan: Dylunio a gwneud tegan correx symudol ar gyfer plentyn ifanc.

Defnyddiau/offer sydd eu hangen: casgliad o lyfrau plant iau nag oed ysgol; correx mewn gwahanol liwiau; hoelbren, torwyr correx, tociwr papur, riwliau diogel, cyllyll celf, snipyddion, siasi (wedi ei gwneud yn y Dasg Ymarferol Benodol), gynnau glud a choesynnau glud, padiau glynu, tâp wedi ei ludio ar y ddwy ochr, cerdyn trwchus/papur tenau, siswrn, tâp clir.

Cyflwyno

Dylid atgoffa'r plant o'r gwahanol ffyrdd o ddefnyddio correx a ddarganfuwyd eisoes. Yna, trafodwch anghenion plant bach sydd newydd ddysgu cerdded. Dylid dangos nifer o lyfrau addas ar gyfer plant sydd dan oed ysgol. Efallai y byddai'r rhain yn rhoi syniadau ar gyfer eu dyluniadau i'r plant ac yn eu helpu i sylwi ar y math o gynhyrchion a ddarperir ar gyfer plant bach. Pwysleisiwch y dylai eu dyluniadau fod yn syml, yn saff ac yn defnyddio lliwiau llachar. Mae'n bosibl dewis thema – e.e. anifeiliaid – i seilio'r gwaith arni, ond efallai ei bod yn haws gofyn i'r grŵp ddewis stori a chysylltu eu dyluniad â'r stori honno.

Dylunio

Dylech atgoffa'r plant fod eu dyluniad i fod i ymgorffori'r siasi 2D a wnaed eisoes. Gofynnwch i'r plant luniadu a lliwio nifer o ddyluniadau. Yna, dylent ddewis un i'w ddatblygu. Bydd raid iddynt ail-luniadu eu dewis. Cyn gwneud lluniad terfynol, dylid eu hannog i wneud peth ymchwil. Os ydynt yn dilyn thema, dylid gofalu bod llyfrau perthnasol ar gael. Pwysleisiwch y dylent geisio gwneud dyluniad syml o safbwynt siâp a lliw. Hefyd, dylech eu hatgoffa fod plant bach yn hoffi lliwiau cryf, llachar e.e. lliwiau cysefin. Pan fyddant wedi cwblhau eu dyluniadau, dylent eu labelu i ddangos sut y maent yn bwriadu uno'r siapiau. Bydd angen tabiau i uno'r darnau ac yn enwedig i roi'r siâp cyfan yn sownd wrth y siasi correx.

Anogwch y plant i fodelu eu dyluniadau mewn papur trwchus neu gerdyn tenau. Yn gyntaf, dylent luniadu yr holl siapiau fydd arnynt eu hangen, gan gofio'r holltau fydd yn rhaid eu torri efallai ac ychwanegu tabiau o amgylch yr ochrau i'w gludio. (Os nad yw'r dechneg hon wedi ei defnyddio eisoes, dylid ymdrin â hi yn fanwl cyn dechrau ar y dylunio.) Yna, dylid torri'r siapiau allan a'u rhoi ar y siasi gan ddefnyddio tâp clir. Bryd hyn, gellir tynnu'r model o gerdyn i ffwrdd a'i addasu os oes angen. Efallai y bydd yn rhaid taflu un siâp a gwneud un newydd, a gellir gwneud hyn sawl gwaith. Dylid annog y plant i wneud hyn, ond dylent ofalu nad ydynt yn anwybyddu eu dyluniad ac yn ei newid yn llwyr. Dylid nodi unrhyw brif newidiadau ar eu taflenni dylunio. Pan fydd plentyn yn fodlon ar ei ddyluniad, gall ddefnyddio ei siapiau o gerdyn fel patrymluniau.

Gwneud

Gan ddefnyddio'r patrymluniau, dylai'r plant luniadu'r siapiau ar y correx. Dylid eu hannog i fod yn ddarbodus wrth ddefnyddio'r correx. Wedi modelu corff y car eisoes mewn cerdyn, gellid osgoi unrhyw wastraff p'un bynnag. Yna, dylent dorri'r siapiau allan gan ddefnyddio riwliau diogel a chyllyll celf, neu snipyddion i'r rhai llai hyderus. Dylid rhychu'r tabiau a'u plygu a defnyddio torrwr correx i hollti a phlygu'r correx i'w siâp. Dylid defnyddio glud poeth i ddal y plygion yn eu lle. Y cam nesaf yw rhoi'r tegan ynghyd drwy ffitio'r darnau correx at ei gilydd a'u gludio yn eu lle gyda glud poeth. Yna, gellir rhoi'r siâp cyfan ar y siasi.

Gwerthuso

Dylid profi'r teganau i weld a ydynt yn rholio ymlaen ar lawr gwastad ac un anwastad. Hefyd, dylid gofalu nad oes unrhyw ddarnau bychan yn rhydd, gan na fyddai'n saff i blentyn chwarae â thegan peryglus. Dylid cymeradwyo unrhyw deganau sy'n ateb i'r gofynion yna. Wedyn, dyliai athro/athrawes dosbarth meithrin neu arweinydd grŵp meithrin lleol archwilio'r teganau i weld a fyddent yn addas yn gyffredinol. Efallai y gallai nyrs yr ysgol helpu hefyd. Yn olaf, dylid dangos y teganau i weddill yr ysgol a'u harddangos ochr yn ochr â'r llyfrau a ddefnyddiwyd wrth eu cynllunio.

UNED 9: GÊR/ PWLI

'CEFFYLAU BACH'

Nodau dysgu

Sgiliau dylunio
Dylai disgyblion gael cyfle i:

- ymchwilio i bethau sy'n troelli o amgylch a chynhyrchion sy'n defnyddio pwli
- fodelu mecanweithiau gan ddefnyddio pecynnau adeiladu neu bren
- wneud lluniadau wedi eu labelu, gan ddangos y defnyddiau a ddefnyddiwyd
- luniadu dyluniad gan edrych arno o sawl cyfeiriad
- feddwl am ofynion dyluniad a llunio meini prawf
- wneud 'rhestr siopa'
- cynllunio dilyniant o weithgareddau, naill ai yn eu pennau neu ar bapur.

Gwybodaeth a dealltwriaeth
Dylai'r disgyblion ddysgu:

- mai olwyn gyda rhaff o'i amgylch yw pwli
- bod pwli'n cael ei ddefnyddio fel arfer i godi a gostwng llwythi
- y gellir cysylltu pwlïau ynghyd gyda belt.

Geirfa: pwli, belt, dilynwr, gyrrwr, echel, llwyth.

Sgiliau gwneud
Dylai disgyblion ymarfer:

- defnyddio dril llaw a stand dril
- mesur a thorri hoelbren

TASGAU YMCHWILIOL

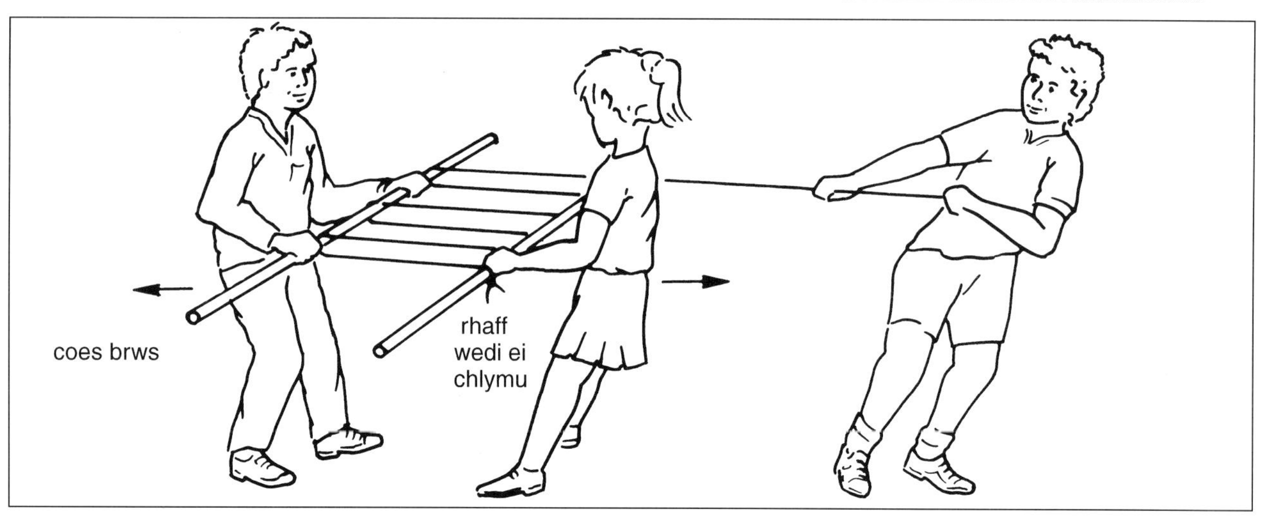

Llun 1

Defnyddiau/offer sydd eu hangen: dwy goes brws/ stympiau criced; llinyn cryf neu raff; model o olwynion pwli (gw. isod)/ un wedi ei wneud gyda Lego Technic neu Brio/Mec® ; lluniau o bwlïau a beltiau gyrru.

Tasg 1
Eglurwch mai dwy olwyn wedi eu cysylltu ynghyd gyda rhaff neu felt yw system bwli. Clymwch ddarn hir o raff ar un o'r coesau brws. Yna, lapiwch y rhaff o amgylch y ddwy goes sawl gwaith, fel a ddangosir yn Llun 1. Gofynnwch i ddau blentyn ddal y coesau brws a thynnu cyn galeted ag sydd modd yn erbyn ei gilydd. Dylai trydydd plentyn geisio symud y plant at ei gilydd drwy dynnu ar y pen rhydd i'r rhaff. Dylid sylwi bod y trydydd plentyn wrth dynnu'r rhaff yn gallu symud y ddau arall yn weddol rwydd. Mae hyn yn dangos mor effeithiol yw system bwli. Gallech arbrofi gyda gwahanol nifer o droadau o amgylch y coesau i ddangos bod mwy o droadau yn gwneud y dasg yn haws ond y bydd y plentyn sy'n tynnu'r rhaff yn gorfod symud ymhellach.

Tasg 2
Eglurwch fod gan rai peiriannau olwynion pwli wedi eu cysylltu â'i gilydd gyda belt neu gadwyn. Gelwir hwn yn felt gyrru. Dangoswch i'r plant luniau o bethau sydd gan bwlïau neu feltiau gyrru. Defnyddiwch fodel arddangos, fel yn Llun 2 i atgyfnerthu'r gwaith hwn. Neu, gwnewch fodel llai parhaol gyda Lego Technic® neu Brio/Mec® . Dangoswch os yw'r olwyn yrru yn troi yn glocwedd, mae'r dilynwr hefyd yn troi i'r un cyfeiriad. Wedyn, gofynnwch i'r plant luniadu neu gopïo lluniad o'r symudiad hwn (Llun 3).

Tasg 3
Defnyddiwch y model arddangos eto, y tro hwn yn gosod y band rwber fel y bydd yn croesi yn y canol. Gofynnwch i'r plant wylio'r olwynion eto. Dylent sylwi bod y dilynwr nawr yn troi yn wrth-glocwedd. Dylid ychwanegu manylion ynghylch y symudiad hwn i'w lluniad gwreiddiol (Llun 4).

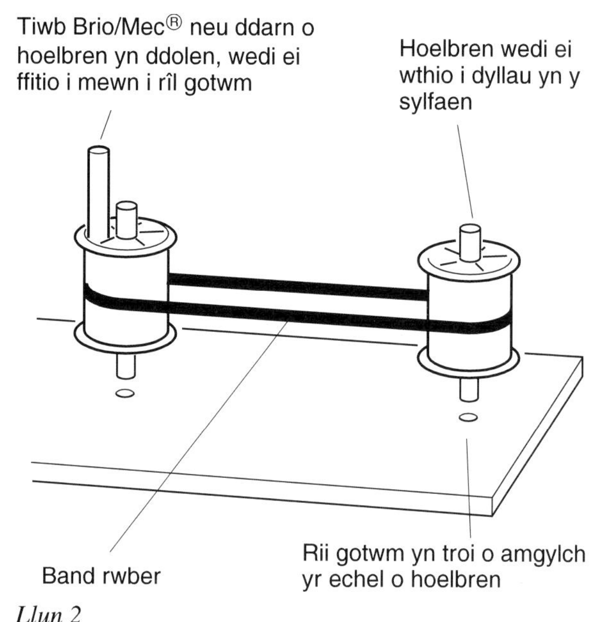

Llun 2

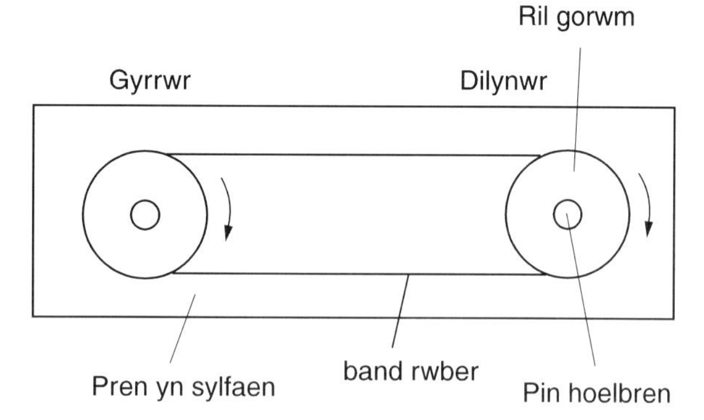

Llun 3

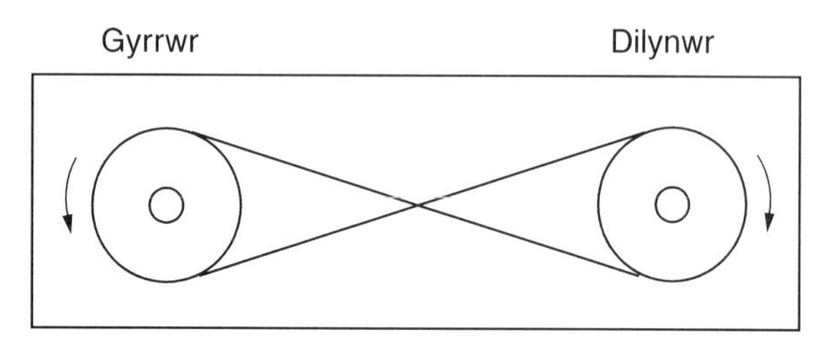

Llun 4

TASGAU YMARFEROL PENODOL

Defnyddiau/offer sydd eu hangen: Meistrgopi 84, darnau sgrap o bren, darnau sgrap o hoelbren 6mm, riliau cotwm, bandiau rwber, haclifiau bychan, bachau mainc, gynnau glud, driliau llaw, gleiniau.

Tasgau cyntaf

Gwneud system bwli

Rhowch ddarn o bren sgrap i bob plentyn. Gofynnwch iddynt farcio pedwar marc ar bob un. Dylid cael o leiaf 10cm rhwng pob un. Yna, dylent dorri pedwar darn o hoelbren 6mm (neu un o faint tebyg a fyddai'n ffitio'n rhwydd drwy rîl gotwm) tua 6cm o hyd. Y cam nesaf yw drilio pedwar twll lle'r oedd y pedwar marc ar y pren sylfaen. Gwell gwneud hyn fesul dau, gydag un plentyn yn drilio a'r llall yn dal y pren yn gadarn. Mae'r tyllau yr un diamedr â'r hoelbren felly bydd yn ffitio'n dynn. Yna, rhaid defnyddio glud i ddal y darnau o hoelbren yn eu lle (Llun 5).

Pan fydd y sylfaen wedi ei gwblhau, gellir rhoi'r riliau cotwm dros yr echelau hoelbren. Os bydd y riliau cotwm yn debyg o lithro i ffwrdd, gellir gludio gleiniau ar ben pob darn o hoelbren. Dylid annog y plant wedyn i arbrofi gydag amrywiol ffyrdd o gysylltu'r riliau gyda bandiau rwber. Dylent gofnodi eu canlyniadau ar ffurf lluniad (Llun 6). Gellir defnyddio Meistrgopi 84 i gofnodi'r newidiadau o ran cyfeiriad a achosir gan fand rwber wedi ei droelli.

Atebion i Meistrgopi 84

1. clocwedd 2. clocwedd 3. clocwedd 4. clocwedd 5. gwrth-glocwedd 6. gwrth-glocwedd 7. clocwedd 8. clocwedd 9. clocwedd 10. gwrth-glocwedd 11. gwrth-glocwedd 12. clocwedd 13. clocwedd 14. clocwedd 15. gwrth-glocwedd

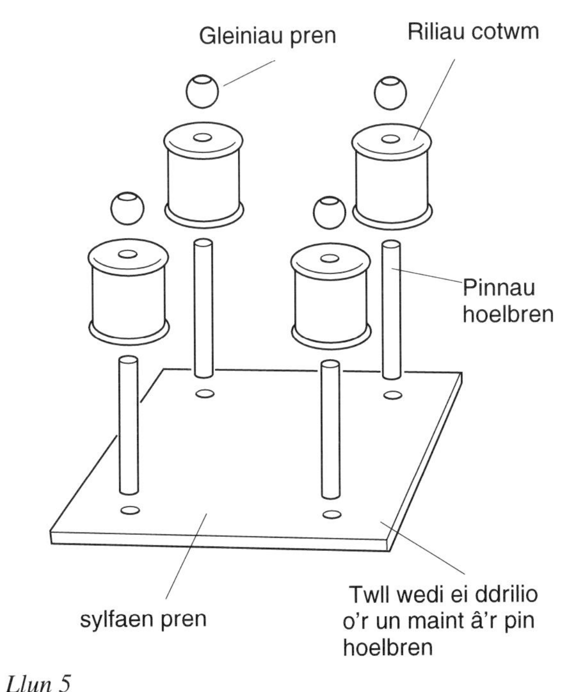

Llun 5

Llun 6

ASEINIAD DYLUNIO A GWNEUD

Amcan: Dylunio a gwneud 'ceffylau bach' ar gyfer parc ar thema anifeiliaid i'w ddefnyddio gan bobl chwarae bychan.

Defnyddiau/offer sydd eu hangen: Meistrgopïau 85 a 86, sylfeini pren tua 25cm x 8cm, hoelbren 6mm, riliau cotwm, cylchoedd correx (wedi eu torri yn barod, gyda 10cm o radiws), platiau papur, tiwbiau mewnol o gardfwrdd, cerdyn, gwellt, gwifren gref/rhoden sodro, papur lapio, llinyn, glud PVA, gynnau glud, haclifiau bychan, bachau mainc, bandiau rwber, snipydd, siswrn, Connect-O-Mec®, tiwb, dril llaw, stand dril, plethwaith, rhidans, gleiniau.

Cyflwyno

Trafodwch y mecanweithiau y gellir eu defnyddio i wneud i rywbeth droelli, gan gynnwys y rhai y soniwyd amdanynt yn y tasgau blaenorol. Faint o bethau sy'n troelli gall y plant eu henwi? Yn nesaf, soniwch am ffair bleser. Gofynnwch i'r plant faint ohonyn nhw sydd wedi bod mewn ffair bleser neu barc thema yn ddiweddar. Yna, gofynnwch i'r plant hynny ddisgrifio'r gwahanol bethau y gallent gael tro arnynt. Pa rai oedden nhw'n eu hoffi orau? Beth sy'n eu gwneud yn gyffrous? Wedyn, trafodwch y pethau sy'n troelli ac eglurwch beth yw gofynion y dasg ddylunio.

Ail-ddefnyddiwch y model a wnaed i'r tasgau ymchwiliol uchod i ddangos i'r plant sut i wneud i'w dyluniad droelli. Yna, rhowch berson chwarae bychan iddynt i'w archwilio. Dylai hyn sicrhau y bydd eu dyluniad o'r maint cywir i'w ddiben.

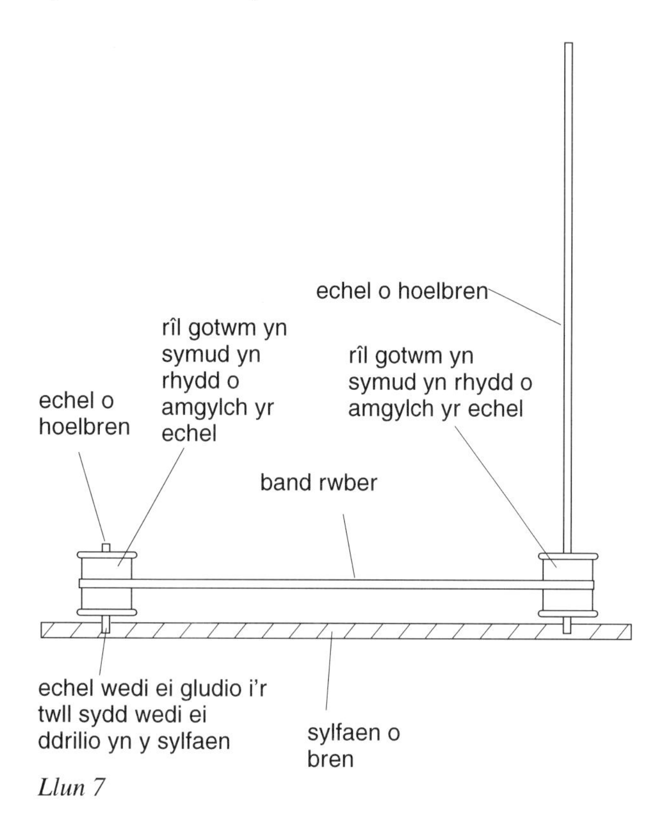

Llun 7

Dylunio

Bydd y mecanwaith sylfaenol yr un fath ar gyfer pob dyluniad (Llun 7). Mae'n hanfodol egluro, er bod yr echelau o hoelbren yn sownd wrth y sylfaen, bydd yn rhaid i'r riliau cotwm ac unrhyw beth fydd yn sownd wrthynt symud yn rhydd, h.y. ni ellir gludio dim byd ar y darnau o hoelbren.

Ar ôl trafod mecanwaith sylfaenol eu dyluniad, dylai'r plant greu eu dyluniadau. (Mae Meistrgopi 85 yn awgrymu rhai syniadau, er y gellir meddwl am rai eraill.) Anogwch y plant i edrych drwy lyfrau yn y llyfrgell a dewis thema anifeliaid. Gallent hefyd ystyried sut y byddant yn addurno eu dyluniad, e.e. gyda phlethwaith, rhidans, secwinau a sticeri wedi eu cael o gartref. Yna, rhowch ychydig ddyddiau iddynt feddwl am eu syniadau. Wedyn, rhowch Meistrgopi 86 i'r plant a gofyn iddynt ychwanegu lluniad o'r ochr at y mecanwaith a luniadwyd eisoes. Yna, dylent labelu'r defnyddiau y bwriedir eu defnyddio i gyd. Wedyn, dylai'r plant lunio rhestr siopa. Yn olaf, dylent luniadu eu dyluniad gan edrych i lawr arno. Bydd hyn yn cyflwyno'r syniad o edrych ar luniad o sawl cyfeiriad neu sawl ongl.

Gwneud

Dylai'r plant gael sylfaen pren a marcio arno ddau bwynt, o leiaf 15 cm oddi wrth ei gilydd. Gellir wedyn ddrilio dau dwll yn y mannau hyn gan ddefnyddio dril llaw ac ebill 6mm. Dyma gyfle da i'r plant ddysgu sut i ddefnyddio dril a stand dril yn iawn. Yn nesaf, gofynnwch i'r plant dorri dau ddarn o hoelbren yn mesur 6cm a 30cm o hyd. Dylid gludio'r rhain yn y tyllau gan ddefnyddio glud poeth. Yna, gellir ffitio riliau cotwm ar yr echelau fertigol a rhoi bandiau rwber o'u hamgylch. Y dasg nesaf yw torri darn byr o hoelbren neu diwb Connect-O-Mec® a gwthio hwn i mewn i'r rhigol ym mhen un o'r riliau cotwm fel dolen. Dylid rhoi prawf ar y mecanwaith i weld a yw'n gweithio. Efallai y bydd y band rwber yn tueddu i lithro oddi ar ben neu waelod y rîl gotwm. Os felly, gellir gludio olwyn fawr o gerdyn gyda thwll yn y canol ar y rîl gotwm, gan sicrhau yn gyntaf fod y twll yn ddigon mawr i ganiatáu i'r rîl gotwm droi'n rhydd o amgylch yr echel.

O hyn ymlaen, dylid gadael i'r plant wneud eu dyluniadau ar eu pennau eu hunain. Gellir helpu os oes angen yn unig. Anogwch y plant i ddefnyddio'r person chwarae bychan pan fyddant yn rhoi prawf ar eu dyluniad. Byddant yn gallu barnu a yw'r dyluniad o'r maint cywir ac a yw'r person bychan yn gallu aros ar y 'ceffylau bach' ai peidio!

Gwerthuso

Rhowch brawf ar bob un o'r cynhyrchion i weld a fyddai'r bobl fach yn mwynhau'r reid! Ydyn nhw'n ffitio'i gilydd? Ydy'r reid yn un saff? Anogwch y plant i drafod pob reid, gan dddweud a fyddent hwy yn ei hoffi ai peidio, beth sy'n dda ymhob un ac ati. Wedyn, gwnewch arddangosfa ddosbarth ac, os yn bosibl, wahodd dosbarthiadau eraill i ddod i'w gweld. Byddai'n arddangosfa dda ar gyfer noson rieni hefyd!

ARWYDDION HYSBYSEBU

Nodau dysgu

Sgiliau dylunio
Dylai disgyblion gael y cyfle i:

- ddefnyddio eu profiad o symudiad cylchdro
- fodelu mecanweithiau (o bosibl drwy ddefnyddio pecyn adeiladu)
- luniadu syniadau a dewis un i'w ddatblygu
- ystyried dyluniad o bob ongl
- ail-luniadu a dargopïo eu dyluniad sawl gwaith os oes angen
- ymchwilio i wahanol ddulliau o lythrennu

Sgiliau gwneud
Dylai disgyblion ymarfer:

- defnyddio dril llaw a stand dril yn gywir
- mesur a thorri hoelbren yn ofalus
- torri a defnyddio tabiau i ludio
- dargopïo, copïo a defnyddio gwahanol steil o lythrennau, stenstiliau a throsglwyddynnau
- lliwio'n daclus i sicrhau cynnyrch o ansawdd da
- defnyddio modur mewn cylched syml i yrru system bwli
- defnyddio haearn sodro, os yw hynny'n briodol.

Gwybodaeth a dealltwriaeth
Dylai'r disgyblion ddysgu:

- y gellir defnyddio pwlïau i wneud i bethau droi
- fod pwlïau o'r un maint neu debyg yn troi ar yr un cyflymder
- fod system bwli fawr – fach yn peri cynnydd mewn cyflymder a'r gwrthwyneb yn lleihau'r cyflymder
- fod ôl-droi polaredd modur yn ôl-droi ei gyfeiriad
- rheolau diogelwch wrth ddefnyddio trydan a pheryglon y prif gyflenwad trydan.

Geirfa: pwli, belt, dilynwr, gyrrwr, cynyddu, lleihau, modur, polaredd.

TASGAU YMCHWILIOL

Defnyddiau/offer sydd eu hangen: Meistrgopi 87, pecynnau adeiladu yn cynnwys olwynion pwli a beltiau gyrru (e.e. Lego Technic®) neu ddarnau sgrap o bren/sylfeini pren, olwynion pwli, bandiau rwber, gynnau glud, hoelbren, haclifiau bychan, bachau mainc.

Tasg 1
Dylai'r plant wneud y model a ganlyn, naill ai drwy ddefnyddio pecyn adeiladwaith neu ddefnyddiau o'r rhestr uchod (llun 1). Gofynnwch iddynt farcio man ar y pwli a'r olwynion a gosod yr olwynion fel bod y smotyn yn y top, h.y. ar 12 o'r gloch. Yna, dylent droi'r olwyn bwli llaw-chwith – yr olwyn yrru – drwy un tro a gwylio'r olwyn llaw-dde – y dilynwr (Llun 2). Dylent sylwi fod y dilynwr hefyd wedi gwneud un cychdro cyflawn, h.y. maen nhw'n symud ar yr un cyflymder.

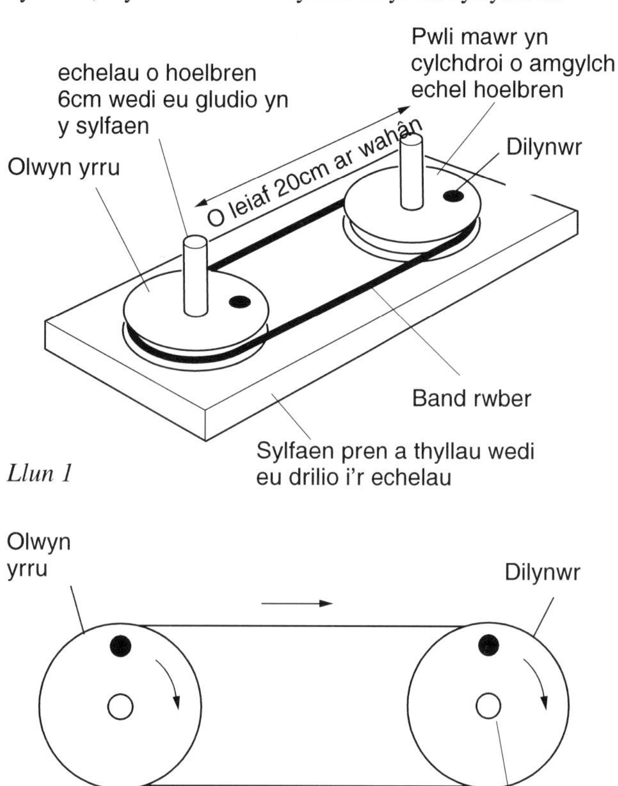

Llun 1

Llun 2

Tasg 2
Dylai'r plant newid y ddwy olwyn fawr am ddwy fach, Yna, cyn ailadrodd yr arbrawf blaenorol, gofynnwch iddynt ragfynegi – a fydd yr olwynion newydd yn symud ar yr un cyflymder â'i gilydd neu a fydd gwahaniaeth? Dylent ddarganfod eu bod yn symud gyda'i gilydd (Llun 3).

Tasg 3
Dylid newid y dilynwr (olwyn llaw-dde) am olwyn fawr. Gofynnwch i'r plant droi'r olwyn bwli fach law-chwith yn araf drwy un cylchdro. Dylent edrych faint mae'r olwyn fawr wedi ei symud. Dylai fod wedi symud rhan o dro yn unig. Yna, gofynnwch iddynt ddal i droi'r pwli bach a gwylio cyflymder y ddau bwli. Dylent sylwi fod y pwli bach – h.y. yr olwyn yrru – yn cylchdroi yn gyflym, ond bod yr olwyn fawr – y dilynwr – yn cylchdroi'n araf. Mae'r cyflymder wedi ei leihau (Llun 4).

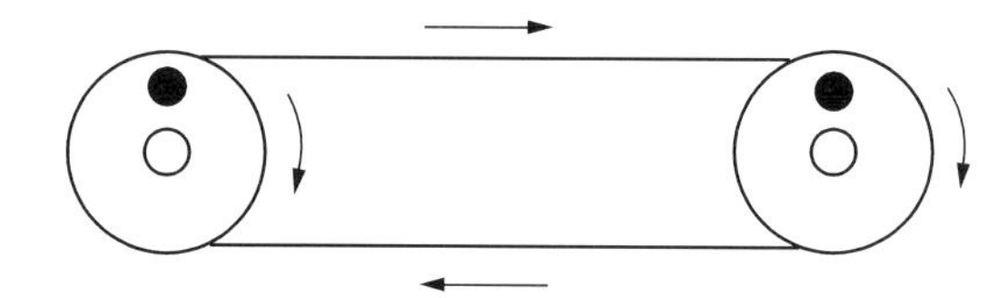

Llun 3

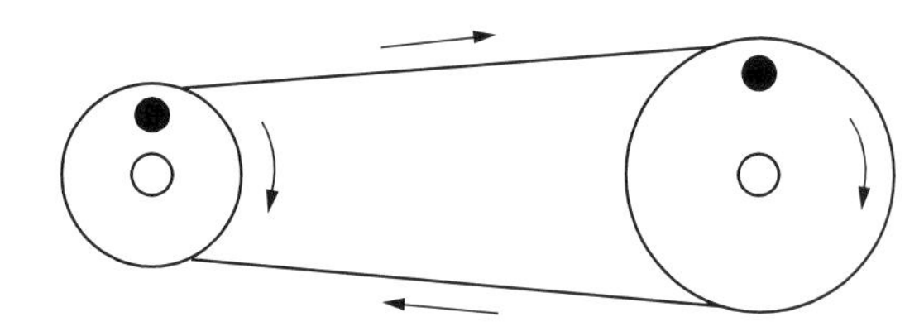

Pan fydd pwli bach yn gyrru un mawr, mae'r cyflymder yn lleihau.

Llun 4

Tasg 4
Dylai'r plant ailadrodd yr arbrawf blaenorol gan ddefnyddio'r olwyn fawr fel olwyn yrru. Awgrymwch eu bod yn troi'r model rownd, gan gadw'r olwyn yrru ar y chwith. Fodd bynnag, cyn arbrofi dylent ragfynegi. Dylent sylwi - pan fyddant yn cylchdroi'r olwyn yrru fawr drwy un cylchdro, mae'r olwyn fach, y dilynwr, yn cylchdroi mwy nag un cylchdro. Gofynnwch iddynt ddal i droi'r olwyn, ac fe ddylent sylwi fod y dilynwr yn cylchdroi'n gyflymach na'r olwyn yrru. Mae'r cyflymder wedi cynyddu (Llun 5).

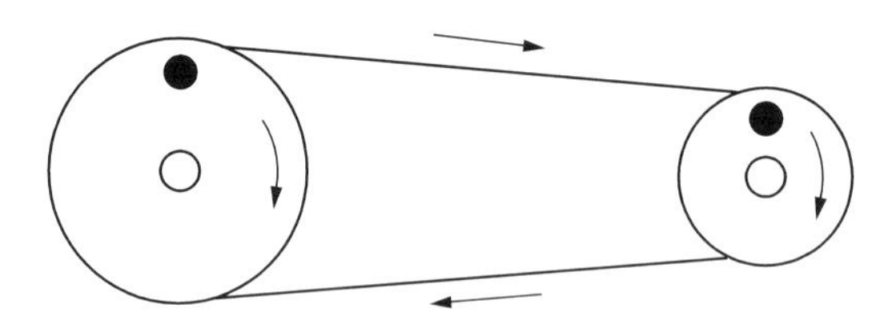

Pan fydd pwli mawr yn gyrru un bach, mae'r cyflymder yn cynyddu.

Llun 5

Gellir ymestyn y gweithgaredd hwn drwy wneud tabl fel a ganlyn, i gymharu'r cylchdroadau ac felly gyflymder y ddwy olwyn.

Nifer o gylchdroadau'r olwyn yrru	Nifer o gylchdroadau'r dilynwr

Tasg 5
Dylai'r plant dynnu'r pwlïau oddi ar eu modelau, a gosod trydedd echel rhwng y ddwy arall. Dylid gosod y pwlïau fel yn Llun 6. Os ydych yn defnyddio pwlïau pren, dylid eu gludio ynghyd yn barau gyda glud poeth tra maen nhw ar yr echelau hoelbren. Mae hyn yn sicrhau bydd y tyllau yn y mannau iawn ond rhaid gofalu peidio â rhoi glud ar y pyst hoelbren.

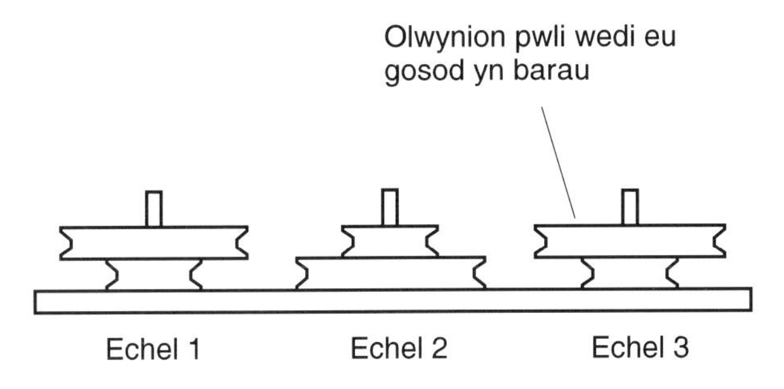

Llun 6

Gofynnwch i'r plant gysylltu'r pwlïau fel yn Llun 7, h.y. bach i fawr, bach i fawr – gan ddefnyddio bandiau rwber. Yna, dylent farcio smotyn ar bob olwyn a'u gosod ar 12 o'r gloch fel o'r blaen. Yn nesaf, dylid cylchdroi'r olwyn yrru, ar y chwith, a sylwi'n ofalus ar gyflymder y pwlïau. Dylai'r plant sylwi – mae'r olwynion ar echel 1 yn symud yn gyflym, y rhai ar 2 yn fwy araf a'r rhai ar 3 yw'r rhai mwyaf araf. Gellir arafu'r symudiad ymhellach drwy ychwanegu setiau eraill o bwlïau i'r patrwm, bach i fawr.

Tasg 6
Dylid symud y bandiau rwber i gysylltu'r pwlïau o fawr i fach. Gofynnwch i'r plant ailadrodd yr arbrawf uchod, gan wylio cyflymder y pwlïau. Dylent sylwi fod y pwlïau ar echel 1 yn symud yn araf, y rhai ar echel 2 yn symud yn gyflymach ac mai'r rhai sydd ar echel 3 sy'n symud gyflymaf. Gellir cynyddu'r cyflymder drwy ychwanegu mwy o setiau o bwlïau yn y patrwm, mawr i fach (Llun 8).
(Gellir defnyddio Meistrgopi 87 i ategu'r cysyniad hwn.)

Atebion i Meistrgopi 87
1. Mae B yn arafach; 2. Mae B yn gyflymach; 3. Mae B yr un cyflymder; 4. Mae B yn gyflymach; 5. Mae C yn arafach; 6. Mae C yn gyflymach; 7. Mae C yr un cyflymder.

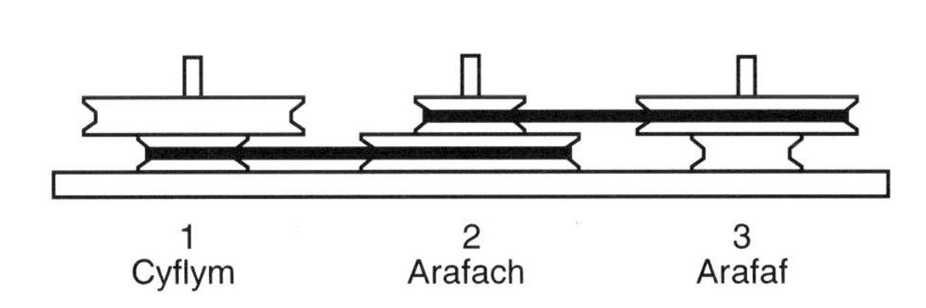

Llun 7

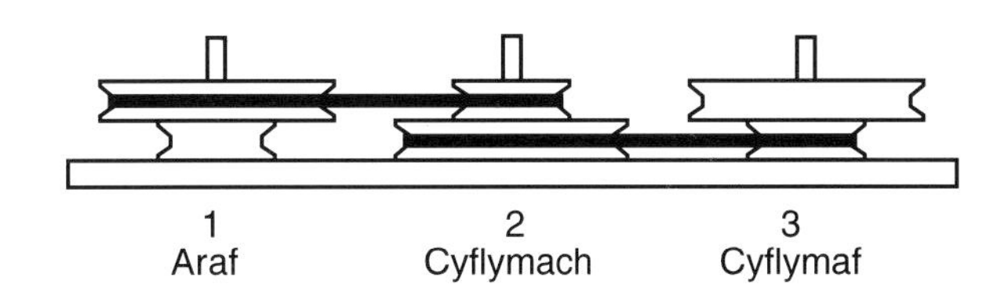

Llun 8

TASGAU YMARFEROL PENODOL

Defnyddiau/offer sydd eu hangen: Hoelbren 3.2mm, sylfeini pren, olwynion pwli, riliau cotwm, haclifiau bychan, bachau mainc, gynnau glud, bandiau rwber, moduron, pwlïau modur, gwifrau clipiau crocodeil, torwyr gwifrau/stripwyr, pecynnau batri, switsys togl.

Tasgau cyntaf

Gwneud system bwli gyda modur
Dangoswch sut i wneud y system bwli hon, yna gadewch i'r plant wneud eu mecanweithiau. Yn gyntaf, driliwch ddau dwll yn y pren sylfaen. Rhaid i'r diamedr i'r rhain fod yn 3.2mm a dylent fod o leiaf 10 cm oddi wrth ei gilydd. Yna, torrwch ddau ddarn o hoelbren, 6cm o ran hyd, a'u gludio i'r tyllau gan ddefnyddio glud poeth. Gosodwch olwyn bwli fach a rîl gotwm ar echel A, a gosodwch olwyn bwli fawr a rîl gotwm ar echel B. Gludiwch yr olwynion pwli i'r riliau cotwm gyda glud poeth tra maent ar yr echelau. Bydd hyn yn sicrhau fod y tyllau wedi eu cyfunioni yn gywir (Llun 9). Gwnewch yn siŵr nad yw'r glud yn mynd ar y pyst hoelbren.

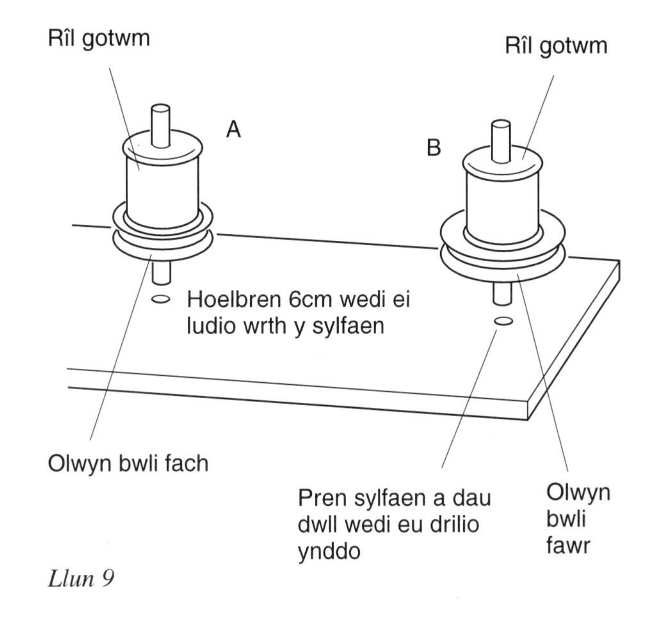

Llun 9

Y cam nesaf yw gosod modur, gyda phwli modur, ar y sylfaen pren. Yna, cysylltwch y modur i fatri, y batri i swits a'r swits i'r modur fel yn Llun 10. Rhowch brawf ar y gylched, a gofyn i'r plant nodi ar ba gyflymder mae'r pwli modur yn symud. Yna, rhowch fand rwber o amgylch y pwli modur a'r rîl gotwm gyntaf yn A, a defnyddiwch un arall i gysylltu'r pwli bach i'r un mawr yn B (Llun 11). Pan fydd y swits ymlaen, dylai'r modur droi'r rîl gotwm sy'n troi'r pwli bach, sy'n troi'r pwli mawr. Dylai'r plant sylwi fod y cyflymder yn lleihau ar bob cam. Yn olaf, newidiwch y cysylltiadau ar y modur, a gofyn i'r plant beth sy'n digwydd pan gaiff y swits ei roi ymlaen. Dylent sylwi fod yr olwynion yn gweithio i gyfeiriad gwrthgyferbyniol. Gelwir hyn yn ôl-droi polaredd.

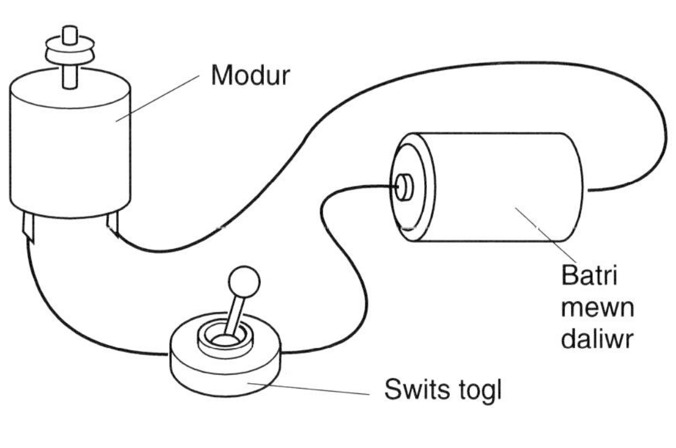

Llun 10

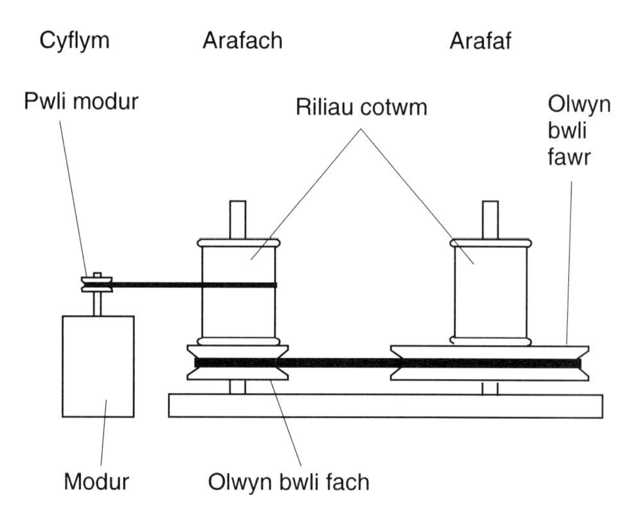

Llun 11

ASEINIAD DYLUNIO A GWNEUD

Amcan: Dylunio a gwneud prototeip yn dibynnu ar fatri ar gyfer arwydd siop fydd yn cylchdroi.

Defnyddiau/offer sydd eu hangen: Meistrgopïau 88, 89 a 90, y model a wnaed yn y dasg Ymarferol Benodol, cylchoedd correx/platiau papur, cerdyn, paent poster, peniau ffelt, gwn glud poeth, padiau glynu, siswrn, casgliad o hysbysebion am gynhyrchion poblogaidd o gylchgronau.

Cyflwyno

Dangoswch y casgliad o hysbysebion i'r plant, e.e. hysbysebion am Marmite®, Kit-kat®, caws Dairylea®, Coke®, UHU®ac ati. Gofynnwch iddynt pam mae'r cynhyrchion hyn yn hawdd eu hadnabod. Dylent awgrymu eu siâp, eu lliw ac ati. Yna, eglurwch beth yw gofynion y dyluniad, gan ddweud y byddant yn defnddio'r system bwli modur (a wnaed yn y dasg benodol) i beri i'r arwydd gylchdroi. Yna, trafodwch y math o siop y byddant yn dylunio ar ei chyfer, e.e. siop cigydd, siop fara, siop esgidiau, swyddfa'r post, siop bapurau ac ati. Efallai y bydd yn bosibl ymweld â'r pentref neu ganol y dref i roi syniadau iddynt. Yna, gallent ddylunio eu hysbyseb ar gyfer man arbennig yn hytrach na rhywle annelwig. Os gellid gwahodd siopwr lleol i ymweld â'r ysgol, gellid cael mwy o wybodaeth am ofynion hysbysebwyr. Yn olaf, trafodwch nodweddion yr arwyddion y dylai'r plant eu hystyried, h.y. clir, bras, hawdd eu hadnabod, syml a lliwgar.

Dylunio

Dylid gofyn i'r plant ddefnyddio papur plaen i luniadu rhai syniadau. Dylent ddewis siop arbennig i'w hysbysebu a chanolbwyntio ar siâp sy'n gysylltiedig â'r cynnyrch gaiff ei werthu yn y siop honno, e.e. esgid i siop esgidiau, asgwrn i siop cigydd, het i siop hetiau. Gall Meistrgopïau 88, 89 a 90 roi rhai syniadau iddynt ar sut i lythrennu. Dylid eu hannog i seilio eu dyluniad ar y siâp hwn.

Gellir gludio'r arwydd yn syth ar y rîl gotwm sy'n cylchdroi yn y mecanwaith modur neu ar gerdyn neu gylch correx fydd wedi ei roi'n sownd ar y rîl gotwm. Gellid rhoi un dyluniad ar ganol y cylch neu gellid ei ailadrodd o amgylch y cylchyn (Llun 12). Os y byddant yn dewis defnyddio cylch o gerdyn, bydd angen rhoi hwn yn sownd wrth y mecanwaith sylfaenol drwy ddefnyddio tabiau (Llun 13).

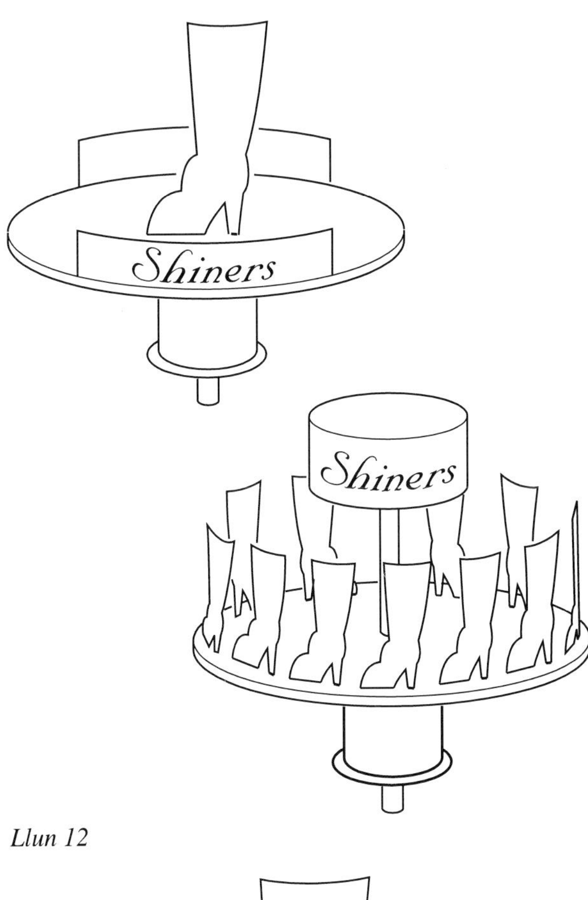

Llun 12

canllawiau, canoli, cysgodlunio ac ati. Mae stensiliau neu drosglwyddynnau yn ddefnyddiol iawn, ond ar y foment byddai'n well copïo trosglwyddynnau a chadw'r gwreiddiol ar gyfer y cynnyrch terfynol.

Gwneud
Wedi dylunio ar bapur, gall y plant ddechrau trosglwyddo eu syniadau i gerdyn ac yna eu torri allan. Os ydynt yn bwriadu ailadrodd dyluniad, gellir eu dargopïo sawl gwaith. Mae angen cymryd gofal mawr wrth dorri allan rhag difetha'r tabiau. Wedi eu torri dylid llythrennu'r dyluniadau a'u lliwio. I gael arwyneb sgleiniog, gellid eu paentio gyda glud PVA a dŵr wedi ei ychwanegu ato, ond mae hyn yn tueddu i beri i'r lliw redeg o rai peniau. Yna, gellir rhoi'r arwyddion yn sownd wrth y cylch (neu siâp arall) gan ddefnyddio padiau glynu neu lud poeth. Mae glud PVA yn ddelfrydol i roi cylchoedd cerdyn ynghyd ond yn llai dibynadwy pan fyddwch yn defnyddio cylchoedd correx. Neu, gellir gwneud yr arwydd gyda dau ddarn o gerdyn wedi eu gludio ynghyd ar hyd yr ymylon, ond gadael sianel heb lud yn y canol y gellir ei wthio dros y postyn hoelbren (Llun 14). Yn olaf, dylid cysylltu'r gylched fel yn y dasg Ymarferol Benodol a dylai'r arwydd gylchdroi.

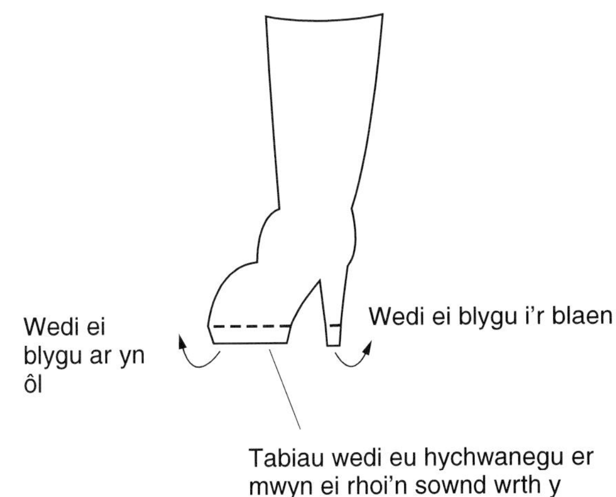

Llun 13

Llun 14

Eglurwch y bydd yr arwydd i'w weld o ddwy ochr ac felly y bydd angen ochr chwith hefyd er nad oes yn rhaid bod mor fanwl ar yr ochr chwith. Pwysleisiwch hefyd y bydd yn rhaid i gwsmer fedru darllen unrhyw ysgrifen fel y bydd yr arwydd yn cylchdroi.

Dylai'r plant luniadu eu dyluniad terfynol wrth raddfa ar bapur sgwariau centimetr gan ddefnyddio'r rîl gotwm a sgwariau i gael maint cywir. Mae'n rhaid ychwanegu tabiau nawr. Hefyd dylech atgoffa'r plant i ychwanegu unrhyw lythrennu a lliwio'r llythrennau. Byddai hwn yn gyfle da i adolygu llythrennu gan gynnwys defnyddio

Gwerthuso
Dylid profi pob arwydd i weld a yw'n gweithio ai peidio gan gofio ei fod i ddefnyddio egni batri ac i fod i gylchdroi. Os yw'r plant wedi dylunio eu cynnyrch ar gyfer lle arbennig, gellid gwahodd y siopwr i roi sylwadau ar y gwaith. Neu, gellid gwahodd dosbarthiadau eraill i ddod i weld arddangosfa o'r modelau yn gweithio. Maent yn ddelfrydol i'w harddangos mewn cyfarfodydd rhieni neu gyfarfodydd staff gan fod y modelau yn lliwgar ac yn atyniadol.

UNED 10: CAMIAU A CHRANCIAU

BWYSTFILOD BYCHAIN

Nodau dysgu

Sgiliau dylunio
Dylai disgyblion gael y cyfle i:

- luniadu nifer o syniadau cychwynnol cyn dewis a datblygu un dyluniad
- wneud lluniadau manwl i ddangos y proses o wneud dyluniad
- wneud 'rhestr siopa' yn manylu ar yr adnoddau sydd eu hangen
- ddefnyddio teganau ar olwynion i'w helpu i ddylunio.

Sgiliau gwneud
Dylai disgyblion ymarfer:

- defnyddio dril llaw a stand dril
- drilio tyllau heb fod yn y canol
- defnyddio cynwysyddion fel sylfeini ar gyfer mecanweithiau
- plygu gwifrau neu sodro rhodenni
- cyflwyno rhestr siopau a phrisiau

Gwybodaeth a dealltwriaeth
Dylai'r disgyblion ddysgu:

- fod mecanweithiau syml yn gallu creu symudiad ar i fyny ac i lawr a chylchdroi
- y gellir newid symudiad cylchdro i fudiant/symudiad cilyddol (i'r cyfeiriad arall)
- adnabod mecanwaith cam a mecanwaith cranc.

Geirfa: cam, cranc, dilynwr, gwerthyd, cylchdro, cilyddol

TASGAU YMCHWILIOL

Defnyddiau/offer sydd eu hangen: casgliad o deganau symudol bach, e.e. teganau i'w 'tynnu ar ôl' a rhai 'neidio-i-fyny'.

Tasg 1
Rhowch degan plentyn dan oed ysgol i bob disgybl. Gofynnwch iddynt edrych yn fanwl ar y tegan i weld sut y mae'n gweithio. Yna, dylent wneud lluniad o'r tegan a'i labelu i ddisgrifio sut y mae'r mecanwaith yn gweithio.

Tasg 2
Gofynnwch i bob plentyn ddangos, i weddill y dosbarth, sut y mae ei degan yn gweithio.

Tasg 3
Dangoswch i'r plant sut i wneud lluniad taenedig o'u tegan (Llun 1).

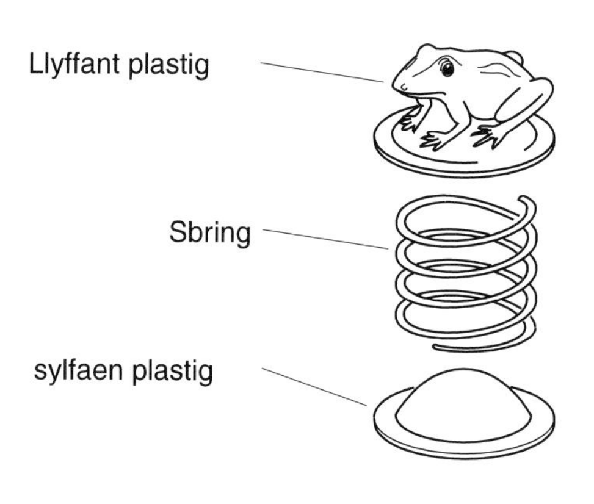

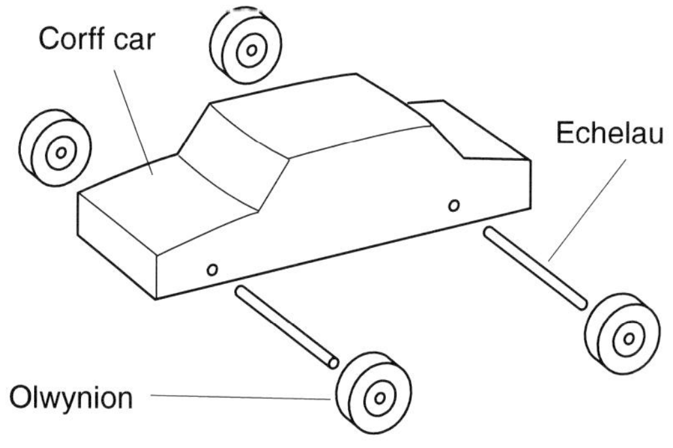

Llun 1

TASGAU YMARFEROL PENODOL

Defnyddiau/offer sydd eu hangen: Meistrgopïau 91, 92, 93 a 94; bocsys cardfwrdd (o leiaf 10cm sgwâr), olwynion MDF 50mm a 30mm, hoelbren 4.5mm, gwifren drwchus, (e.e. rhoden sodro neu wifren gwerthwr blodau), tiwb plastig 5mm, haclifiau, bachau mainc, snipyddion, dril llaw a stand dril, papur, ebillion, gefeiliau, cerdyn tenau, peniau ffelt, gleiniau, pwns cylchdro, glud PVA, siswrn.

Tasgau annibynnol
Mae'r tasgau hyn yn annog y plant i ddilyn rysáit i wneud tegan 'neidio-i-fyny'. Mae angen gwneud dau fath o fecanwaith gwahanol – y cam a'r cranc – ac felly dylai'r plant weithio yn barau, pob plentyn yn gwneud tegan gwahanol ond yn helpu ei bartner yn y broses o wneud.

Yn gyntaf, rhowch Meistrgopi 91/92 a 93/94 i'r plant. (Dylid defnyddio'r rhain fel sail i'r gweithgaredd.) Trafodwch y tasgau yn fanwl. Yna, gallant ddechrau gwneud eu mecanweithiau. Gadewch iddynt gael dewis eu hoffer a'u helpu os oes angen. Tebyg y bydd arnynt angen help i blygu'r cranc, yn enwedig os ydynt yn defnyddio rhoden sodro yn hytrach na gwifren gwerthwr blodau.

ASEINIAD DYLUNIO A GWNEUD

Amcan: Dylunio a gwneud tegan – bwystfil bychan sy'n defnyddio cam neu granc.

Defnyddiau/offer sydd eu hangen: Meistrgopïau 95 a 107, cynwysyddion (tybiau margarîn plastig fyddai orau), olwynion MDF, hoelbren, gwifren gwerthwr blodau/rhoden sodro, cerdyn tenau a cherdyn trwchus, tiwb plastig, haclifiau, bachau mainc, snipyddion, dril llaw a stand dril, dril papur ac ebillion, gefeiliau, peniau ffelt, gleiniau, pwns cylchdroi, glud PVA, sisyrnau, paent emulsion neu baent modelau/pâst papur wal, papur newydd/papur sidan, paent poster, casgliad o deganau symudol bach sy'n defnyddio cam neu granciau.

Cyflwyno
Dangoswch y casgliad o deganau i'r plant ac awgrymu eu bod yn astudio'r mecanweithiau yn fanwl. Yna, trafodwch ofynion y dasg ac unrhyw awgrymiadau y mae'r plant wedi sôn amdanynt.

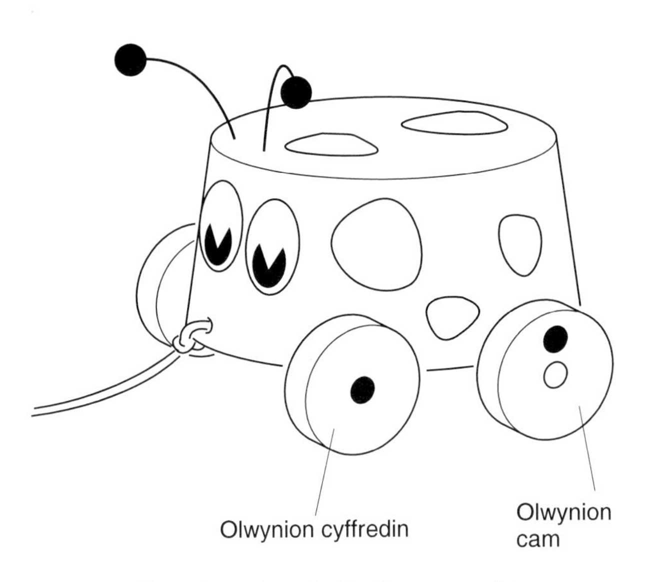

Buwch goch gota i'w thynnu ar ôl

Llun 2

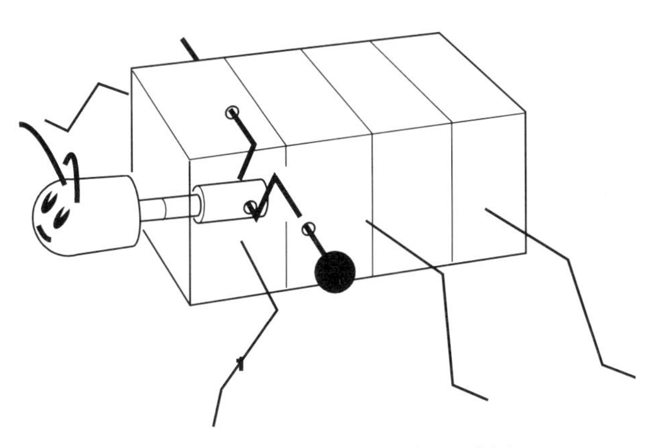

Gwenynen a chranc yn ei gweithio

Llun 3

Corryn yn neidio a cham yn ei weithio

Llun 4

Gellir arwain y plant i wneud bwystfil bychan y gellir ei dynnu ar ddwy olwyn, dwy o'r rheini'n olwynion cam (Llun 2); bwystfil fydd yn aros yn yr unfan gyda chranc yn peri fod ei ben yn symud neu ei gynffon (Llun 3); neu sylfaen yn yr unfan a cham yn peri fod y bwystfil yn neidio (Llun 4).

Bydd rhai plant yn ddigon abl i gyfuno mwy nag un o'r mecanweithiau neu i ddyfeisio eu fersiwn eu hunain.

Dylunio

Gofynnwch i'r plant luniadu cyfres o luniadau yn dangos eu syniadau dylunio. Dylai'r rhain fod yn fach, ond wedi eu labelu gan fanylu ar unrhyw syniadau. Yna, dylent ddewis un syniad i'w ddatblygu. Anogwch y plant i ddewis yr un fydd hawsaf i'w wneud gan mai hwnnw fydd fwyaf llwyddiannus yn ôl pob tebyg. Bydd angen iddynt ei ail-luniadu gan ddangos y darnau fydd yn gweithio. Gallent wneud lluniad taenedig. Dylid ei labelu'n fanwl neu gellid rhoi allwedd i ddangos y gwahanol gydrannau. Yna, dylai'r plant wneud rhestr siopa o'r holl ddefnyddiau fydd arnynt eu hangen. Ar ddarn arall o bapur, gallent restru'r offer fydd arnynt ei angen ac ysgrifennu cynllun gwaith. Neu, gallent gyfuno'r prosesau hyn a gwneud taflen gyfarwyddiadau yn egluro sut i ddefnyddio pecyn i wneud bwystfil bychan (gweler Meistrgopi 95).

Gwneud

Y peth cyntaf sy'n rhaid i'r plant ei wneud yw casglu eu defnyddiau ynghyd. Ni ddylent gael dim, yn y lle cyntaf, os nad yw ar eu rhestr siopa. Gellir ychwanegu ati yn nes ymlaen, ond dylid eu hannog i gynllunio ymlaen llaw a cheisio lleihau'r galw am adnoddau. Yna, dylai'r plant ddechrau gwneud eu mecanweithiau gan ddilyn y camau a wnaed wrth wneud 'y clown cam' a'r 'creadaur cranc'. Wedyn, gallant feddwl am addurno eu modelau. Mae dwy ffordd amlwg i addurno sylfaen y model. Un yw gorchuddio'r sylfaen â math o bâst papier-maché drwy gymysgu papur wal a phapur sidan neu bapur newydd. Bydd hwn yn caledu ac yn cael ei gadw yn ei le gan yr echel a/neu'r cranc. Neu, gellid paentio'r sylfaen gyda phaent emulsion gwyn ac yna baent modelau/ paent poster, peniau parhaol, labeli gludiog, secwinau ac ati. Fodd bynnag, os yw'r cynhwysydd yn hyblyg iawn, efallai y byddai'r paent yn cracio ymhen amser.

Gwerthuso

Dylid gofyn i'r plant werthuso eu gwaith eu hunain drwy dynnu sylw at y rhannau sy'n dda a'r rhannau sydd heb fod cystal. Yna, dylid gofyn iddynt restru unrhyw wahaniaethau rhwng y dyluniad gwreiddiol a'r cynnyrch gorffenedig. Dylent hefyd restru unrhyw adnoddau ychwanegol a ddefnyddiwyd. Gellir defnyddio Meistrgopi 107 i'w helpu. Dylid annog y plant i werthuso projectau eu cyd-ddisgyblion drwy weithio'n barau, pob un i ysgrifennu gwerthusiad beirniadol o fodel ei bartner. Dylai hwn gynnwys disgrifiadau – sut y mae'r model yn gweithio, a yw'n gweithio'n dda, ansawdd y cynnyrch a'i apêl i'r llygad.

TECHNEGAU, OFFER A STORIO

Cynlluniwyd yr adran hon fel y gellir cyfeirio ati wrth weithio drwy'r llyfr. Ceir yma ganllawiau ar sut i ddefnyddio offer a disgrifiadau o'r gwahanol dechnegau a ddefnyddir yn y broses o ddylunio a gwneud.

Bydd angen defnyddio offer a all fod yn beryglus wrth wneud llawer o'r tasgau, ac felly sonnir yma hefyd am ddiogelwch.

Mae'r adran hon yn cynnwys gwybodaeth:
- am dechnegau dylunio
- am dechnegau gwneud
- Offer
- Syniadau am sut i storio

TECHNEGAU DYLUNIO

Astudiwch gynnyrch parod i gasglu syniadau

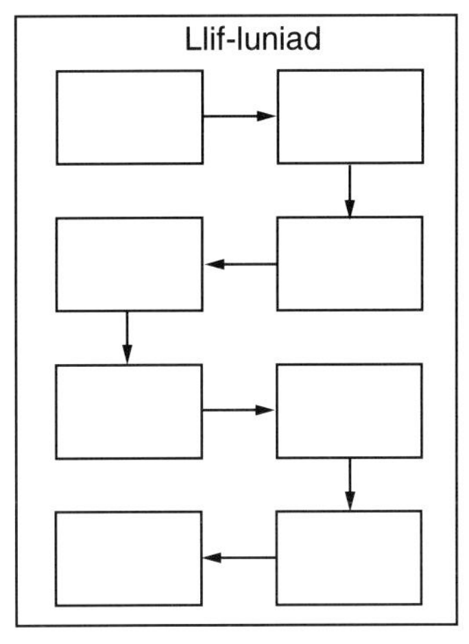

Gwnewch lif-luniad i ddangos dilyniant eich gwaith

Taflen gynllunio	
Tasg	
Offer	Defnyddiau
Offer arall	
Cam 1	Cam 2
Cam 3	Cam 4
Cam 5	Cam 6

Cynlluniwch gam wrth gam

Enw	Dosbarth	Dyddiad
Project	Syniadau dylunio cyntaf	
	Siâp calon	
Pyramid		

Gwnewch luniadau cyflym i ddechrau

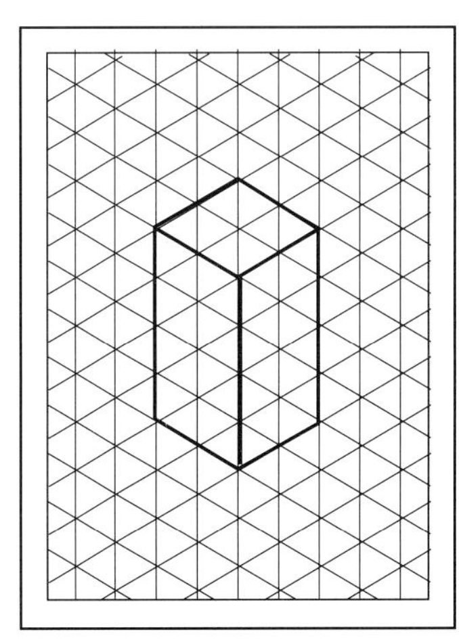

Defnyddiwch bapur isomedrig i wneud lluniadau 3D

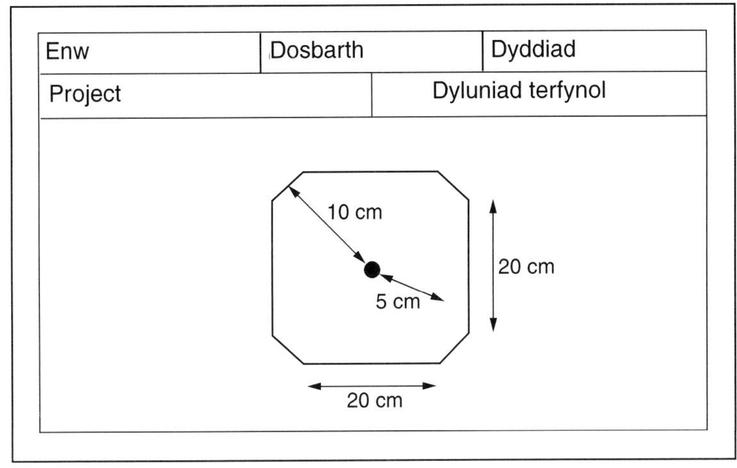

Gwnewch luniadau manwl, wrth raddfa, o'r syniad terfynol

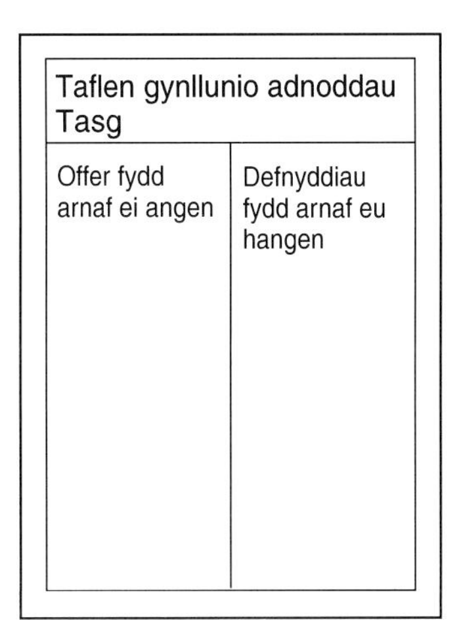

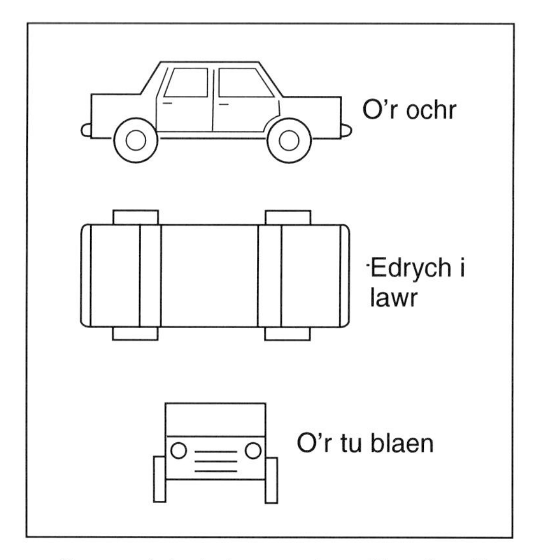

Gwnewch luniadau o wahanol bersbectif

Arolwg	
1	✓✓
2	
3	✓✓✓
4	✓✓
5	✓✓
6	✓✓✓✓
7	✓
8	✓

Mae'n well gen i . . .

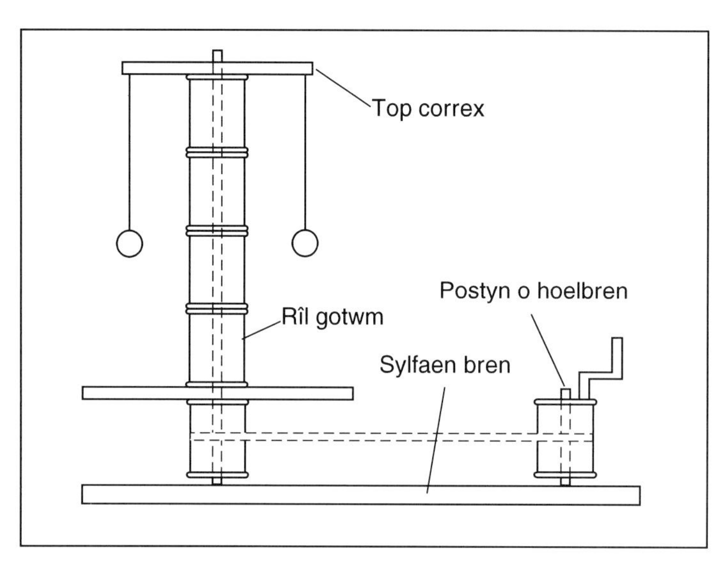

Gwnewch luniadau wedi eu labelu'n ofalus

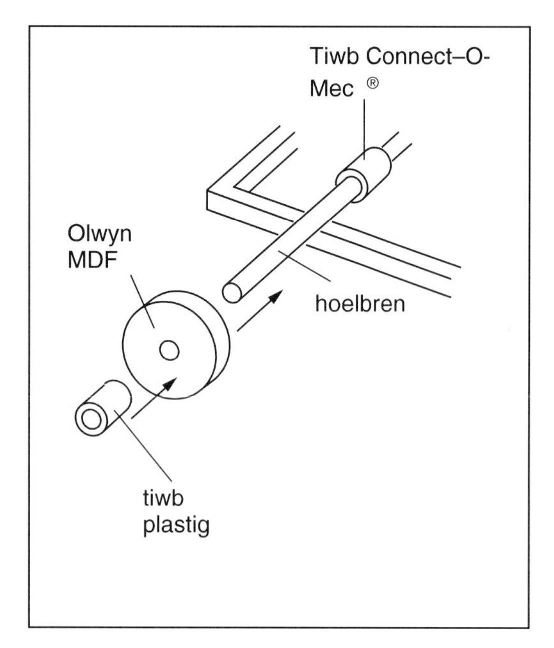

Gwnewch luniadau taenedig i ddangos sut y mae pethau'n ffitio at ei gilydd

Gwnewch fodelau o'ch dyluniadau gan ddefnyddio cerdyn, papur, defnyddiau y gelllir eu moldio neu becynnau adeiladu

TECHNEGAU GWNEUD

Fframweithiau

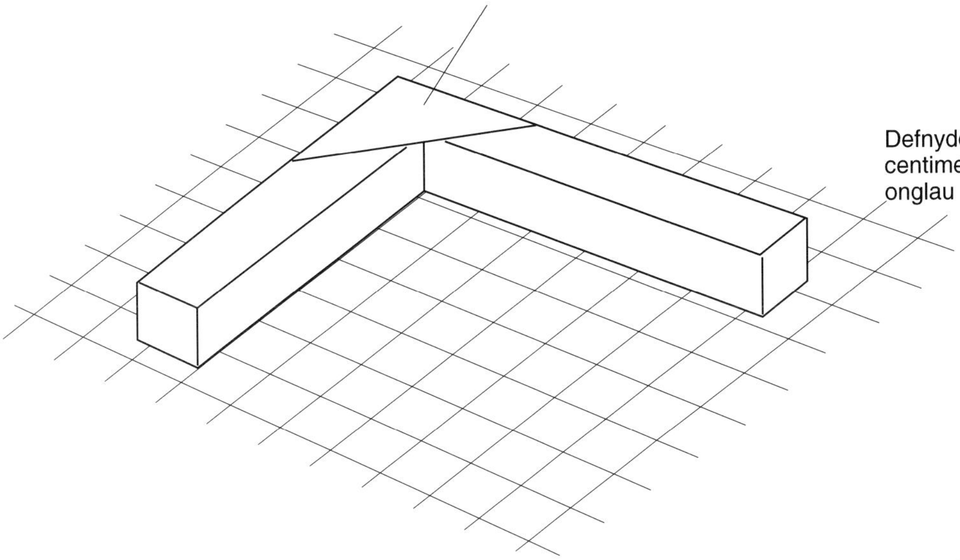

Triongl wedi ei ludio at y pren

Defnyddiwch bapur sgwariau-centimetr i'ch helpu i wneud onglau sgwâr

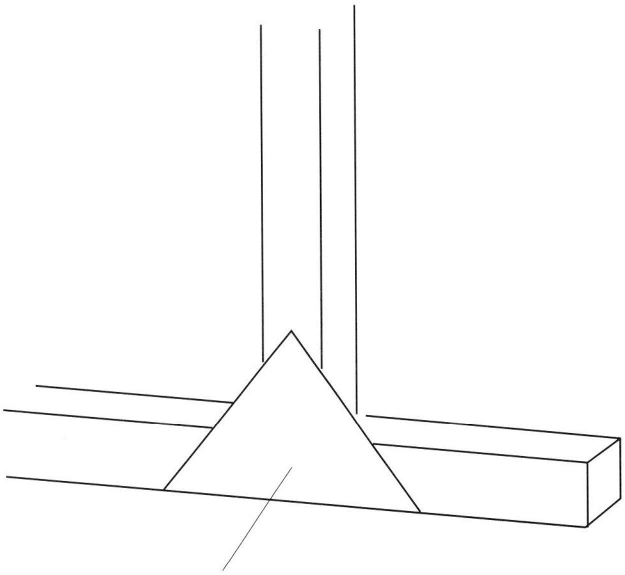

Defnyddiwch drionglau mawr i wneud uniad T

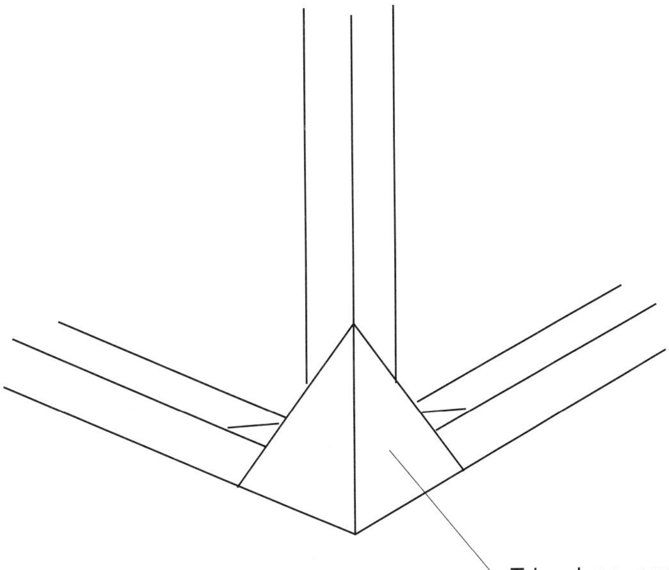

Triongl mawr wedi ei ludio i gynnal darn unionsyth

Uniadau

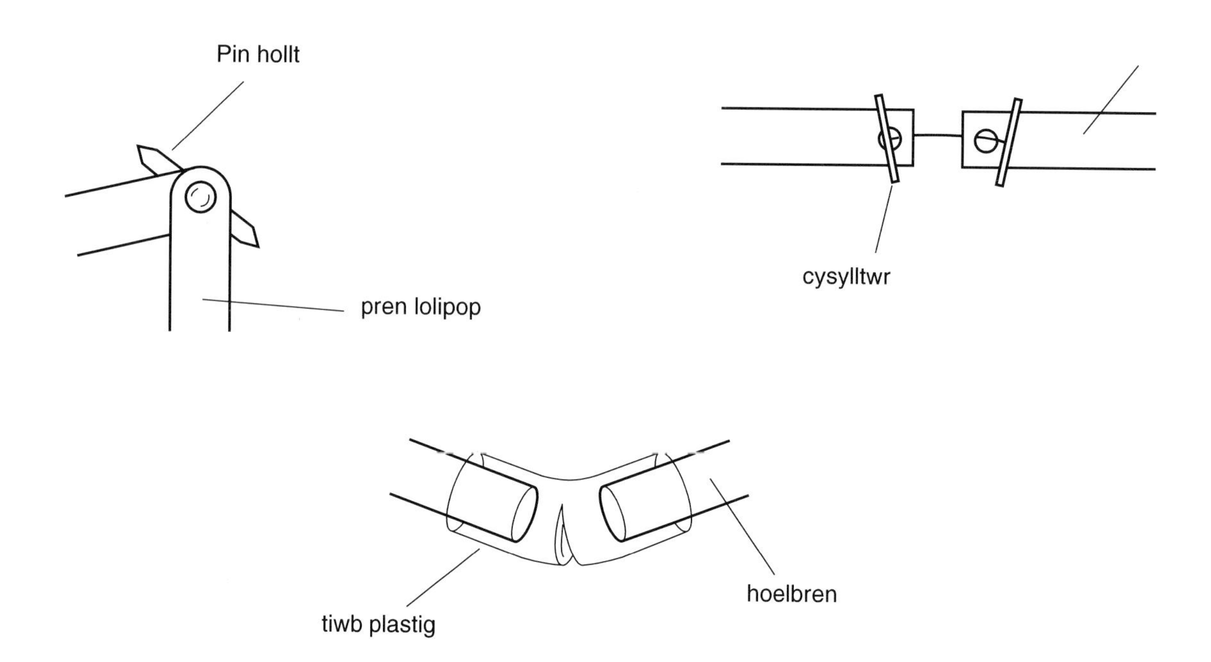
Pin hollt
pren lolipop
cysylltwr
tiwb plastig
hoelbren

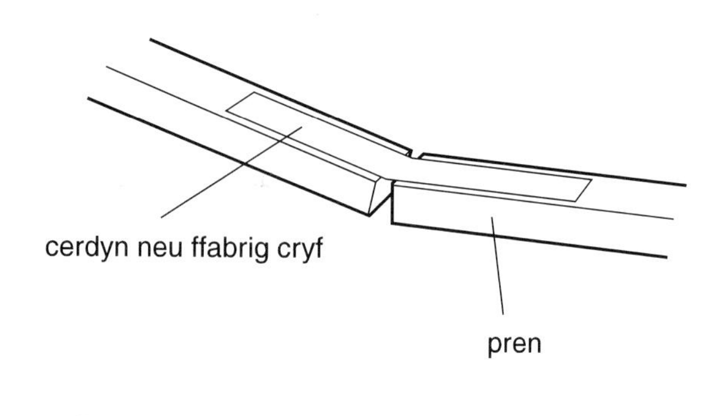
cerdyn neu ffabrig cryf
pren

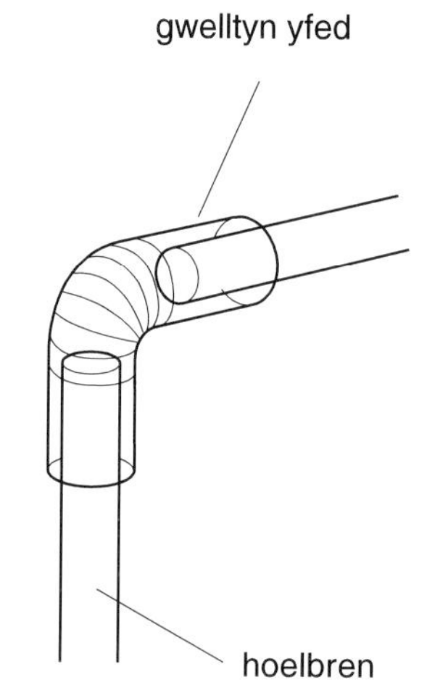
gwelltyn yfed
hoelbren

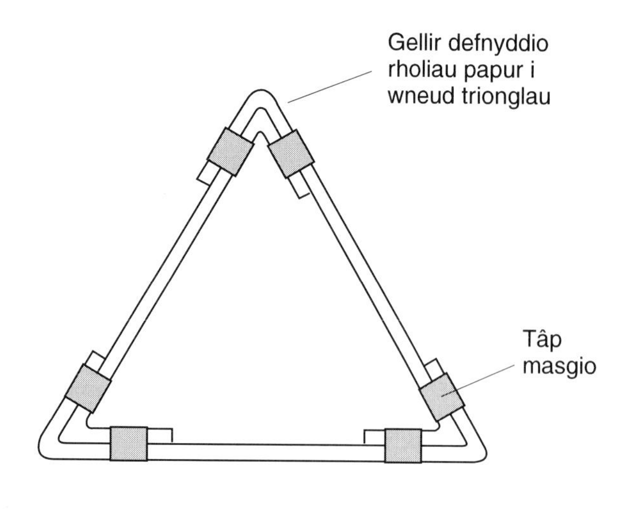
Gellir defnyddio
rhoIiau papur i
wneud trionglau
Tâp
masgio

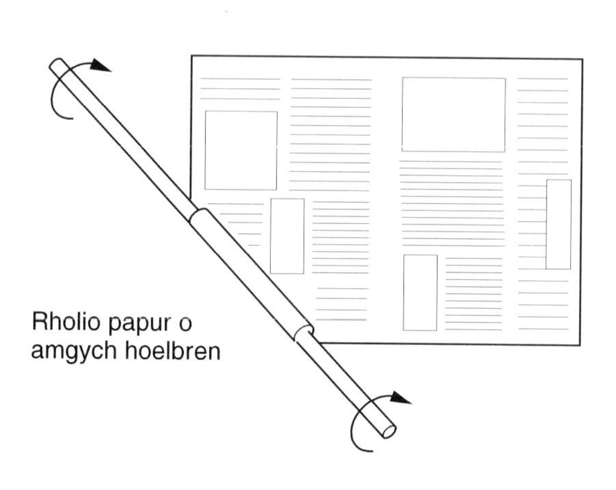
Rholio papur o
amgych hoelbren

Olwynion, echelau a chapiau bothau

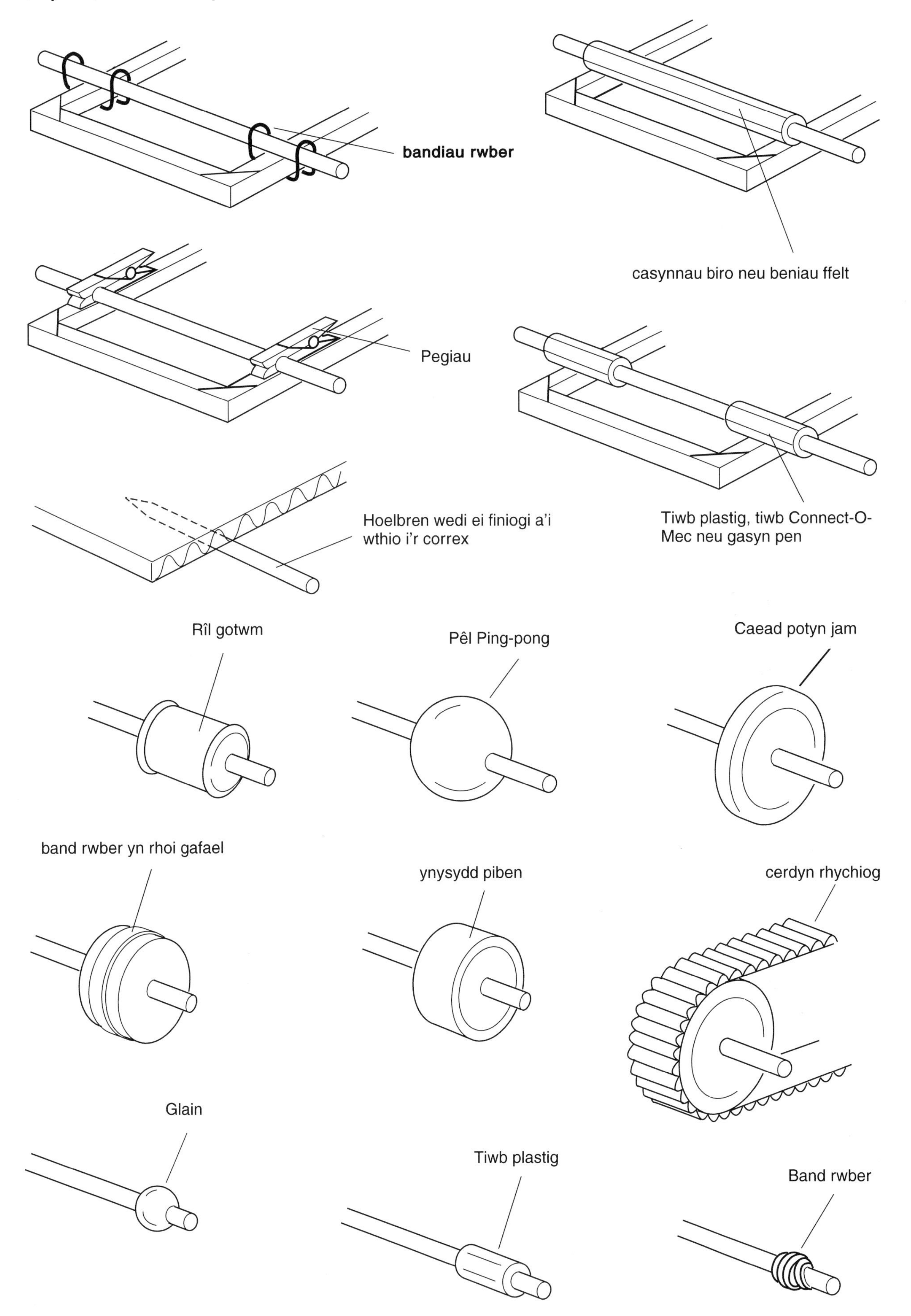

Trydan

Daliwr batri

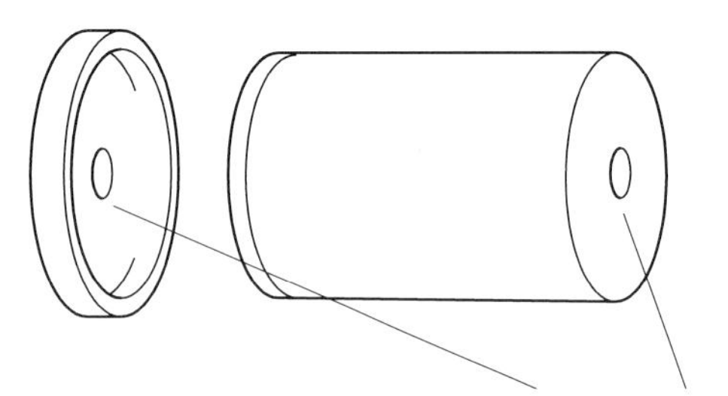

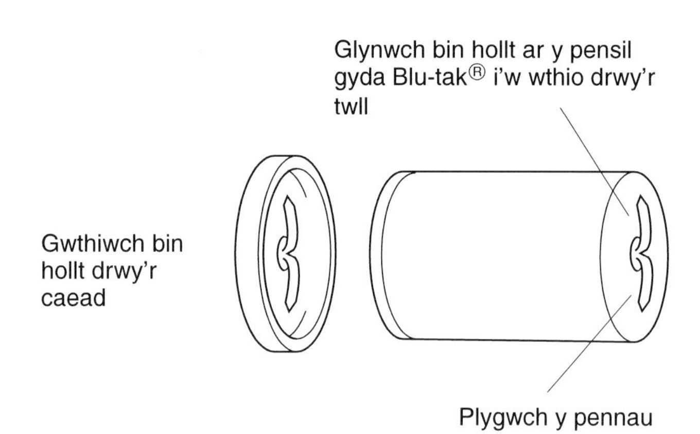

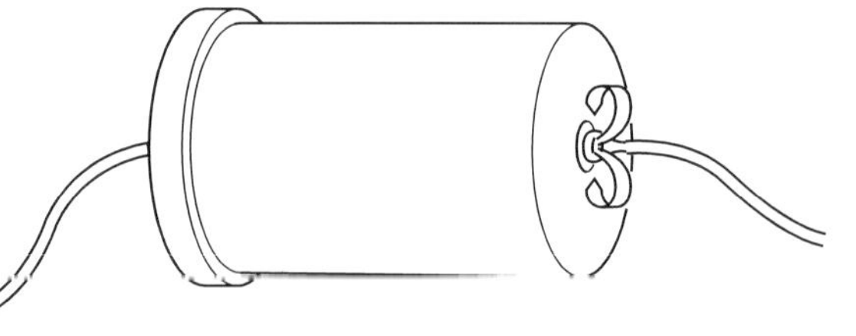

Switsys

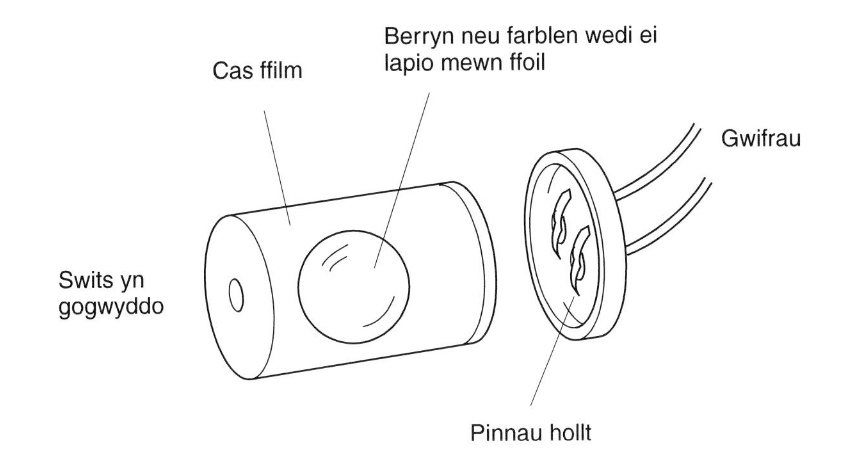

Switsys syml

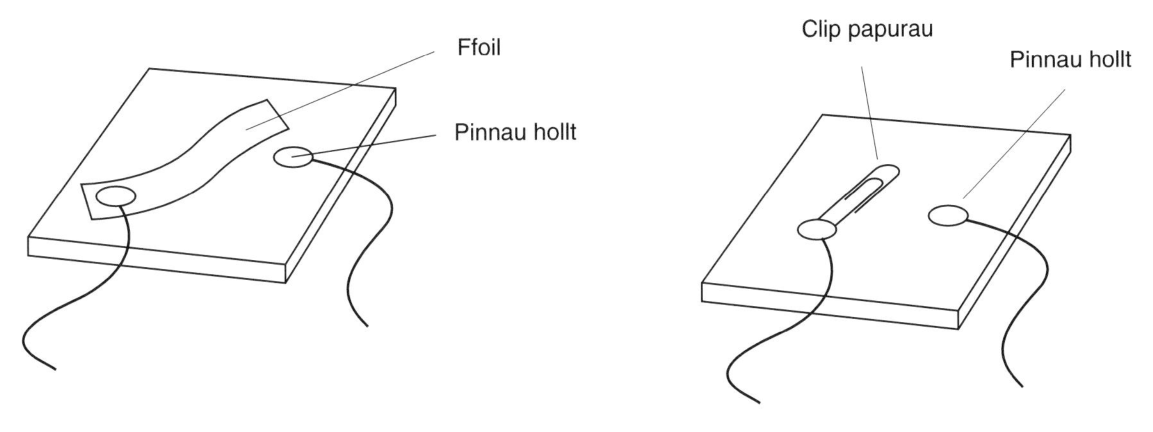

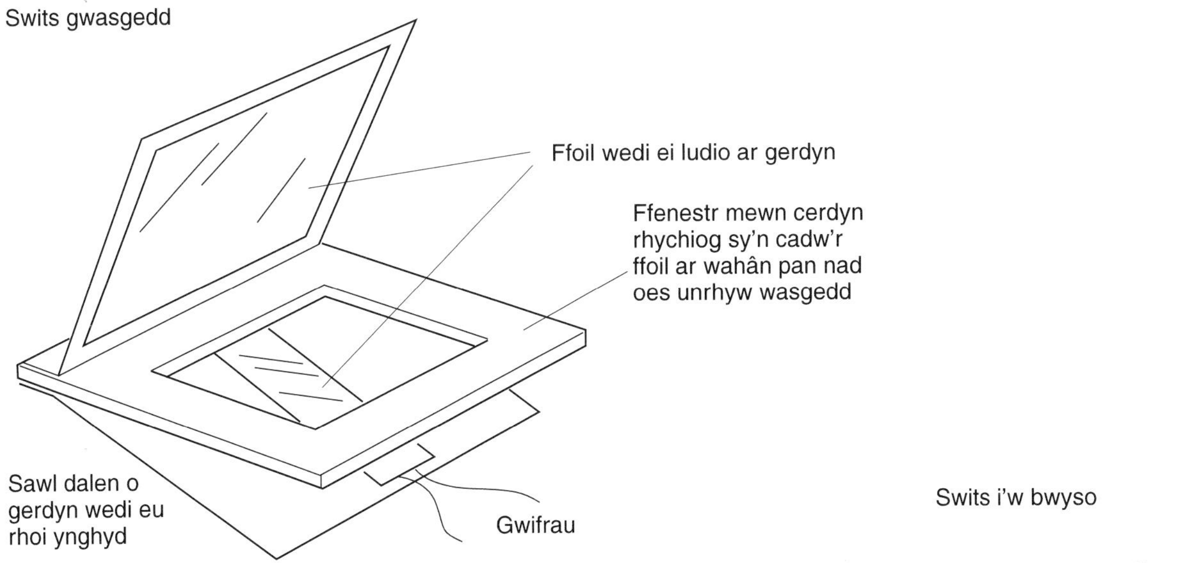

Swits i'w bwyso

Ffoil wedi ei lapio o amgylch gwifrau

Clipiau Modur

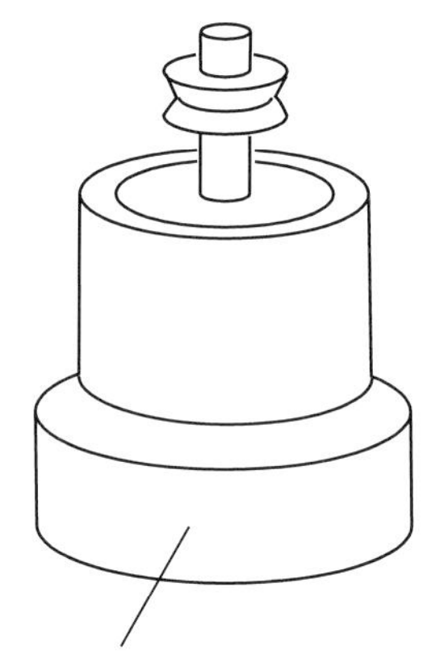

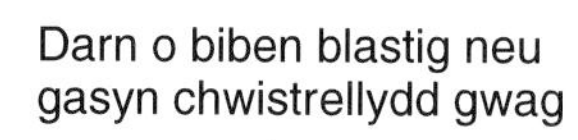

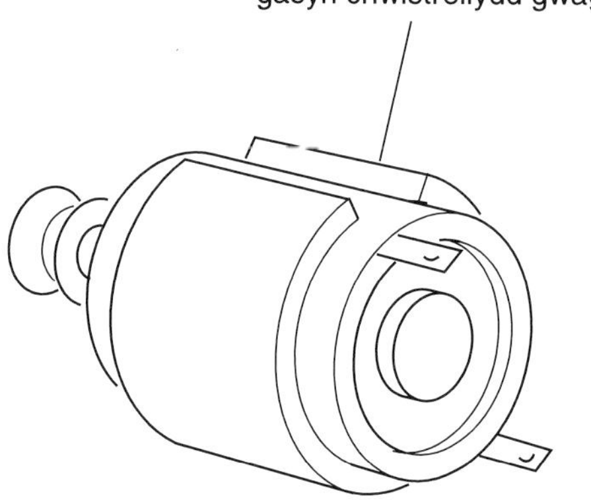

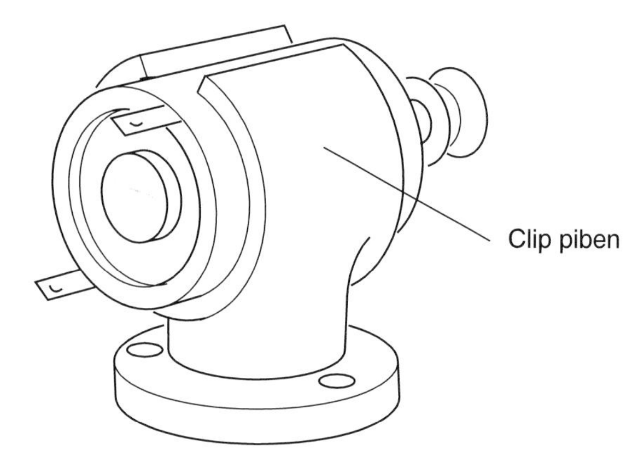

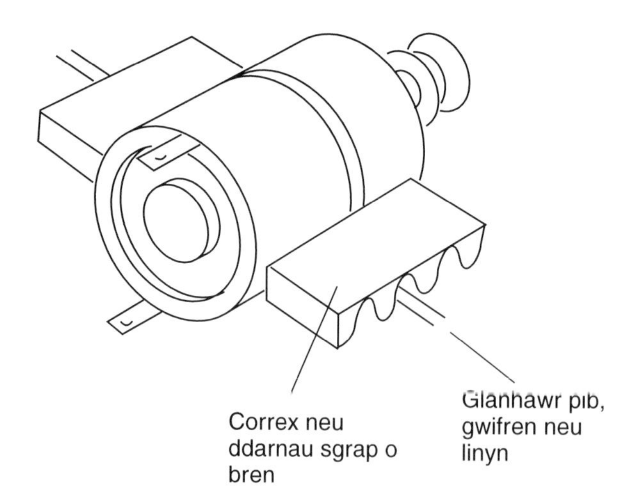

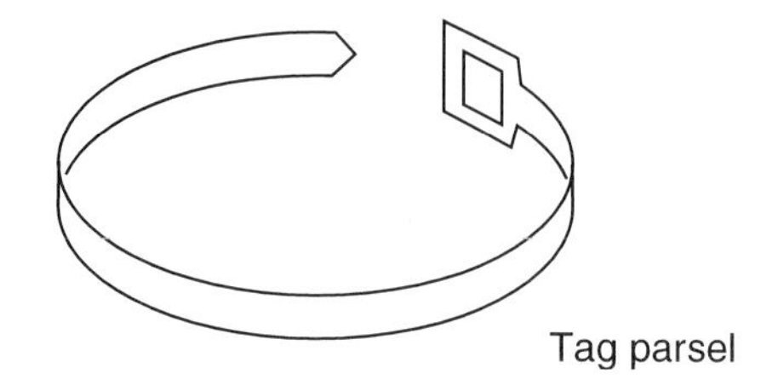

OFFER

Offer torri

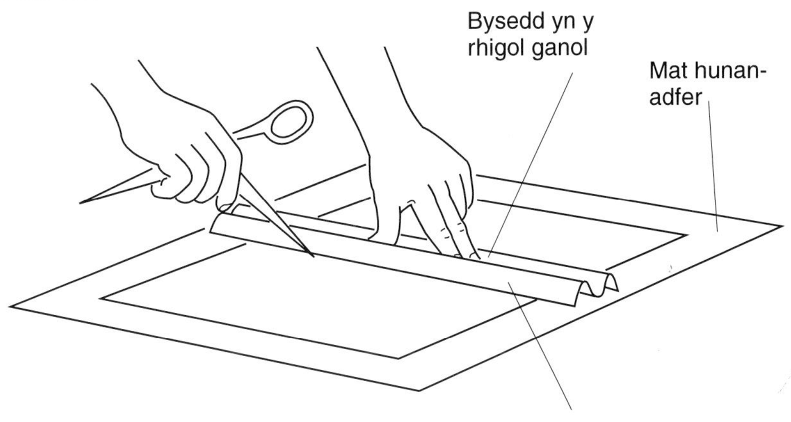

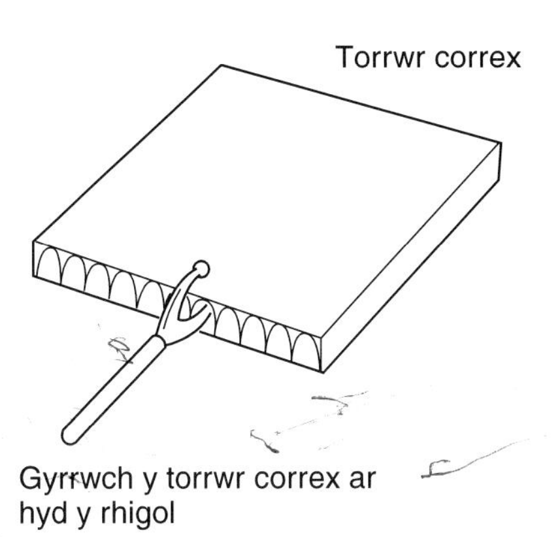

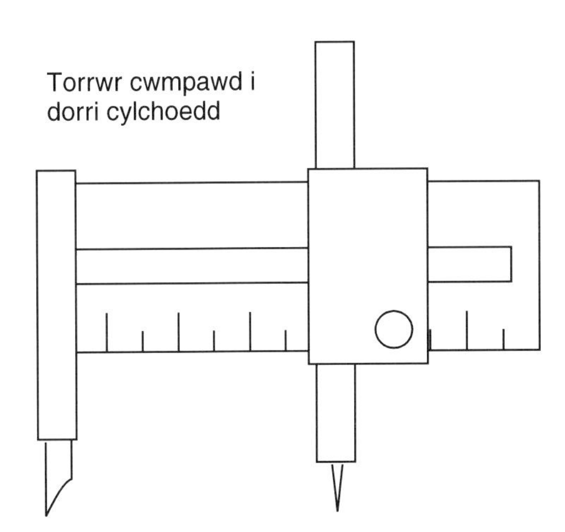

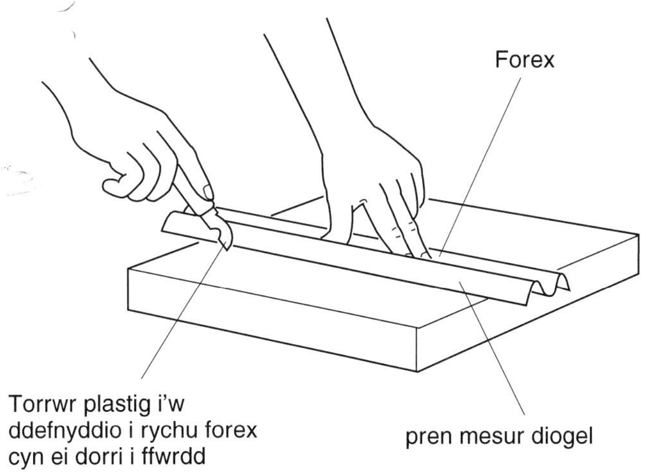

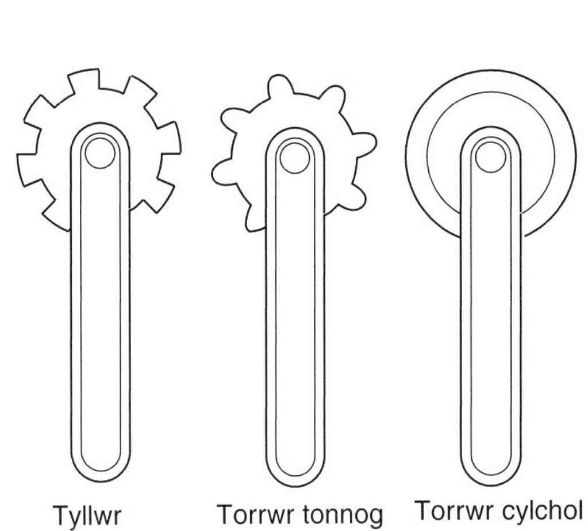

dril papur

dad-sgriwiwch i newid yr ebill

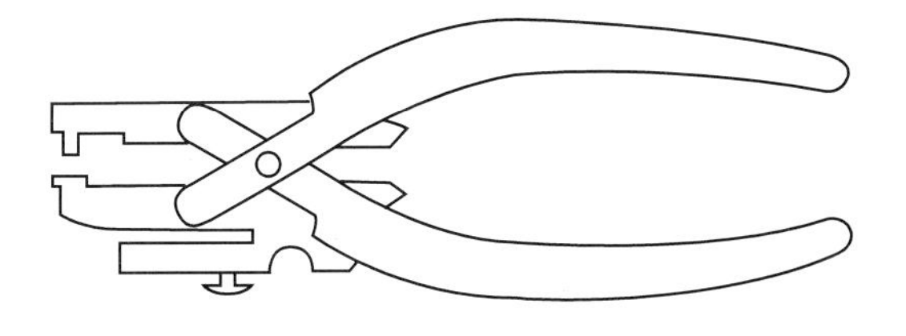

Pwns gefelen lygaden

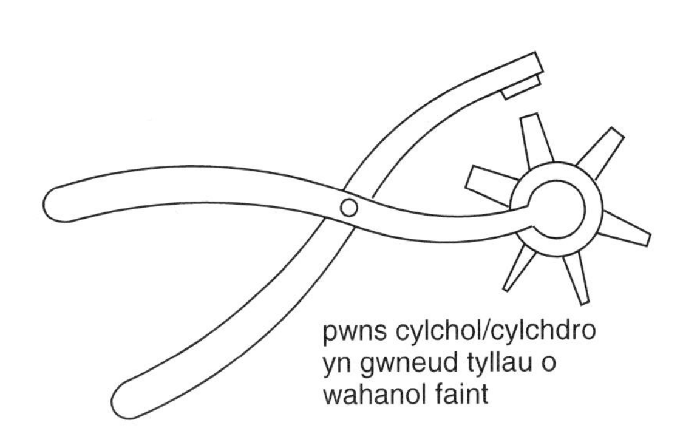

Pwns gefelen

Defnyddio stripwyr gwifrau

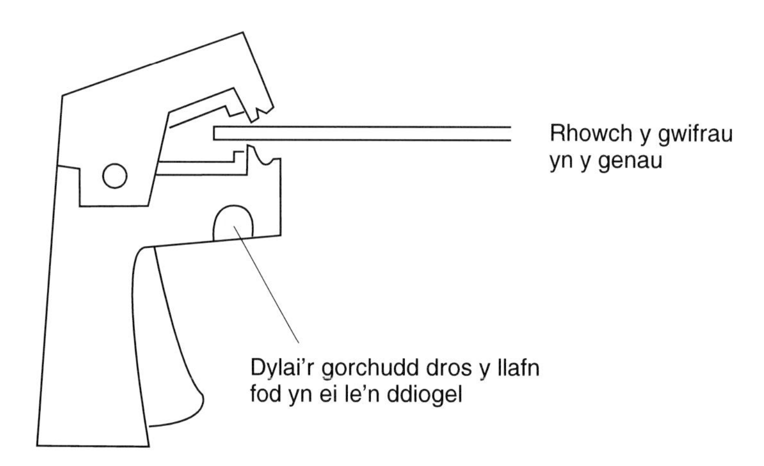

Defnyddio bach mainc, haclif ac un clamp

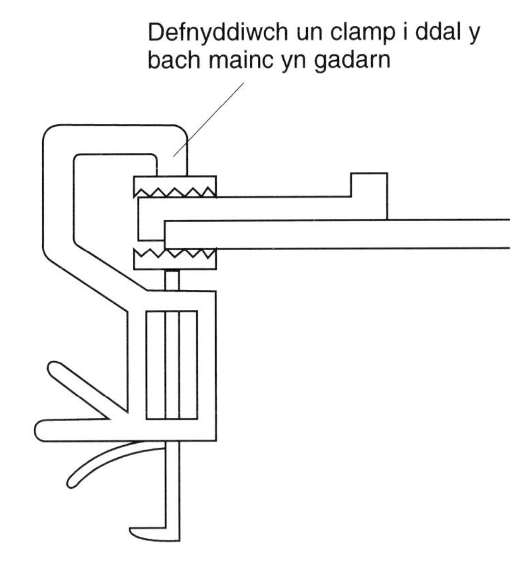

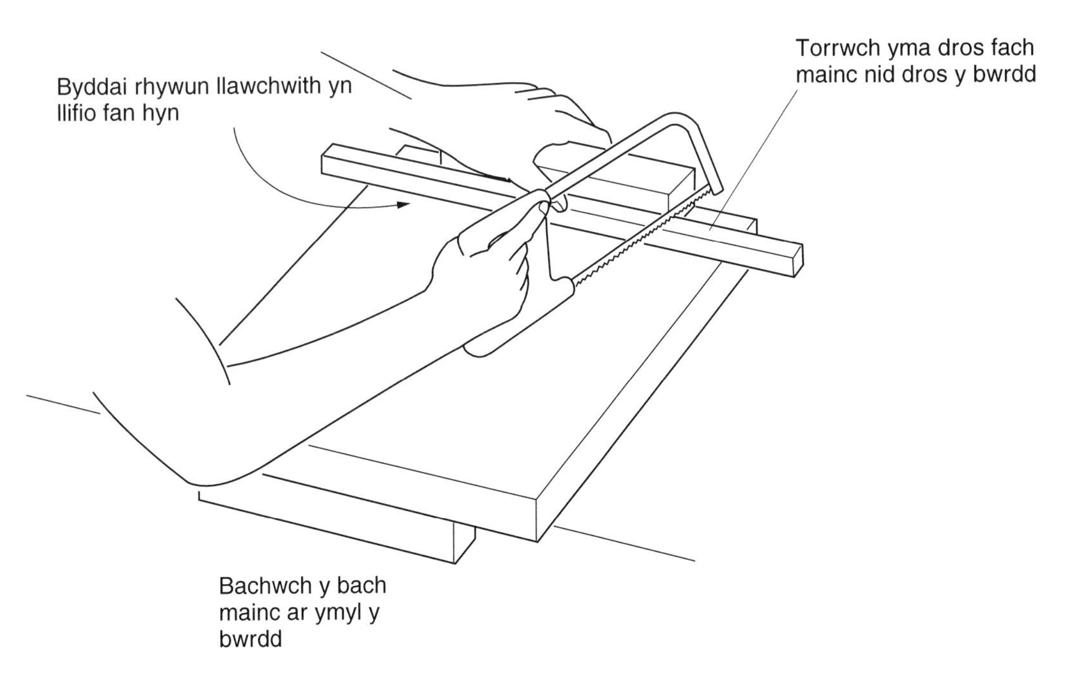

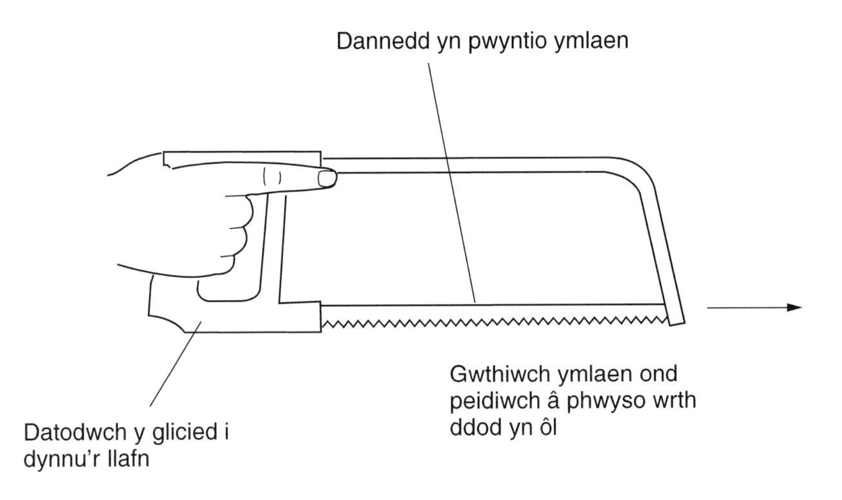

Defnyddio dril llaw

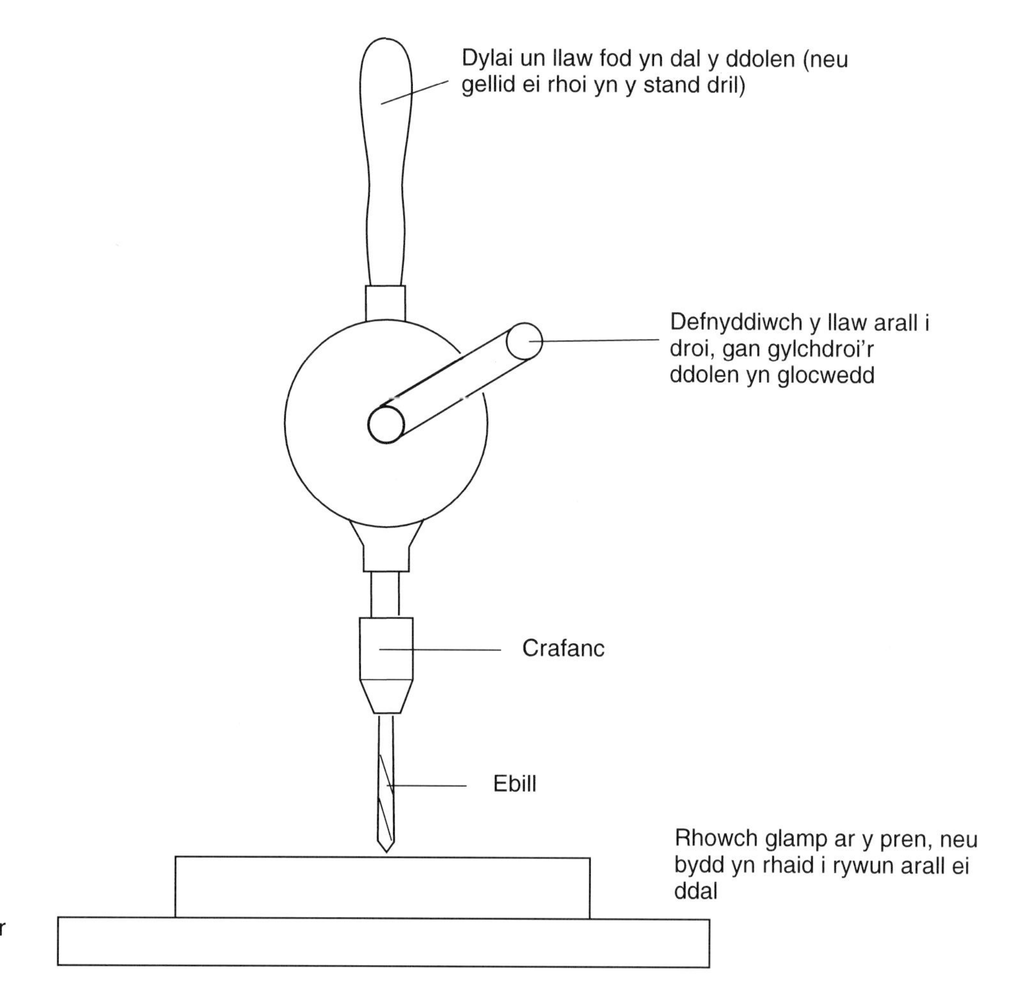

Rhowch ddarn o bren sgrap o dano i ddiogelu'r bwrdd, neu rhowch gorcyn ar yr ebill i weithredu fel stop

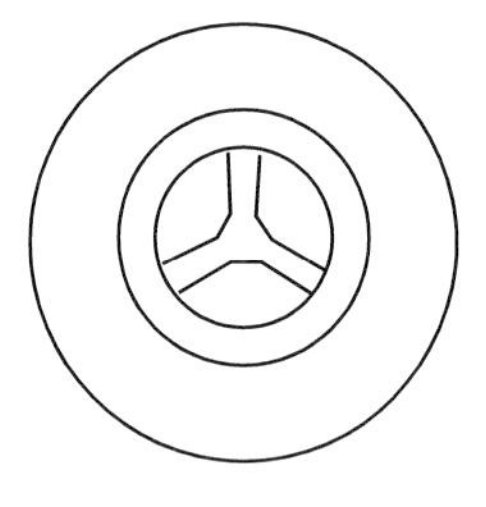

Edrych ar y pen

Wedi drilio twll, daliwch i droi yn glocwedd i gael yr ebill allan

I newid yr ebill, daliwch y dril yn gadarn a chydio'n dynn yn y grafanc
Trowch y ddolen droi yn galed yn wrthglocwedd i lacio'r genau
Rhowch ebill arall yn ei le a throi'r grafanc i gau'r genau

I'w gloi, daliwch y grafanc a throi'r ddolen gylchdroi yn siarp, yn glocwedd eto

Defnyddio llif siapio

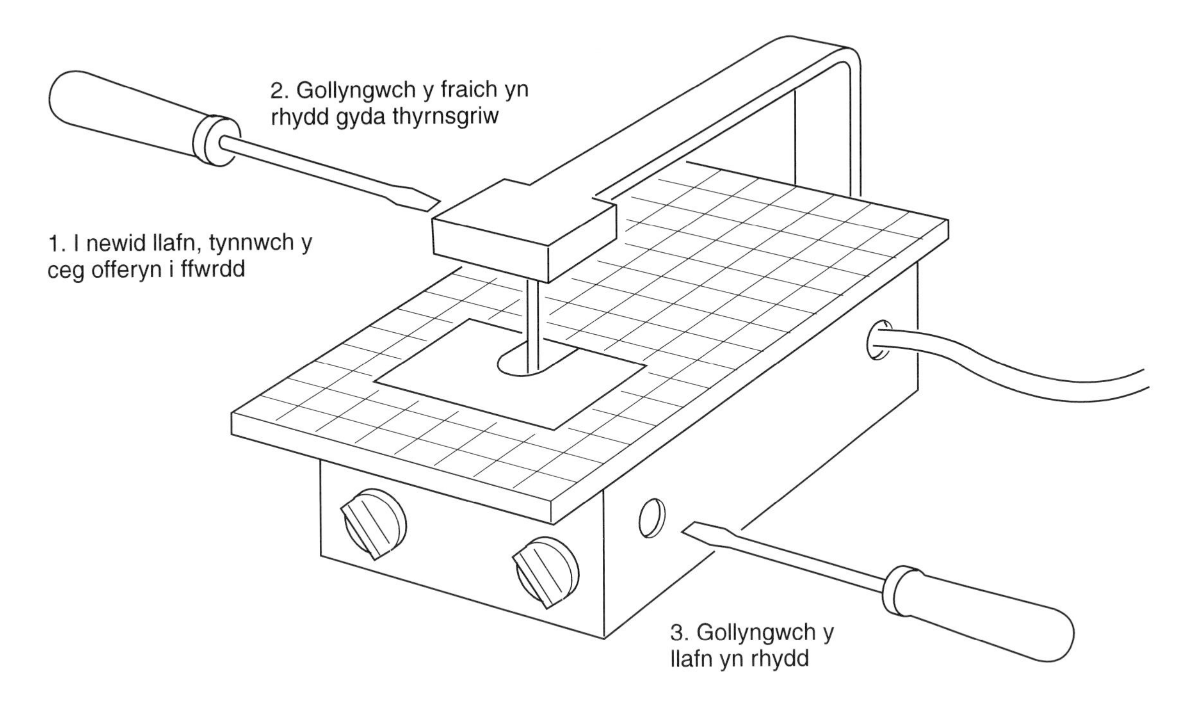

4. Rhowch y llafn i mewn drwy ei rhoi yn y clamp gwaelod yn gyntaf a thynhau'r sgriw
5. Gostyngwch y fraich ar ben uchaf y llafn, rhowch y llafn yn y clamp a'i thynhau

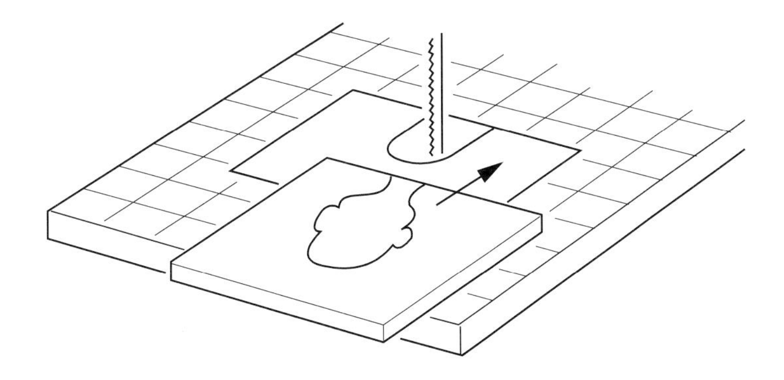

Arweiniwch y forex yn ofalus ar ymlaen
Peidiwch â gwthio yn erbyn y llafn na thynnu'r forex yn ôl

Defnyddio haearn sodro

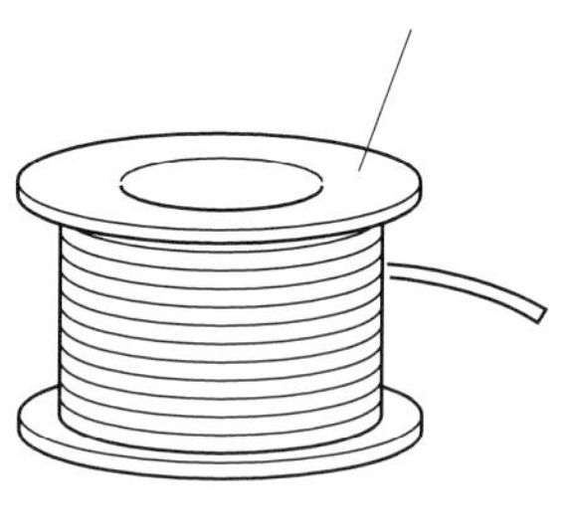

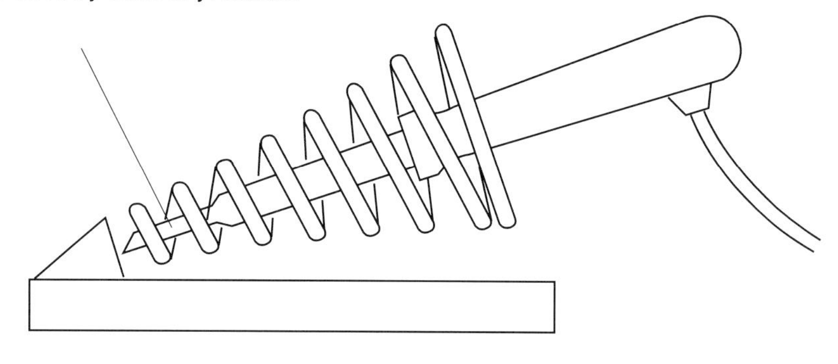

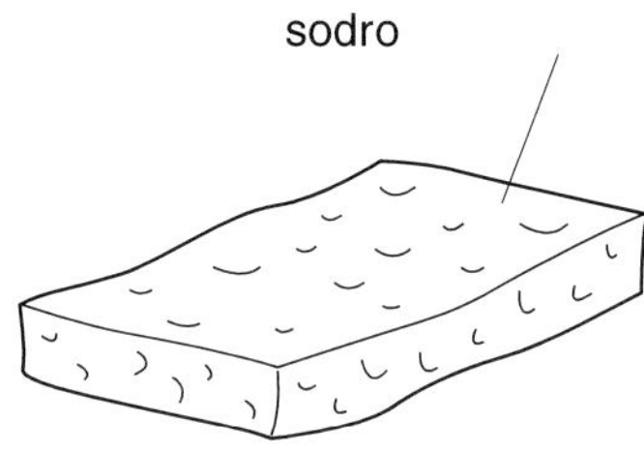

1. Dylid glanhau'r haearn tra bydd yn boeth
2. Defnyddiwch glamp i osod y wifren yn llonydd a phoethwch y wifren â blaen yr haearn. Daliwch sodr ar y wifren a gadael iddo doddi. Gelwir hyn yn 'dunio gwifren'
3. Gosodwch y wifren fel ei bod yn cyffwrdd y cysylltiad trydanol a'r clamp
4. Daliwch y wifren ar y cysylltiad gyda blaen yr haearn sodro. gadewch i'r sodr lifo i'r cysylltiad, i ddal y wifren yn ei lle
5. Tynnwch yr haearn oddi yno a gadewch iddo oeri

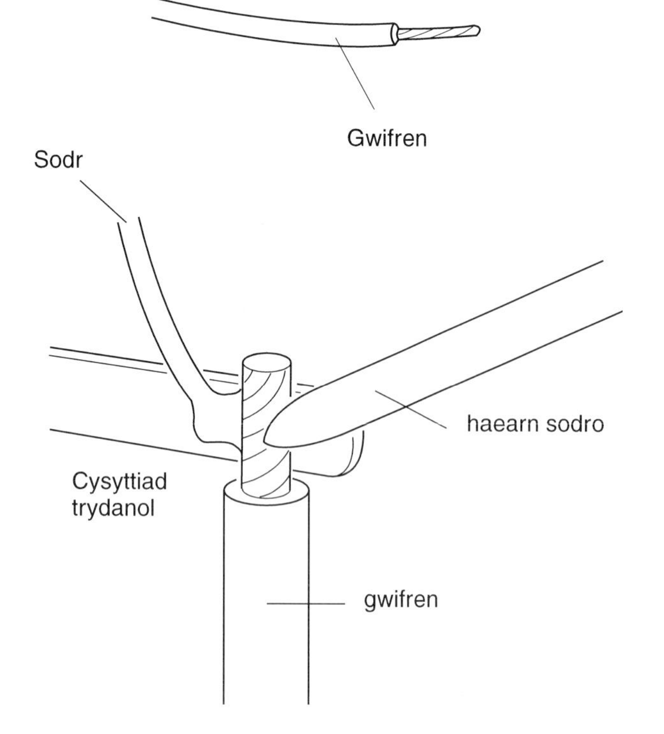

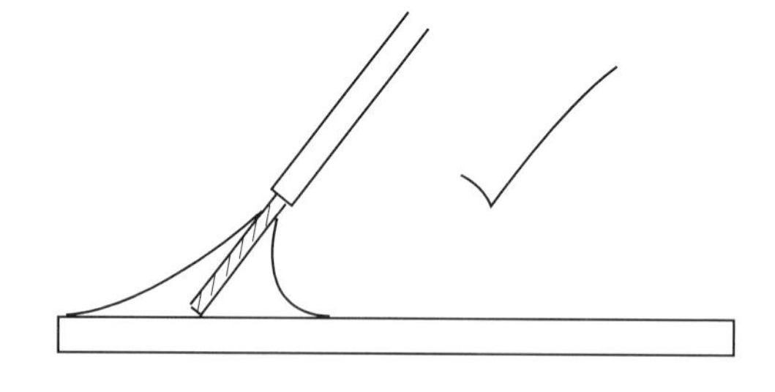

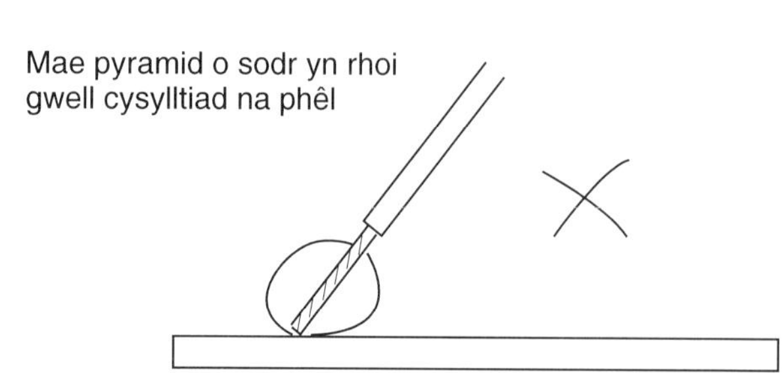

SYNIADAU AR STORIO

Gellwch storio glud mewn potiau saws siocled

Mae'r pin yn y caead yn rhwystro'r glud rhag sychu

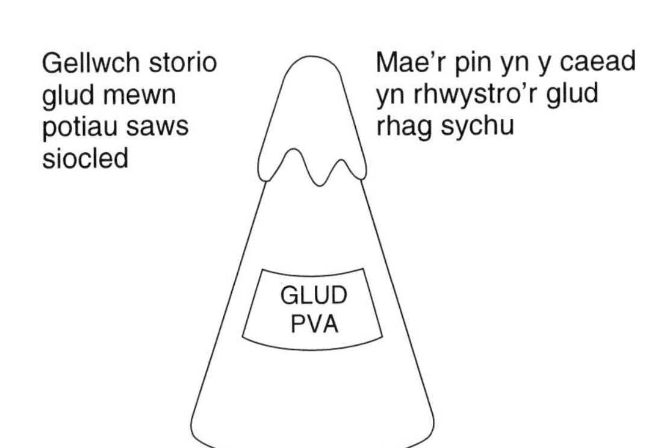

Mae darnau o bibau draenio yn ddelfrydol i storio darnau o bren. Dylid storio darnau sydd yn fwy na 1m o hyd ar eu gwastad rhag iddynt ystumio

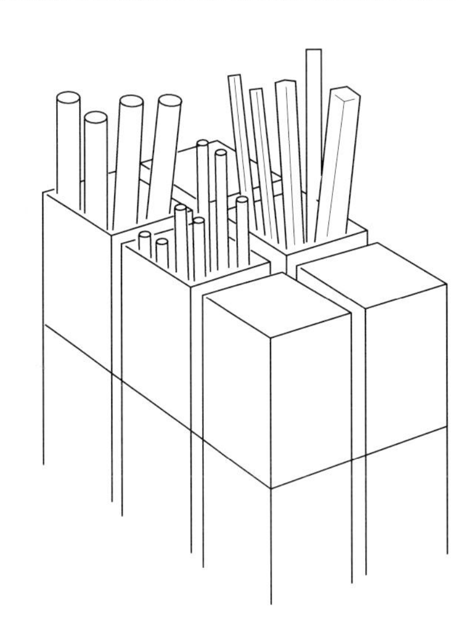

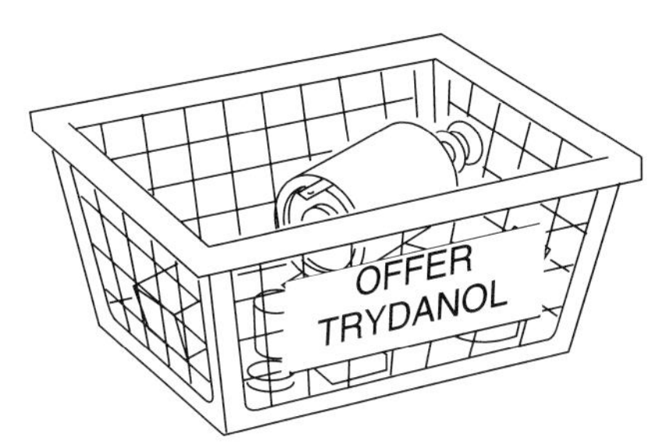

Gellir cael hen fasgedi ffrwythau a llysiau o siopau neu archfarchnadoedd

Mae bocsus bychan y gellir eu pentyrru y naill ar ben y llall yn ddelfrydol i storio cydrannau bach

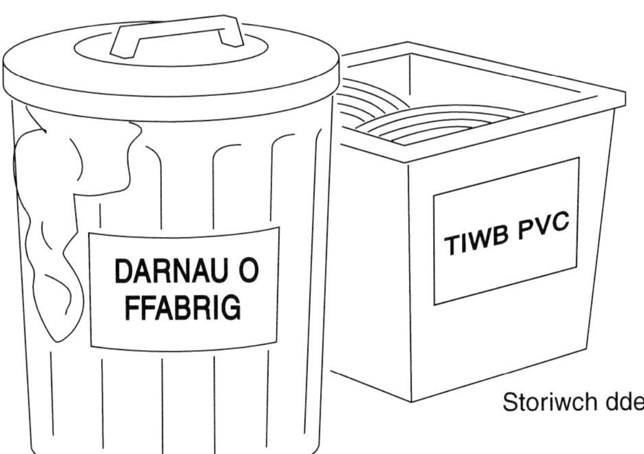

Storiwch ddefnyddiau mawr mewn biniau plastig

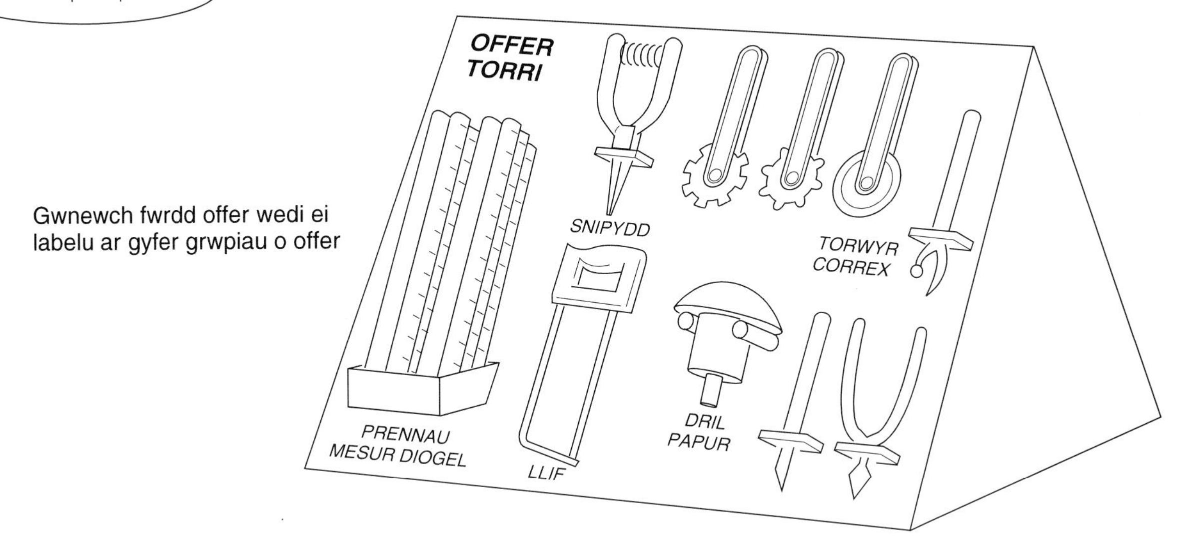

Gwnewch fwrdd offer wedi ei labelu ar gyfer grwpiau o offer

RHESTR ADNODDAU

Offer
Siswrn
Tyllwr/Pwns tyllu
Styffylwr
Haclifiau bach a llafnau
Morthwylion
Dril llaw ac ebillion
Stand dril
Bachau mainc
Tyrnsgriw
Torwyr correx
Torrwr plastig
Torrwr gwifrau
Tyrnsgriw terfynell
Llif siapio a llafnau
Snipydd
Clamp
Gynnau glud (tymheredd isel)
masgiau llwch a sbectol
Torrwr ochr
haearn sodro
Torwyr cwmpawd, cylchdro, tyllog, tonnog a chylch
Cyllyll celf
Prennau mesur diogel
Dril papur
Gefelen lygaden, gefelen a pwns cylchdro
Mat hunan-adfer

Offer trydanol
bylbiau 1.5V
dalwyr bylbiau clip
Astell-ddalwyr
Dalwyr batri
Casynnau ffilm
Seinyddion/Suyddion
Moduron (1.5V)
Pwlïau modur
Switsys gwasgedd
Switsys togl
Switsys corsen
gwifrau clipiau crocodeil
gwifren amlwifrau
Plocyn terfynell/cysyltiadau cylched
Mecanweithiau cloc

Defnyddiau
Pren e.e. Jelutong (10mm a6mm)
Hoelbren (gwahanol ddiamedr)
Correx
Forex
Darnau o ffabrig
plethwaith
ffoil
Ynysydd pibau
Defnyddiau wedi eu hailgylchu/hadennill e.e.bocsys, poteli
Clai

Adnoddau eraill
Prennau lolipop
pegiau dillad
Trionglau o gerdyn wedi eu llungopïo
Olwynion MDF (gwahanol feintiau)
Olwynion pwli (gwahanol feintiau)
Riliau cotwm
Gleiniau pren
Tiwb PVC hyblyg
Coesynnau glud
Tâp masgio
padiau glynu ar y ddwy ochr
Papur llyfnu
Clipiau papurau
Pinnau hollt
Glanhawyr pib
gwifren fodelu
Tiwb Connect-O-Mec
Llinyn
Tâp clir
Glud PVA
Peniau ffelt
Gwellt yfed
Cysylltwyr
Bandiau rwber
Papur sgwariau centimetr wedi ei lamineiddio
Pecynnau adeiladu

GEIRFA

A

adeiladwaith – construction
adeiledd, –au – structure(s)
amlinell – outline
amylu b.e. – to oversew
anhyblyg/anhydrin – rigid
argraffluniau – impressions
arwyneb – surface

B

bachau mainc – bench hooks
berryn, berynnau – bearing(s)
bisgedi crimp – wafers
both, bothau – hub(s)
bwa – arch
bwydlen – menu
bwyell dorri papur – guilotine

C

cap both – hubcap
casiau crwst – pastry cases
cerrynt – currents
clai wedi ei danio/clai llosg – fired clay
colyn – pivot
clecwyr – poppers
clorian – scales
clipiau crocodeil – crocodile clips
clipiau papur – paper clips
clustogwaith – upholstery
coesyn glud – gluestick
colfach – hinge
côn - cone
crafanc (b.) – chuck
croeslin – diagonal; yn groesliniol -– diagonally
cydrannau – components
cyfeirlyfrau – reference books
cyfesurynnau – coordinates
cyflyrydd – conditioner
cyfunioni b.e. – to align
cyfwisgoedd – accessories
cyffeithyddion – preservatives
cylched – circuit
cylchdro, cylchdroadau – revolution; cylchdroi b.e.– to revolve
cylchyn – circumference line
cynhwysydd, cynwysyddion – container(s)
cynhwysion – ingredients
cysgodlen – shade
cysylltwr – Treasury tag
cysyllytydd cylched – circuit connector

CH

chwyrlïo b.e. – to whisk; chwyrlïydd – a whisk

D

dadosod b.e.– to disassemble
dargopïo b.e. – to trace
datodwr pwythi – stitch unpicker
dargopïo b.e. – to trace
datodwr pwythi – stitch unpicker
defnyddiau amgen – alternative materials
defnyddiau wedi eu hadennill – reclaimed materials
defnydd ynysu – insulation
diddos – waterproof

E

ebill, ebillion – bit(s)
echel, echelau – axle
erfyn – tool; erfyn miniog – sharp tool

FF

ffabrig sugno – absorbent fabric
ffeil – file
fflachlamp – torch

G

gefel, gefelau – tongs
gefelen, gefeiliau – pliers
gefelen lygaden, gefeiliau llygaden – eyelet pliers
glain, gleiniau – bead(s)
glanhawyr pib– pipe cleaners
gludio b.e. – to glue
grym – force
gwead, gweadwaith/defnydd gweadog – textures
gwehyddu b.e. – to weave; wedi ei wehyddu – woven
gwerthyd – spindle
gwlân dur – wire wool
gwydredd – glaze: gwydredd wedi ei danio – fired glaze
gweithgynhyrchu b.e. –to manufacture
gwahanyddion – spacers
gwellaif, gwelleifiau – shears
wire wool – gwlân dur

H

haclif , -iau – hacksaw(s)
haearn sodro – soldering iron
haenen lynu – clingfilm
hoelbren – dowel
hyblyg – flexible
hydrin – pliable

LL

llafn – blade; llafnau sbâr – spare blades
llif gron – circular saw; llif siapio – shaping saw
llinellau bylchog – dotted lines
lliw anniflan – colourfast
lluniad – diagram; lluniad taenedig – exploded diagram; l
lif-luniad – flow diagram
lliwiau cysefin – primary colours
llwyth, llwythi – load(s)

M

maetheg – nutrition (science of); maethiad – nutrition
mat torri hunan-adfer – self-healing mat

O

odyn – kiln
ôl-droi b.e.– to reverse
ongl sgwâr – right angle

P

pacio dan wactod – Vacuum packing
padiau glynu – sticky pads
papur llyfnu/gwydrog – sandpaper
papur rhychiog – corrugated paper
papur sgwariau – squared paper
papur sugno – absorbent paper
papurau newydd gyda dalennau llydain – broadsheet newspapers
patrymlun – template
pecynnau adeiladu – construction kits
peniau'n sicrhau ysgrifen barhaol – permanent pens
peniau uwchdaflunydd – overhead projector pens
pentan – hob
pibed – pipette
pin cau – safety pin; pinnau bawd – drawing pins;
pinnau hollt – split pins
plethwaith – braid
plyciwr – tweezers
plocyn terfynell – terminal block
polaredd – polarity
potyn gwasgu/pinsio – pinch pot
pren haenog – plywood
pren lolipop – lollypop stick
pren mesur/ riwl – ruler; pren mesur diogel – safety ruler
pwns – punch; pwns llygaden/tyllwr llygadennau – eyelet punch
pwysbwynt – fulcrum
pwysynnau – weights
pwythi: pwyth rhedeg - running stitch;
pwyth milwr – soldier stitch;
pwyth croes - cross stitch; pwyth ôl – back stitch

R

raflo b.e. – to fray

RH

rhidyll – sieve
rhigol – groove
rhoden, rhodenni – rod

S

sbectol lwch – safety goggles
seinydd/suydd – buzzer
sidangod - cocoon
snipydd – snip
sodr – solder; sodro b.e. – to solder
stwffwl, styffylau – staple(s); styffylu - b.e. – to staple
snipydd – snip
sodr – solder; sodro b.e. – to solder
stwffwl, styffylau – staple(s); styffylu - b.e. – to staple
sylfaen/gwaelod – base
symudiad cilyddol – reciprocal movement

T

taenwyr glud – glue spreaders
tafell – slice; tafellu – b.e. – to slice
tanwydredd – underglaze
tâp glynu – sticky tape: tâp gludiog – double sided sticky tape
toes hallt – salt dough
torrwr cylchdro – rotary cutter;
torrwr cylchdro tonnog – rotary wavy cutter
trac treigl – caterpillar track
trawst – beam
trosglwyddynnau – transfers
trosol – crowbar
tryloyw – transparent
tylino b.e. – to knead
tyrnsgriw – screwdriver; tyrnsgriw trwynbwl – bull nose screwdriver
tyllydd – perforator

U

uniad/asiad – join
uno/asio b.e. – to join

Y

ymdrech – effort